# LE PEINTRE
# DE BATAILLES

ARTURO PÉREZ-REVERTE

# LE PEINTRE
# DE BATAILLES

roman

TRADUIT DE L'ESPAGNOL
PAR FRANÇOIS MASPERO

*ÉDITIONS DU SEUIL*
*27, rue Jacob, Paris VI*ᵉ

Titre original : *El pintor de batallas*
Éditeur original : Santillana Ediciones Generales, S. L., Madrid
© 2006, Arturo Pérez-Reverte
ISBN original : 84-204-6998-X

ISBN 978-2-02-088807-3

www.seuil.com

Saint Augustin a vu qu'on travaille pour l'incertain sur mer, en bataille, etc., mais il n'a pas vu la règle des partis qui démontre qu'on le doit.

BLAISE PASCAL, *Pensées*

# 1.

Comme chaque matin, il fit cent cinquante brasses vers le large et autant pour revenir à la plage en continuant de nager jusqu'à ce qu'il sente les galets ronds sous ses pieds. Il se sécha avec la serviette qui était accrochée à un tronc d'arbre roulé là par la mer, passa sa chemise, mit ses espadrilles et gravit le sentier étroit qui menait de la calanque à la tour de guet. Là, il se fit un café et se mit au travail, ajoutant des bleus et des gris pour parvenir à l'atmosphère adéquate. Pendant la nuit – il dormait de moins en moins, et son sommeil n'était qu'une torpeur incertaine –, il avait décidé qu'il aurait besoin de tons froids pour définir la ligne mélancolique de l'horizon où, dans une trouble clarté, se découpaient les silhouettes des guerriers qui marchaient près de la mer. Cela les nimberait de la lumière réfléchie depuis quatre jours par les ondulations de l'eau sur la plage grâce à de légères touches de blanc de titane très pur. Il mélangea donc dans un flacon du blanc, du bleu et une très faible quantité de terre de Sienne, jusqu'à ce qu'il obtienne un bleu lumineux. Après quoi, il fit quelques essais sur la plaque de four qui lui servait de palette, ajouta un peu de jaune et travailla sans s'arrêter le reste de la matinée. À la fin, serrant le manche du pinceau entre ses dents, il recula pour juger de l'effet. Ciel et mer combinaient maintenant des harmoniques sur la fresque qui couvrait le mur intérieur de la tour ; et même si beaucoup restait encore à faire, l'horizon était marqué par une ligne douce, légèrement brumeuse, destinée à accentuer la solitude des hommes – traits noirs semés d'éclats métalliques – qui s'éloignaient, épars sous la pluie.

Il nettoya les pinceaux à l'eau et au savon, et les mit à sécher. D'en bas, au pied de la falaise, montait le bruit des moteurs et de la musique du bateau de touristes qui, chaque jour à la même heure, parcourait la côte. Sans avoir besoin de consulter sa montre, Andrés Faulques sut qu'il était une heure. La voix féminine retentissait comme d'habitude, amplifiée par un mégaphone ; et elle parut encore plus forte et plus claire quand l'embarcation entra dans la petite crique car, alors, le son parvint à la tour sans autre obstacle que les quelques pins et arbustes qui, malgré l'érosion et les éboulements, restaient accrochés aux flancs des rochers.

« *Cet endroit s'appelle la crique d'Arráez et a servi de refuge aux corsaires barbaresques. En haut, vous pouvez voir une ancienne tour de guet construite au début du XVII*e *siècle pour défendre la côte en prévenant les villages voisins des incursions des Sarrasins...* »

C'était toujours la même voix : agréable, détachant bien les mots. Faulques imaginait que sa propriétaire était jeune, sans doute une guide locale accompagnant les touristes pendant les trois heures de la promenade du bateau – une vedette bleue et blanche de vingt mètres de long, basée à Puerto Umbría – entre l'île des Pendus et Cabo Malo. Ces deux derniers mois, du haut de son promontoire, Faulques l'avait vu passer régulièrement, le pont couvert de passagers munis d'appareils photo et de caméras vidéo, ses haut-parleurs diffusant la musique estivale avec une telle force que les interruptions de la voix féminine constituaient un soulagement.

« *Dans cette tour de garde, longtemps abandonnée, vit un peintre connu qui en décore l'intérieur d'une grande fresque. Il s'agit malheureusement d'une propriété privée, et les visites ne sont pas admises...* »

Ce jour-là elle s'exprimait en espagnol, mais il arrivait qu'elle le fasse en anglais, en italien ou en allemand. C'était seulement quand les passagers étaient français – quatre ou cinq fois, cet été-là – qu'une voix masculine prenait la relève dans cette langue. De toute manière, pensa Faulques, la saison était sur le point de s'achever, la vedette promenait de moins en moins de passagers ; bientôt les visites quotidiennes deviendraient hebdomadaires, et elles finiraient par cesser tout à fait quand les grands vents d'hiver durs et gris qui soufflaient des bouches du Ponant viendraient noircir le ciel et la mer.

Il reporta son attention sur la peinture, où de nouvelles fissures étaient apparues. Le grand panorama circulaire n'en était encore qu'au stade de segments discontinus. Le reste était tracé au fusain, simples lignes noires esquissées sur l'apprêt blanc du mur. L'ensemble formait un paysage démesuré et inquiétant, sans titre, sans époque, où le bouclier à demi enterré dans le sable, le heaume médiéval éclaboussé de sang, l'ombre d'un fusil d'assaut sur une forêt de croix de bois, les murailles de la ville ancienne et les tours de béton et de verre de la ville moderne se conjuguaient moins comme des anachronismes que comme des évidences.

Faulques continua de peindre, minutieux et patient. Même si l'exécution était techniquement correcte, ce n'était nullement une œuvre majeure, et il le savait. Il était bon dessinateur, mais peintre médiocre. Cela, il le savait aussi. En réalité, il l'avait toujours su, mais la fresque n'était pas destinée à un autre public que lui-même : elle n'avait pas grand-chose à voir avec son talent de peintre et beaucoup à voir, en revanche, avec sa mémoire. Avec le regard de trente années scandées par le déclic d'un appareil photo. De là, le canevas – il fallait trouver un nom et celui-là en valait bien un autre – formé par toutes ces droites et tous ces angles traités avec une singulière rigidité, vaguement cubiste, qui donnait aux êtres et aux objets des contours aussi infranchissables que des clôtures de fil de fer ou des fossés. La fresque couvrait tout le mur du rez-de-chaussée de la tour de guet, pour un panorama continu de vingt-cinq mètres de circonférence et presque trois de haut, interrompu seulement par deux fenêtres étroites se faisant face, la porte qui donnait sur le dehors et l'escalier en colimaçon qui menait à l'étage que Faulques avait aménagé pour y vivre : un réchaud à gaz, un petit frigo, un lit de camp, une table et des chaises, un tapis et un coffre. Il était là depuis sept mois et avait employé les deux premiers à rendre le lieu habitable : toit provisoire en bardeau imperméabilisé sur la tour, poutres de béton pour renforcer les murs, volets aux fenêtres, et mise en place du conduit qui sortait des latrines creusées dans la roche, à la manière d'un étroit souterrain, pour déboucher dans la falaise. Il avait aussi un réservoir d'eau, installé au-dehors sur une plate-forme de planches en bois et en fibrociment, qui lui servait en même temps de douche et d'abri pour la moto tout-terrain avec laquelle, une fois par semaine, il descendait au village pour se ravitailler.

Les fissures préoccupaient Faulques. Prématurées, se dit-il. Et trop nombreuses. La question n'affectait pas l'avenir de son travail – il le savait déjà sans avenir quand il avait découvert cette tour abandonnée et conçu ce projet –, mais le temps nécessaire pour l'exécuter. Voilà ce qu'il pensait, tandis qu'il passait les doigts, inquiet, sur les fentes minuscules qui s'étendaient dans la partie la plus achevée de la fresque, sur les traits noirs et rouges qui représentaient le contre-jour asymétrique, polyédrique, des murs de la ville ancienne brûlant au loin – Bosch, Goya et le docteur Atl, entre autres : main de l'homme, nature et destin fondus dans le magma d'un même horizon. Ces fentes ne pouvaient que s'agrandir. Ce n'étaient pas les premières. Le renforcement de la structure de la tour, le revêtement de ciment et de sable, l'application d'une peinture acrylique blanche ne suffisaient pas pour contrecarrer la vétusté du bâtiment tricentenaire, les dommages causés par l'abandon, les intempéries, l'érosion et le sel de la mer voisine. C'était aussi, d'une certaine manière, une lutte contre le temps, qui, pour tranquille qu'elle fût, n'en menait pas moins inexorablement à la défaite. Même cela, conclut Faulques avec son vieux fatalisme professionnel – il avait vu tant de fissures, dans sa vie –, n'avait pas une importance excessive.

La douleur – un élancement aigu au côté, au-dessus de la hanche droite – arriva ponctuellement, cette fois sans prévenir, fidèle au rendez-vous qui revenait toutes les huit ou dix heures. Faulques demeura immobile, retenant sa respiration, pour donner à la première vague le temps de se calmer ; puis il saisit un flacon sur la table et avala deux comprimés avec un peu d'eau. Ces dernières semaines, il avait dû doubler la dose. Au bout d'un moment, un peu apaisé – c'était pire quand la douleur venait la nuit, et même si les comprimés la soulageaient, il restait éveillé jusqu'à l'aube –, il promena un lent regard circulaire sur le panorama : la ville lointaine, moderne, et l'autre ville plus près et en flammes, les silhouettes accablées qui s'enfuyaient, les formes sombres d'hommes armés plus rapprochées, le reflet rougeoyant de l'incendie – traits de pinceau fin, vermillon sur jaune – glissant sur le métal des armes, avec cette luisance particulière que l'œil du malheureux habitant concerné capte dès qu'il voit sa porte s'ouvrir, clac-clac, clac-clac, bruit nocturne de bottes, de fers et de fusils, précis comme une partition de musique, avant qu'on ne le force à sortir pieds nus et qu'on ne lui coupe la tête – ou qu'on ne lui fasse sauter la cervelle, version modernisée. L'idée était de prolonger la lumière de la ville en feu jusqu'au petit matin gris de la plage qui, avec son paysage de pluie et la mer au fond, agonisait à son tour dans un crépuscule éternel, prélude de la même nuit ou d'autres identiques, boucle interminable qui menait le rayon de la roue, le pendule oscillant de l'Histoire, jusqu'au sommet du cycle, pour le faire retomber, dans un mouvement perpétuel.

« Un peintre connu », avait affirmé la voix. Elle employait toujours les mêmes mots, et Faulques, qui imaginait les touristes braquant leurs objectifs sur la tour, se demandait d'où cette femme – l'homme qui parlait français ne mentionnait jamais l'habitant du lieu – avait tiré une information aussi inexacte. Il concluait que ce n'était peut-être qu'un moyen de donner davantage d'intérêt à la promenade. Si Faulques était connu dans des lieux et des milieux professionnels bien précis, ce n'était pas pour son travail de peintre. Après ses quelques tentatives juvéniles, il avait, durant toute sa vie active, laissé derrière lui dessin et pinceaux, loin – c'était du moins ce qu'il avait cru jusqu'à une date récente – des situations, des paysages et des gens qu'il saisissait dans le viseur de son appareil

14

photo : la matière du monde de couleurs, de sensations et
de visages qui constituaient sa quête de l'image définitive,
du moment à la fois fugace et éternel qui expliquerait
tout. Sa quête de la règle cachée qui ordonnait l'implacable géométrie du chaos. Paradoxe : c'était seulement
depuis qu'il avait remisé les appareils et pris de nouveau
les pinceaux à la recherche de la perspective – rassu-
rante ? –, qu'il n'avait jamais réussi à capter à travers une
lentille, que Faulques se sentait plus proche de ce qu'il
avait si longtemps cherché sans le trouver. Après tout
– pensait-il maintenant –, peut-être la scène ne s'était-elle
jamais passée sous ses yeux, dans le vert tendre d'une
rizière, dans la foule bigarrée d'un souk, dans la plainte
d'un enfant ou dans la boue d'une tranchée, mais en lui-
même : dans le ressac de sa mémoire et des fantômes
qui jalonnaient ses rives. Dans le trait de crayon et la
touche de couleur, lents, minutieux, réfléchis, qui ne sont
possibles que quand, enfin, le cœur bat plus lentement.
Quand les vieux dieux mesquins et tout ce qui s'y rattache
cessent d'accabler l'homme de leurs haines et de leurs
faveurs.

Peinture de batailles. L'idée ne pouvait qu'impression-
ner, que l'on fût apte à cet office ou non ; et Faulques avait
approché la question avec toute la prudence et l'humilité
technique possibles. Avant d'acheter cette tour et de s'y
installer, il avait passé des années à accumuler de la documentation, visiter des musées, étudier l'exécution d'un
genre qui ne l'avait guère intéressé au temps de ses études
et de ses passions de jeunesse. Des galeries des batailles de
l'Escurial et de Versailles à certaines fresques de Rivera
ou d'Orozco, des céramiques grecques aux Moulins des
Frères, des livres spécialisés aux œuvres exposées dans les
musées d'Europe et d'Amérique, Faulques, avec le regard

particulier que lui avaient donné trente ans passés à photographier les combats, avait traversé vingt siècles d'iconographie guerrière. Cette peinture murale était le résultat final de tout cela : les guerriers revêtant la cotte de mailles rouge et noire, les légionnaires sculptés sur la colonne de Trajan, la tapisserie de Bayeux, la bataille de Fleurus de Vicente Carducho, la victoire de Saint-Quentin vue par Luca Giordano, les massacres d'Antonio Tempesta, les études de Léonard de Vinci pour la bataille d'Anghiari, les eaux-fortes de Jacques Callot, l'incendie de Troie d'après Francisco Collantes, le 2 Mai et les Désastres vus par Goya, le suicide de Saül par Brueghel l'Ancien, les pillages, les incendies contés par Brueghel le Jeune ou par Aniello Falcone, les batailles de Jacques Courtois, « Il Borgognone », la bataille de Tétouan de Mariano Fortuny, les grenadiers et les cavaliers napoléoniens de Meissonnier et de Detaille, les charges de cavalerie de Lin, Meulen ou Roda, l'attaque du couvent par Pandolfo Reschi, un combat nocturne de Matteo Stom, les affrontements médiévaux de Paolo Uccello, et tant d'autres œuvres étudiées des heures, des jours, des mois durant, à la recherche d'une clef, d'un secret, d'une explication ou d'un procédé utile. Des centaines d'articles et de livres, des milliers d'images s'amoncelaient autour et à l'intérieur de Faulques, dans cette tour ou dans sa mémoire.

Mais pas seulement des batailles. L'exécution technique, la solution des difficultés qu'impliquait semblable peinture dépendaient aussi de l'étude de tableaux dont la guerre n'était pas forcément le sujet. Dans certains tableaux ou gravures inquiétants de Goya, dans certaines fresques ou toiles de Giotto, Bellini et Piero della Francesca, chez les muralistes mexicains, chez des peintres modernes comme Léger, Chirico, Chagall ou les premiers cubistes, Faulques avait rencontré des solutions pratiques. De la même façon qu'un photographe doit affronter des problèmes de mise au point, de lumière, de cadrage posés par l'image dont il entend s'approprier, peindre supposait affronter des problèmes qui ne pouvaient être résolus que par l'application rigoureuse d'un système fondé sur des formules, des exemples, l'expérience, des intuitions et le génie quand on en avait. Faulques connaissait la manière, il maîtrisait la technique, mais il manquait de cet élément essentiel qui fait la différence entre la bonne volonté et le talent. Conscient de cela, ses premières tentatives de se consacrer à la peinture s'étaient arrêtées très tôt. Aujourd'hui, pourtant, il possédait enfin les connaissances adéquates et l'expérience vécue nécessaires pour relever le défi : un projet qu'il avait découvert à travers le viseur d'un appareil photo et mûri tout au long de ces dernières années. Un panorama mural qui déploierait, sous les yeux d'un observateur attentif, les règles implacables qui sous-tendent la guerre – le chaos apparent – comprise comme simple miroir de la vie. Avec une telle ambition, il n'aspirait pas à un chef-d'œuvre ; ni même à l'originalité, bien que cette somme et cette combinaison d'innombrables images empruntées à la peinture et à la photographie, mais impossibles sans l'existence, ou le regard, de l'homme qui peignait dans la tour, ne puissent qu'être originales. La fresque n'était pas non plus destinée à durer éternellement ou à être exposée au public. Une fois qu'il l'aurait achevée, le peintre quitterait les lieux et ceux-ci poursuivraient leur destin. Dès lors, ce serait au temps et au hasard de continuer le travail, avec des pinceaux trempés dans leurs propres combinaisons complexes et mathématiques. Cela faisait partie intégrante de la nature même de l'œuvre.

17

Faulques continua d'observer le grand paysage circulaire composé en bonne partie de souvenirs, de situations, de vieilles images restituées au présent en couleurs acryliques, sur ce mur, après avoir parcouru durant des années les milliers de kilomètres, la géographie infinie de circonvolutions, de neurones, de replis et de vaisseaux sanguins qui constituaient son cerveau et qui s'éteindraient en lui, avec lui, à l'heure de sa mort. La première fois que, des années plus tôt, Olvido Ferrara et lui avaient parlé de la peinture de batailles, c'était dans la galerie du palais Alberti, à Prato, devant le tableau de Giuseppe Pinacci intitulé *Après la bataille*, une de ces scènes historiques spectaculaires d'une composition parfaite, équilibrée et irréelle, mais qu'aucun artiste lucide, en dépit de tous les progrès techniques additionnés, ceux du passé comme ceux de la modernité, ne se risquerait jamais à discuter. Il est curieux, avait-elle dit – au milieu des cadavres dépouillés et des agonisants, un guerrier achevait à coups de crosse un ennemi à terre semblable à un crustacé, sous le casque et l'armure qui le couvraient complètement –, de constater que presque tous les peintres de batailles intéressants sont antérieurs au XVII<sup>e</sup> siècle. À partir de là, aucun, excepté Goya, ne s'est risqué à contempler un être humain frappé pour de bon par la mort, avec du sang authentique et non un sirop héroïque dans les veines ; ceux qui, à l'arrière, finançaient leur travail, considéraient cela inopportun. Puis la photographie a pris la relève. Tes photos, Faulques. Et celles des autres. Mais n'ont-elles pas, elles aussi, perdu leur honnêteté ? Aujourd'hui, montrer l'horreur en premier plan est politiquement incorrect. De nos jours, même l'enfant qui lève les mains sur la célèbre photo du ghetto de Varsovie aurait le visage masqué, sous prétexte d'atteinte à la loi sur la protection des mineurs. D'ailleurs, le temps est terminé où il fallait se donner beaucoup de mal pour obliger un objectif à mentir. Désormais, toutes les photos où apparaissent des personnes mentent ou sont douteuses, avec ou sans légende. Elles ont cessé d'être un témoignage pour faire partie de la mise en scène qui nous entoure. Chacun peut choisir confortablement la parcelle d'horreur qui mettra du piment dans sa vie. N'es-tu pas d'accord ? Crois-moi, nous sommes loin de ces anciens portraits où le visage humain baignait dans un silence qui reposait la vue et éveillait la conscience. Aujourd'hui, la sympathie que nous éprouvons d'office pour n'importe quelle victime nous décharge de toute responsabilité. Et de remords.

Olvido ne pouvait l'imaginer alors – cela faisait peu de temps qu'ils allaient ensemble à la guerre et dans les musées –, mais ses paroles, comme d'autres prononcées plus tard à Florence devant un tableau de Paolo Uccello, devaient se révéler prémonitoires. Ou peut-être avaient-elles éveillé en Faulques, à partir de cette époque, quelque chose qui sommeillait en lui depuis longtemps ; par exemple depuis le jour où une photo de lui – un enfant-soldat angolais pleurant devant le cadavre d'un ami – avait été achetée pour la publicité d'une marque de vêtements ; ou depuis cet autre jour, non moins singulier, où, en étudiant dans le détail la photo de Robert Capa représentant un milicien espagnol frappé par une balle – icône indiscutable de la photo de guerre honnête –, Faulques avait conclu que jamais, dans toutes les guerres qu'il avait traversées, il n'avait vu un homme mourir au combat avec les genoux de son pantalon aussi propres et une chemise aussi impeccable. Ces détails et beaucoup d'autres, minimes ou importants, y compris la disparition d'Olvido Ferrara dans les Balkans et le passage du temps dans le cœur et la tête du photographe, constituaient les éléments lointains, les pièces du canevas complexe des innombrables hasards qui, maintenant, faisaient qu'il était là, devant la fresque, dans la tour.

Il restait beaucoup à faire – il avait couvert un peu plus de la moitié de l'ensemble ébauché au fusain sur le mur blanc –, mais le peintre de batailles était satisfait. Quant au travail de la matinée, la plage sous la pluie et les navires qui s'éloignaient de la ville en flammes, ce nouveau bleu brumeux sur la mélancolie de l'horizon, presque gris entre mer et ciel, orientaient le regard du spectateur vers d'invisibles lignes convergentes qui reliaient les silhouettes lointaines hérissées d'éclats métalliques à la colonne de fugitifs, et en particulier au visage d'une femme aux traits africains – grands yeux, dessin ferme d'un front et d'un menton, doigts esquissant le geste de masquer ce regard – situé au premier plan, dans des tons chauds qui en accentuaient la proximité. Mais personne ne peut donner ce qu'il ne possède pas, croyait Faulques. La peinture, comme la photographie, l'amour ou la conversation, était semblable à ces chambres d'hôtels bombardés, vitres cassées, vidées de tout, que l'on ne pouvait meubler qu'avec ce qu'on sortait de son sac. Il y avait des paysages de guerre, des situations, des visages qui donnaient lieu à une photo obligée, comme pouvaient l'être, dans un autre ordre de choses, Paris, le Taj Mahal ou le pont de Brooklyn : neuf sur dix des photographes fraîchement débarqués s'en tenaient au rituel, en quête d'un instantané qui leur permette d'entrer dans le club très sélect des touristes de l'horreur. Mais cela n'avait jamais été le cas de Faulques. Il ne prétendait pas justifier le caractère prédateur de ses photographies, à l'instar de

ceux qui affirmaient aller à la guerre parce qu'ils haïs-
saient les guerres et qu'ils voulaient les supprimer. Il
n'aspirait pas non plus à collectionner le monde, ni à l'expliquer. Il souhaitait juste comprendre le code du canevas, la clef du cryptogramme, pour rendre la souffrance,
toutes les souffrances, supportable. Depuis le début, ce
qu'il cherchait était différent : le point d'où l'on pouvait
apercevoir, ou tout au moins deviner, l'enchevêtrement
de lignes droites et courbes, la trame de l'échiquier sur
laquelle s'articulaient les ressorts de la vie et de la mort, le
chaos et ses formes, la guerre comme structure, comme
squelette décharné, évident, du gigantesque paradoxe
cosmique. L'homme qui peignait cette immense fresque
circulaire, bataille des batailles, avait passé beaucoup
d'heures de sa vie à l'affût d'une telle structure, tel un
franc-tireur patient, que ce soit sur une terrasse de Beyrouth, sur la rive d'un fleuve africain ou au coin d'une rue
de Mostar, espérant le miracle qui, d'un coup, dessinerait
à travers la lentille de l'objectif, dans la chambre noire
– rigoureusement indifférente – de son appareil et sur sa
rétine, le secret de ce canevas d'une incroyable complica-
tion qui ramenait la vie à ce qu'elle était réellement : une
course folle vers la mort et le néant. Pour arriver à ce
genre de conclusion dans leur travail, beaucoup de photographes et d'artistes s'isolaient dans un atelier. Dans le
cas de Faulques, son atelier avait été très spécial. Aban-
donnant ses études successives d'architecture et d'art, il
s'était plongé à vingt ans dans la guerre, attentif, lucide,
avec la prudence de l'homme qui parcourt pour la première fois le corps d'une femme. Et jusqu'à ce qu'Olvido
Ferrara entre dans sa vie et en sorte, il avait cru qu'il sur-
vivrait à la guerre et aux femmes.

Il regarda attentivement cet autre visage, ou plutôt sa

représentation picturale épurée sur le mur. Ce visage avait fait la couverture de nombreuses revues depuis qu'il l'avait capté, presque par hasard – le hasard précis du moment exact, se dit-il avec un sourire ironique –, dans un camp de réfugiés du Sud du Soudan. Un jour de labeur routinier, ballet silencieux et concentré, subtils pas de danse entre les enfants qui mouraient d'épuisement devant les objectifs de ses appareils, les femmes décharnées au regard absent, les vieillards sans autre futur que leurs souvenirs. Et tout en écoutant le ronron du Nikon F3 en train de rembobiner la pellicule, Faulques, du coin de l'œil, avait repéré la fille. Elle était étendue par terre sur une natte, une jarre ébréchée contre son ventre, et se passait la main sur la figure d'un geste fatigué, exténué. C'est ce mouvement qui avait attiré son attention. Une réaction automatique lui avait fait vérifier la maigre quantité de pellicule qui lui restait dans son vieil et solide Leica 3MD muni d'un objectif de 50 mm qu'il portait pendu à son cou. Trois clichés seraient suffisants, s'était-il dit, tandis qu'il s'approchait très doucement de la fille en essayant de ne rien faire qui puisse interrompre son geste – procédure d'approche indirecte, devait dire plus tard Olvido, qui aimait appliquer la cynique terminologie militaire à leur métier. Mais au moment où Faulques, l'œil déjà collé au viseur, faisait sa mise au point, la fille, apercevant son ombre sur le sol, avait retiré sa main de son visage et levé la tête pour le regarder. Ce qui avait eu pour effet de le faire appuyer sur l'obturateur pour prendre deux clichés rapides, guidé par son instinct qui lui soufflait de ne pas perdre un tel regard car il ne se reproduirait probablement jamais. Ensuite, conscient qu'il lui restait encore une ultime chance de le fixer sur le gélatino-bromure d'argent de la pellicule avant qu'il ne disparaisse pour toujours, il avait effleuré la bague du diaphragme pour l'amener au 5.6 qui lui semblait correspondre à la lumière ambiante, modifié légèrement la distance focale et pris le dernier cliché une seconde avant que la fille ne détourne son visage en le couvrant de la main. Tout s'était arrêté là ; quand, cinq minutes plus tard, il était revenu avec les deux appareils rechargés et dûment réglés, le regard de la fille n'était plus le même et le moment était passé. Faulques avait fait le voyage de retour en gardant en mémoire le souvenir de ces trois photos et en se demandant si, au développement, elles apparaîtraient telles qu'il avait cru les voir ou qu'il se les rappelait. Et plus tard, dans la pénombre rouge de la chambre noire, il avait guetté la lente naissance des lignes et des couleurs, la lente formation du visage dont les yeux le regardaient du fond de la cuvette. Une fois les tirages secs, Faulques avait passé de longs moments devant eux, conscient de s'être approché de très près de l'énigme et de sa formulation physique. Les deux premiers clichés étaient imparfaits, avec un léger problème de mise au point ; mais le troisième était d'une netteté totale. La fille était jeune et d'une beauté éblouissante en dépit de la cicatrice horizontale qui marquait son front, et de ses lèvres crevassées – comme maintenant les fissures apparues sur la fresque – par la maladie et la soif. Et tout, la cicatrice, les crevasses des lèvres, les doigts fins et osseux contre le visage, les lignes du menton et celles à peine suggérées des sourcils, le fond formé par la natte en raphia, tout paraissait converger vers la lumière des yeux, le reflet qui luisait dans leurs iris noirs, leur résignation figée et désespérée. Un masque pathétique, très ancien, éternel, point de rencontre de toutes ces lignes et tous ces angles. La géométrie du chaos sur le visage serein d'une jeune fille mourante.

# 2.

Quand Faulques regarda par la fenêtre qui donnait du côté de la terre, il vit l'inconnu dans les pins, en train d'observer la tour. Les voitures ne pouvaient faire que la moitié du chemin, ce qui supposait une demi-heure de marche par le sentier qui serpentait depuis le pont. Un trajet pénible à cette heure de la journée, avec le soleil encore haut, sans un souffle de vent pour tempérer la chaleur brûlante des cailloux de la sente. En bonne forme physique, pensa-t-il. Ou passionné de visites. Il étira les bras pour dérouiller son long squelette – Faulques était grand, osseux, et ses cheveux gris coupés court lui donnaient une vague allure militaire –, se lava les mains dans une cuvette et sortit. Les deux hommes se regardèrent quelques instants dans le bruit monotone des cigales qui stridulaient dans le maquis. L'inconnu portait un sac accroché à l'épaule et était vêtu d'une chemise blanche et d'un jean, avec aux pieds des chaussures de marche. Il contemplait la tour et son habitant avec une curiosité tranquille, comme s'il voulait s'assurer que c'était bien l'endroit qu'il cherchait.

– Bonjour, lança-t-il.

Un accent qui pouvait être de n'importe où. Le peintre ne cacha pas sa mauvaise humeur. Il n'aimait pas les visiteurs et, pour les dissuader, il avait planté des écriteaux bien visibles sur la côte – dont l'un annonçait CHIENS MÉCHANTS, bien qu'il n'y en eût aucun –, avertissant qu'il s'agissait d'une propriété privée. Il ne fréquentait personne. Ses seules relations étaient quelques contacts superficiels quand il descendait à Puerto Umbría : les employés de la poste ou de la mairie, le garçon du bar, sur le quai du petit port de pêche, à la terrasse duquel il s'asseyait parfois, les commerçants chez qui il achetait de quoi manger et ce dont il avait besoin pour son travail, ou le directeur de la succursale bancaire où il se faisait virer de l'argent de Barcelone. Il coupait court à toute tentative de familiarité ; quand on essayait de passer outre cette ligne défensive, il prenait sèchement congé, car il savait qu'un simple refus poli ne suffit pas pour se débarrasser de ce genre d'importuns. Pour les cas extrêmes – formule servant à désigner des éventualités aussi inquiétantes qu'improbables –, il gardait en réserve un fusil de chasse à répétition que, jusqu'à ce jour, il n'avait pas eu l'occasion de sortir de sa housse et qui dormait dans le coffre du haut, propre et graissé, avec deux boîtes de cartouches de chevrotine.

– C'est une propriété privée, dit-il sans aménité.

L'inconnu acquiesça, flegmatique. Il continuait de l'observer, à dix ou douze pas de distance. Il était trapu, de taille moyenne. Ses cheveux étaient longs et de couleur paille. Il portait des lunettes.

– C'est bien vous le photographe ?

Le sentiment de malaise se fit plus intense. Cet individu avait dit « photographe », et non « peintre ». Il se référait à une vie antérieure, et cela ne pouvait que déplaire à Faulques. Surtout dans la bouche d'un inconnu. Cette autre vie n'avait rien à voir avec le lieu ni avec le moment présents. En tout cas officiellement.

25

– Je ne vous connais pas, dit-il, irrité.

– Vous ne vous souvenez pas de moi, peut-être, mais vous me connaissez.

L'homme s'exprimait avec une telle assurance que Faulques fut bien obligé de l'observer avec attention, tandis que l'autre se rapprochait un peu. Faulques avait vu d'innombrables visages dans sa vie, la plus grande partie à travers le viseur d'un appareil. Il se rappelait certains et en avait oublié d'autres ; une vision rapide, le clic de l'obturateur, un cliché sur la planche-contact, lequel, bien souvent, ne méritait pas le cercle du crayon gras qui seul lui éviterait d'aller dormir dans les archives. La plupart de ceux qui apparaissaient sur ces photos se mélangeaient dans une multitude de traits imprécis, sur fond de scènes impossibles à déterminer sans un effort de mémoire : Chypre, Vietnam, Liban, Cambodge, Érythrée, Salvador, Nicaragua, Angola, Mozambique, Irak, Balkans... Chasses solitaires, voyages sans commencement ni fin, paysages dévastés de l'immense géographie du désastre, guerres qui se confondaient avec d'autres guerres, gens qui se confondaient avec d'autres gens, morts qui se confondaient avec d'autres morts. Innombrables négatifs dont il ne se rappelait qu'un sur cent, sur cinq cents, sur mille. Et cette horreur précise, sans appel, qui planait sur les siècles et sur l'Histoire, et se prolongeait comme une avenue interminable entre deux droites parallèles désolées. Le concentré graphique qui contenait toutes les horreurs, peut-être parce qu'il n'existait qu'une seule horreur, immuable et éternelle.

– Vraiment, vous ne vous souvenez pas de moi ?

L'inconnu semblait déçu. Mais rien chez lui ne semblait familier à Faulques. Européen, conclut-il en le scrutant de plus près. Carré, les yeux clairs, les mains fortes.

Une cicatrice verticale sur le sourcil gauche. Un aspect plutôt rude, adouci par les lunettes. Et ce léger accent. Slave, peut-être. Des Balkans ou de par là.

– Vous m'avez pris en photo.

– J'en ai pris beaucoup dans ma vie.

– Celle-là était particulière.

Faulques s'avoua vaincu. Il enfonça les mains dans les poches de son pantalon en haussant les épaules. Je regrette, dit-il. Je ne me souviens pas. L'homme souriait à demi, comme pour l'encourager.

– Faites un effort, monsieur. Cette photo vous a fait gagner de l'argent… – Il indiqua la tour d'un geste bref. – C'est peut-être grâce à elle que vous avez pu vous payer ça.

– Cette tour ne vaut pas grand-chose.

Le sourire de l'homme s'accentua. Il lui manquait une dent sur le côté gauche de la bouche : une prémolaire, en haut. Le reste ne semblait pas non plus en bon état.

– Ça dépend du point de vue. Pour beaucoup, si.

Il avait une façon de parler un peu rigide, formelle. Comme s'il tirait les mots et les phrases d'un livre de grammaire. Faulques essaya encore une fois d'identifier son visage, mais sans résultat.

– Ce prix important que vous avez eu, dit l'inconnu. Il vous a été décerné par l'International Press pour la photo que vous avez faite de moi… Ça non plus, vous ne vous en souvenez pas ?

Faulques le regarda avec méfiance. Cette photo, il s'en souvenait très bien, comme il se souvenait de ceux qui figuraient dessus. Il se les rappelait tous, un par un : les trois miliciens druses debout les yeux bandés – deux s'effondrant, un se tenant fièrement très droit – et les six Kataeb maronites qui les exécutaient presque à bout

27

portant. Elle avait fait la une d'une dizaine de magazines. Sa consécration comme photographe de guerre, cinq ans après ses débuts dans le métier.

– Vous ne pouviez pas être dessus. Les condamnés sont morts, et les tireurs étaient des phalangistes libanais.

L'inconnu hésita, troublé, sans détacher son regard de Faulques. Il resta ainsi quelques secondes, puis hocha la tête.

– Je parle d'une autre photo. Celle de Vukovar, en Croatie… J'ai toujours cru qu'elle vous avait valu ce prix.

– Non. – Maintenant, Faulques l'étudiait avec un intérêt nouveau. – Celle de Vukovar, c'est un autre prix.

– Il était important, lui aussi ?

– Plus ou moins.

– Eh bien, je suis le soldat de cette photo.

Faulques ne bougea pas, les mains toujours dans les poches de son pantalon et la tête légèrement penchée vers la droite, scrutant avec plus d'acuité encore le visage qu'il avait devant lui. Et enfin, comme la lente apparition d'une épreuve sous l'effet du révélateur, l'image qu'il avait dans sa mémoire commença à se superposer aux traits de l'inconnu. Alors il se maudit pour sa lenteur. Les yeux, bien sûr. Moins fatigués et plus vifs, mais c'étaient les mêmes. Comme la courbe des lèvres, le menton légèrement fendu, les mâchoires fortes, aujourd'hui rasées de frais, qui, sur l'image, portaient une barbe de plusieurs jours. La connaissance qu'il avait de ce visage reposait uniquement sur l'observation de la photo prise un jour d'automne à Vukovar, dans l'ex-Yougoslavie, quand les troupes croates, écrasées par l'artillerie et les bateaux serbes qui les bombardaient depuis le Danube, se maintenaient à grand-peine dans l'étroit périmètre défensif de

28

la ville encerclée. Les combats étaient très intenses dans les faubourgs, et, sur le chemin de Petrovci, Faulques et Olvido Ferrara – ils étaient entrés une semaine plus tôt par le seul endroit possible, un sentier caché dans les champs de maïs – avaient croisé les survivants d'une unité croate qui se repliait, défaite, après avoir affronté les blindés ennemis avec des armes légères. Ils marchaient sans ordre, à bout de forces, vêtus d'un mélange hétéroclite d'uniformes militaires et d'effets civils. C'étaient des paysans, des fonctionnaires, des étudiants mobilisés dans la toute nouvelle armée nationale croate : visages ruisselants de sueur, bouches ouvertes, yeux rendus hagards par la fatigue, armes à l'épaule ou traînant à terre. Ils venaient de courir sur quatre kilomètres avec les chars ennemis sur leurs talons et, dans la réverbération du soleil sur la route, ils avançaient maintenant avec une extrême lenteur, presque comme des fantômes, sans autres bruits que le grondement sourd des explosions lointaines et le frottement de leurs bottes sur le sol. Olvido n'avait fait aucune photo – elle ne photographiait quasiment jamais les personnes, seulement les choses –, mais Faulques, en passant près d'eux, avait décidé de fixer l'image de cet épuisement. Il avait donc porté un appareil à la hauteur de son œil droit et, tandis qu'il réglait la distance, le diaphragme et le cadrage, il avait laissé passer deux visages et retenu un troisième dans son viseur, presque au hasard : des yeux clairs extraordinairement vides, des traits décomposés par la fatigue, la peau couverte de gouttes d'une sueur qui engluait aussi le front et les cheveux sales en désordre, un vieil AK-47 porté avec lassitude sur l'épaule et soutenu par une main enveloppée dans un pansement sale et brunâtre. Après le clic de rigueur, Faulques avait poursuivi son chemin. Et c'était tout. La photo avait été publiée quatre semaines plus tard, coïncidant avec la chute de Vukovar et l'extermination de tous ses défenseurs, et cette image était devenue un symbole de la guerre. Ou, selon l'expression du jury de professionnels qui lui avait décerné la même année le prestigieux prix Europa Focus, le symbole de tous les soldats de toutes les guerres.

– Mon Dieu. Je croyais que vous étiez mort.

– J'ai bien failli.

Ils restèrent sans parler, en se jaugeant, comme si ni l'un ni l'autre ne savaient quoi dire, ou faire.

– Eh bien, finit par murmurer Faulques. J'admets que je vous dois un verre.

– Un verre ?

– Oui, un verre de quelque chose… De l'alcool, si vous voulez. Un verre. Un coup à boire ensemble.

Pour la première fois, il eut un sourire, un peu forcé, et l'autre y répondit par la même mimique que précédemment, en découvrant le trou dans sa dentition. Il semblait réfléchir.

– Oui, décida-t-il. Peut-être que vous me devez ce verre.

– Venez.

Ils entrèrent dans la tour. Le nouveau venu, surpris, pivota lentement sur lui-même pour embrasser du regard l'immense fresque circulaire, tandis que le peintre de batailles fouillait sous la table où s'amoncelaient pinceaux, boîtes et tubes de peinture, puis entre les cartons épars sur le sol, les feuilles portant des esquisses, les échelles, les tréteaux et les planches pour monter des échafaudages, les deux lampes halogènes de 120 watts qui, fixées sur une structure mobile avec perche et roues, reliées au générateur extérieur, éclairaient la fresque quand Faulques travaillait de nuit. Cognac espagnol et bière chaude, annonça-t-il. Et pas de glace. Le frigo ne fonctionne que lorsque j'allume le générateur.

Sans cesser de contempler la fresque, l'autre eut un geste négligent. Ça lui était égal.

– Je ne vous aurais jamais reconnu, dit le peintre de batailles. Vous étiez plus maigre, à l'époque. Sur la photo.

– Je l'ai été encore beaucoup plus après.

– Sale époque pour vous, je suppose.

– Vous supposez bien.

Faulques marcha vers lui avec deux verres à demi remplis de cognac. Sale époque pour tout le monde, répéta-t-il à voix haute. Il pensait à ce qui s'était passé trois jours plus tard, non loin de l'endroit où il avait fait cette photo ; le bas-côté de la route de Borovo Naselje, dans les environs de Vukovar. Il donna un verre au visiteur et but une gorgée du sien. Ce n'était pas très indiqué à cette heure, mais il avait dit un verre, et c'était un verre. L'inconnu – mais ce n'en était plus tout à fait un, pensa-t-il soudain – avait cessé de regarder la fresque et tenait son verre sans lui accorder beaucoup d'attention. À travers ses lunettes, ses yeux clairs, d'un gris très pâle, étaient maintenant rivés sur le peintre.

– Je sais de quoi vous voulez parler... J'ai vu mourir la femme.

Faulques n'avait guère l'habitude de manifester son étonnement ni de laisser percer ses émotions. Mais quelque chose dut se refléter sur son visage, car il vit réapparaître le trou noir dans la bouche de son interlocuteur.

– Cela s'est passé quelques jours après que vous m'avez pris en photo, poursuivit celui-ci. Vous ne vous êtes pas aperçu de ma présence, mais j'étais cette après-midi-là sur la route de Borovo Naselje. Quand j'ai entendu l'explosion, j'ai pensé à quelqu'un de chez nous... En passant, je vous ai vu agenouillé sur le bas-côté, près du corps.

Il avait hésité un instant avant le dernier mot, comme s'il n'avait pas su choisir tout de suite entre cadavre et corps. Et il y avait quelque chose d'étrange, décida Faulques, dans cette manière à la fois polie et vieillotte de chercher certains mots, avec des pauses pour trouver celui qui convenait le mieux. Le visiteur porta enfin le verre à ses lèvres, regardant toujours son interlocuteur. Tous deux gardèrent encore le silence pendant quelques instants.

– Je suis désolé, dit Faulques. Je ne me souvenais pas de vous.

– C'est naturel. Vous sembliez terriblement affecté.

– Je ne parlais pas de Borovo Naselje, mais de la photo que j'ai faite quelques jours avant... Votre visage a figuré dans plusieurs magazines, et je l'ai donc vu des centaines de fois. Maintenant, oui, bien sûr. Le sachant, c'est plus facile. Mais vous avez beaucoup changé.

– Vous l'avez déjà dit, non?... Sale époque. Et ensuite, les années ont passé.

– Comment m'avez-vous trouvé?

En posant des questions, répondit l'autre, les yeux de nouveau fixés sur la peinture. Ici et là. Vous êtes quelqu'un de connu, monsieur Faulques, ajouta-t-il en trempant distraitement ses lèvres dans le cognac. Vous avez beau vous être mis à l'écart depuis un certain temps, beaucoup de gens se souviennent de vous. Je vous assure.

– Comment avez-vous réussi à vous en sortir?

Le visiteur lui adressa un regard étrange. Je suppose que vous parlez de Vukovar, répliqua-t-il. J'ai été blessé deux semaines après votre photo. Pas la blessure à la main que l'on voit sur l'image – regardez, j'en garde toujours la cicatrice –, mais une autre, plus grave. Les tchetniks n'avaient pas encore coupé le passage par les champs de maïs. J'ai été évacué dans un hôpital d'Osijek.

Il se touchait le côté gauche pour montrer l'endroit exact. Pas avec un doigt, mais la main ouverte : Faulques en déduisit que les dégâts avaient dû être énormes. Il hocha la tête avec une vague sympathie.

– Un éclat d'obus ?

– Une balle de 12. 7.

– Vous avez eu beaucoup de chance.

Il ne faisait pas allusion à la blessure elle-même, mais au fait que son visiteur l'avait reçue au moment où les blessés pouvaient encore être évacués de Vukovar. Quand les Serbes avaient coupé cette dernière issue, personne n'avait plus quitté la ville assiégée. Et, à la chute de celle-ci, tous les prisonniers en âge de combattre avaient été assassinés. Y compris les blessés, traînés hors de l'hôpital, massacrés et enterrés dans de gigantesques fosses communes.

En entendant le mot « chance », l'autre avait regardé Faulques d'un air étrange. Longuement. À la fin, il posa le verre sur la table et jeta encore un long coup d'œil circulaire.

– Étonnant, ce lieu. Mais je n'y vois pas de souvenirs du passé.

Faulques désigna la fresque : la citadelle, ombre à contre-jour sur l'incendie semblable à un volcan, les reflets métalliques des armes modernes, les hommes couverts d'acier se bousculant pour envahir la brèche dans un rempart, les visages des femmes et des enfants, les pendus accrochés en grappes aux branches des arbres, les navires s'éloignant sur l'horizon gris.

– Mes souvenirs sont là.

– Je parlais de photos. Vous êtes photographe.

– Je l'ai été.

– Oui, c'est ça : vous l'avez été. Et les photographes ont l'habitude de mettre des photos sur les murs. Des photos qu'ils ont prises. Et plus encore quand ils ont remporté des prix importants grâce à elles. Vous n'auriez pas honte de vos photos, tout de même ?

– Elles ne m'intéressent plus. C'est tout.

– Naturellement. – Le visiteur eut un sourire étrange. – C'est tout.

Maintenant, il étudiait les images de la fresque avec attention, sourcils froncés.

– Parmi vos souvenirs, il y a aussi les guerres anciennes ?... Troie, des endroits de ce genre ?

Ce fut au tour de Faulques d'esquisser un sourire.

– C'est exactement ça. Les endroits de ce genre sont toujours le même endroit.

L'autre dut trouver cela intéressant, car il resta sans bouger, le regard figé, méditant sur ce qu'il venait d'entendre. Le même endroit, répéta-t-il à voix basse. Il fit quelques pas, en observant les détails de près. Tout d'un coup, il paraissait gêné.

– Je ne connais rien à la peinture, dit-il.

Après quoi, il alla vers son sac qu'il avait laissé à la porte et y prit un dossier dont il retira une feuille pliée en deux. Le papier était vieux et semblait avoir été beaucoup manipulé : une page de magazine. La couverture de *Newszoom* avec la photographie faite il y avait dix ans. Il se dirigea vers la table, posa la feuille à côté des flacons de peinture et des pinceaux, et tous deux la contemplèrent en silence. Faulques se dit que c'était réellement une photo hors du commun. Froide, objective. Parfaite.

34

Il l'avait vue bien des fois, mais il continuait d'être content des lignes géométriques invisibles – ou visibles pour l'observateur attentif –, qui la structuraient comme un canevas impeccable : le premier plan du soldat exténué, le regard perdu qui semblait faire partie des lignes de cette route ne menant nulle part, les murs quasi polyédriques de la maison en ruine grêlée de trous de mitraille, la fumée lointaine de l'incendie, verticale comme une colonne noire et baroque, sans un souffle de brise. Tout cela, cadré dans un viseur photographique et fixé sur un négatif de 24 × 36 millimètres, était plus le résultat de l'instinct que celui du calcul, même si le jury qui avait décerné le prix avait souligné que le rôle du hasard n'était que relatif. Ce n'est pas seulement sa perfection, avait déclaré un membre du comité de l'Europa Focus. Le jury est convaincu que le point de vue, le regard de celui qui l'a obtenue, est le fruit d'une immense expérience et que cette image est le sédiment final, le point culminant d'un long travail personnel, professionnel et artistique.

– J'avais vingt-sept ans, dit le visiteur en lissant la page avec sa paume.

Il annonça cela d'un ton neutre, sans nostalgie ni mélancolie ; mais Faulques n'y prêta pas attention. Le mot « artistique » flottait dans sa mémoire et produisait en lui un malaise rétrospectif. Dans notre métier, avait dit un jour Olvido – elle rembobinait le film, assise dans un fauteuil éventré, les appareils au creux de son ventre, devant le cadavre d'un homme sans tête dont elle n'avait photographié que les souliers –, le mot « art » sent toujours la mystification et le succédané. Je nous préfère amoraux plutôt qu'immoraux. Qu'en penses-tu ? Et maintenant, s'il te plaît, embrasse-moi.

– C'est une bonne photo, poursuivit le visiteur. J'ai l'air fatigué, non?... Et je l'étais. Je suppose que c'est la fatigue qui donne à mon visage cet aspect dramatique... Le titre était de vous?

Ici, c'était justement l'opposé de l'art, pensait Faulques. L'harmonie des lignes et des formes n'avait d'autre objet que de parvenir aux clefs intimes du problème. Rien à voir avec l'esthétique, ni davantage avec l'éthique que d'autres photographes utilisaient – ou prétendaient utiliser – comme un filtre pour leurs objectifs et dans leur travail. Pour lui, tout s'était réduit à se mouvoir dans le fascinant enchevêtrement du problème de la vie et de ses dommages collatéraux. Ses photographies étaient comme une partie d'échecs : là où d'autres voyaient douleur, beauté et harmonie, Faulques ne considérait que des combinaisons d'énigmes. Cela valait aussi pour la vaste fresque à laquelle il œuvrait maintenant. Ce qu'il essayait de résoudre sur ce mur circulaire était aux antipodes de ce que le commun des mortels appelait « art ». Ou, peut-être, tout se passait comme si, une fois laissé derrière lui certain point ambigu et sans retour où, désormais dépouillées de passion, dépérissaient éthique et esthétique, l'art se transformait – et là, il fallait probablement ajouter les mots « de nouveau » – en une formule froide et enfin efficace. Un instrument impassible pour contempler la vie.

Il ne se rendit pas compte tout de suite que l'autre attendait la réponse à sa question. Il fit un effort pour se la rappeler. Ah oui, le titre : était-ce lui qui avait légendé la photo?

– Non, dit-il. Ça, ce sont les magazines, les journaux et les agences qui s'en chargeaient. Je n'avais pas à m'en occuper.

– *Le visage de la défaite*. Très approprié. Quels sont vos souvenirs de cette journée, monsieur Faulques ?... De cette défaite ?

Il l'observait avec curiosité. Une curiosité peut-être trop formelle, comme si la question était moins motivée par l'intérêt que par la politesse. Le peintre de batailles hocha la tête.

– Je me souviens de maisons qui brûlaient et de votre groupe qui quittait le combat... Pas grand-chose de plus.

Ce n'était pas exact. Il se souvenait d'autres choses, mais ne le dit pas. Il se souvenait d'Olvido marchant en silence de l'autre côté de la route, un appareil sur la poitrine et son petit sac sur le dos, ses cheveux dorés séparés en deux tresses, ses longues jambes minces moulées par le jean, les chaussures de sport blanches faisant rouler les gravats éparpillés sur la chaussée par les tirs de mortier. À mesure qu'ils approchaient du front et que le bruit du combat grossissait, son pas paraissait plus vif et plus ferme, comme si, sans le savoir, elle était pressée d'arriver à temps au rendez-vous inéluctable qui l'attendait trois jours plus tard sur la route de Borovo Naselje. Et en montant une côte qui les mettait à découvert, quand les lignes courbes étaient devenues tangentes à des droites hostiles et que sur leurs têtes passait le *zzziaang zzziaang* de deux balles perdues en fin de course, Faulques l'avait vue s'arrêter en se baissant légèrement, pour regarder autour d'elle avec des précautions de chasseur à proximité de sa proie, avant de se tourner vers lui et de sourire avec une tendresse féroce, un peu distraite et comme absente, les narines dilatées, les yeux brillants comme s'ils étaient sur le point de verser des larmes d'adrénaline.

Le visiteur prit le verre sur la table et, après l'avoir

LE PEINTRE DE BATAILLES

gardé un moment, le reposa à sa place sans y avoir bu.

– Eh bien, moi, je me rappelle très bien quand vous avez fait ma photo.

Évidemment, les circonstances n'étaient pas comparables, ajouta-t-il. Pour Faulques, il s'agissait d'un travail comme les autres, c'est tout. Routine professionnelle. Mais lui, c'était la première fois qu'il voyait ça. Il avait été recruté quelques jours plus tôt et s'était retrouvé avec des camarades aussi terrorisés que lui, un fusil à la main, face aux chars serbes.

– Ils nous ont massacrés, vous savez. Littéralement. De quarante-huit que nous étions, nous sommes revenus quinze... Ceux que vous avez vus sur la route.

– Vous étiez plutôt mal en point.

– Rendez-vous compte. Nous avions couru comme des lapins à travers champs, avant de nous regrouper dans les environs de Petrovci. Nous avions tellement peur que les chefs nous ont donné l'ordre de marcher en direction de Vukovar... C'est à ce moment-là que vous nous avez croisés, la femme et vous. Je me rappelle que j'ai été étonné de la voir. C'est une photographe, me suis-je dit. Une reporter. Elle est passée près de nous très vite, comme si elle ne nous voyait pas. Je suis resté à la regarder et, en tournant la tête, je me suis trouvé face à vous. Vous me visiez, ou vous m'encadriez, ou, comme on dit, vous me tiriez le portrait... Oui. Vous avez fait clic, et vous avez repris votre marche sans un geste, sans un salut. Rien. Je crois que vous aviez déjà cessé de penser à moi, et même de me voir, dès que vous avez baissé votre appareil.

– C'est possible, admit Faulques, gêné.

Le visiteur fit un geste vague en direction de la photographie. Vous ne pouvez même pas imaginer, dit-il ensuite, toutes les choses auxquelles j'ai pensé durant ces années, en la contemplant. Tout ce que j'ai appris sur moi, sur les autres. À force de tant étudier mon visage, ou plutôt le visage que j'avais alors, j'ai fini par me voir comme de l'extérieur, vous comprenez ?... On dirait que celui qui regarde est un autre. D'ailleurs, je suppose qu'aujourd'hui celui qui regarde est réellement un autre.

– Mais vous, conclut-il en se tournant très lentement vers le peintre, vous n'avez pas beaucoup changé.

Son ton était étrange. Faulques l'interrogea d'un œil soupçonneux, en silence, et le vit qui levait légèrement une main, comme si cette question non formulée n'avait pas de sens. Rien de spécial, semblait dire ce geste. Je passais par ici et j'ai eu envie de vous saluer. Qu'allez-vous imaginer ?

– Non, poursuivit-il au bout d'un moment. À vrai dire, même, vous n'avez pratiquement pas changé... Les cheveux gris, peut-être. Et quelques rides en plus. N'empêche que ça n'a pas été facile de vous trouver. J'ai parcouru bien des endroits en posant des questions. Je suis allé dans vos agences de photos, dans des revues... Je ne savais pas grand-chose sur vous, mais petit à petit, à mesure que je me renseignais, j'ai su que vous étiez un photographe renommé. Un des meilleurs, dit-on. Que vous aviez presque toujours travaillé dans des guerres, que vous aviez reçu beaucoup de prix... Qu'un jour vous aviez tout laissé tomber et disparu. Au début, j'ai pensé que c'était lié à la mort de cette femme, mais j'ai appris ensuite que vous aviez encore travaillé plusieurs années. Vous ne vous êtes pas retiré tout de suite après la Bosnie et Sarajevo, n'est-ce pas ?... Et vous avez encore fait un séjour en Afrique.

– Que voulez-vous de moi ?

Impossible de savoir si l'autre souriait ou non. Son

regard semblait indifférent, froid, sans rapport avec le rictus débonnaire de la bouche.

– Vous m'avez rendu célèbre. J'ai décidé de faire la connaissance de celui qui m'avait rendu célèbre.

– Comment vous appelez-vous ?

– C'est formidable, hein ? – Les yeux du visiteur restaient fixes et glacés, mais le sourire s'élargit. – Vous avez photographié un soldat que vous avez croisé quelques secondes. Un soldat dont vous ignoriez jusqu'au nom. Et cette photo a fait le tour du monde. Après ça, vous avez oublié le soldat anonyme et fait d'autres photos. Des photos de gens dont j'imagine que vous ignoriez tout autant le nom. Vous les avez peut-être rendus célèbres comme moi... Curieux métier.

Il se tut, réfléchissant peut-être sur les singularités de l'ancien métier de Faulques. Il regardait, pensif, le verre de cognac posé à côté de la photographie. Il parut s'apercevoir de sa présence et le saisit pour le porter à ses lèvres.

– Je m'appelle Ivo Markovic.

– Pourquoi vouliez-vous me voir ?

L'autre avait reposé le verre et s'essuyait la bouche du dos de la main.

– Parce que je vais vous tuer.

Un temps, on n'entendit plus que le bruit des cigales au-dehors, dans le maquis. Faulques serra les dents – il avait entrouvert la bouche en entendant ces mots – et regarda autour de lui. Son cœur battait lentement et irrégulièrement. Il le sentait s'agiter dans sa poitrine.

– Pourquoi ? demanda-t-il.

Il avait modifié sa position, juste de quelques centimètres. Avec d'extrêmes précautions. Il se tenait maintenant de côté, présentant au visiteur son épaule gauche.

Ce que sa main pouvait atteindre de plus proche était un couteau à enduire large et pointu, dont il voyait le manche au milieu des boîtes et des flacons de peinture. Il tendit le bras vers lui sans que l'autre lui fasse de remarque ou montre de signe d'inquiétude.

– Répondre à votre question est difficile. – Le visiteur regardait, songeur, le couteau dans la main de Faulques. – Après tant d'années passées à tout agiter dans ma tête, en planifiant chaque pas et chaque circonstance, c'est plus compliqué qu'il n'y paraît.

Demeurant aux aguets, le peintre de batailles étudia lignes, angles et volumes : espaces dégagés, distance de la porte, force physique. À sa grande surprise, il ne se sentait pas en alerte. Restait à établir si c'était dû au ton et à l'attitude du visiteur ou à sa propre manière d'envisager la situation.

– Vous m'en direz tant. Plus compliqué ?... Moi, je trouve que ça l'est déjà suffisamment comme ça. À moins que vous ne soyez pas dans votre bon sens.

– Pardon ?

– Je veux dire que vous ne soyez timbré. Fou.

L'homme acquiesça, indulgent.

– Je comprends vos réticences, admit-il avec naturel. Mais ce que je veux dire, c'est qu'avant, au début, tout m'apparaissait extrêmement simple. J'aurais pu vous tuer sans avoir besoin de prononcer un mot. Sans donner d'explications. Seulement le temps ne passe pas en vain. On pense, on réfléchit. Et j'en ai eu le temps. Alors vous tuer, sans plus, je ne trouve plus ça satisfaisant.

– Vous avez l'intention de le faire ici ?... Maintenant ?

– Non. Je viens justement pour en parler. Je vous l'ai dit, je ne peux pas vous tuer comme ça. J'ai besoin que nous parlions, j'ai besoin de mieux vous connaître, de faire aussi en sorte que vous connaissiez certaines choses. Je veux que vous sachiez et que vous compreniez... Après, seulement, je pourrai vous tuer.

Ayant dit cela, il le dévisagea d'un air timide, comme s'il n'était pas sûr d'avoir été suffisamment poli en donnant ses explications, ou d'avoir bien respecté la syntaxe. Faulques poussa un grand soupir.

– Qu'est-ce que vous voulez que je comprenne ?

– Votre photo. Ou plutôt : ma photo.

Ils regardaient tous deux le couteau que Faulques tenait dans sa main droite. Soudain, ce dernier trouva cela ridicule. Il remit l'outil à sa place. Quand il leva les yeux, il lut dans ceux du visiteur une sobre approbation. Alors le peintre de batailles esquissa un mince sourire.

– Vous n'avez pas pensé que je pourrais me défendre ?

L'autre vacilla. L'idée que son interlocuteur puisse croire qu'il n'avait pas envisagé cette possibilité semblait le vexer. Bien sûr que si, répondit-il. Nous méritons tous d'avoir notre chance. Vous comme les autres, bien sûr.

– Ou que je pourrais – Faulques hésita une seconde, car le mot semblait absurde – fuir ?

Le visiteur tarda à répondre. Il avait levé les mains, comme pour montrer qu'il ne cachait rien ou qu'il n'avait nulle intention agressive, avant d'aller à son sac et d'en sortir un livre de photos défraîchi. En le voyant revenir, Faulques reconnut l'édition anglaise d'une de ses compilations : *The Eye of War*. L'homme posa le livre ouvert sur la table, à côté de la couverture de *Newszoom*.

– Je ne crois pas que vous fuirez. – Il feuilletait les pages, indifférent au fait que le regard de Faulques ne soit pas posé sur l'album, mais sur lui. – Depuis des années, j'étudie votre œuvre, monsieur. Vos photographies. Je les connais si bien que j'ai parfois l'impression d'être parvenu à vous connaître aussi. C'est pour ça que je sais que vous ne fuirez pas, et que vous ne tenterez rien pour le moment. Vous resterez ici le temps que nous discutions. Un jour, plusieurs… Je ne sais pas encore. Il y a des réponses dont vous avez autant besoin que moi.

# 3.

Sous la voûte noire du ciel, les étoiles tournaient très lentement dans le sens contraire des aiguilles d'une montre autour du point fixe de l'étoile Polaire. Assis à la porte de la tour, adossé aux pierres usées par trois cents ans de vent, de soleil et de pluie, Faulques ne pouvait voir la mer ; mais il parvenait à distinguer au loin les éclats du phare de Cabo Malo, et il entendait le battement des vagues sur les rochers, au pied de l'à-pic sur le bord duquel les silhouettes des pins se penchaient comme des candidats au suicide indécis, en se découpant sur la lumière d'un croissant de lune jaune.

Il tenait dans les mains le verre de cognac qu'il s'était reversé quand le visiteur l'avait quitté sans dire au revoir ; comme si son départ était une pause sans importance, un petit report technique dans l'affaire complexe que tous deux – Faulques reconnaissait maintenant sans équivoque que cela les concernait tous les deux – avaient à régler. À un moment de la conversation, qui s'était prolongée au-delà du coucher du soleil, l'homme s'était arrêté au milieu d'une phrase, alors qu'il décrivait un paysage : des barbelés qui cernaient une montagne rocailleuse et dénudée, sans végétation, comme un cadre ironique et cruel, ou comme une photographie. Et avec ce mot, « photographie », sur les lèvres, le visiteur s'était levé dans le noir – Faulques et lui parlaient depuis très longtemps, deux formes assises face à face sans autre éclairage que celui de la lune à travers la fenêtre – et, après avoir cherché son sac à tâtons, il s'était découpé sur le seuil de la porte ouverte, immobile, comme s'il hésitait entre partir en silence ou dire quelque chose avant. Puis il avait marché sans hâte vers le sentier qui descendait au village, tandis que Faulques se levait et sortait derrière lui, juste à temps pour voir la tache claire de sa chemise disparaître dans l'obscurité du bois de pins.

Ivo Markovic, puisque tel était le nom de l'homme – Faulques n'avait pas de raisons d'en douter –, avait oublié la couverture de *Newszoom* où figurait sa photo. Le peintre s'en était rendu compte en allumant la lampe à gaz et en cherchant son verre vide pour le remplir : elle était là, étalée entre les pots de peinture, les chiffons sales et les boîtes de conserve pleines de pinceaux. Mais s'agissait-il vraiment d'un oubli ? Plus probablement d'un geste aussi délibéré que l'abandon du *The Eye of War* maltraité sur la chaise que le visiteur avait occupée pendant leur discussion. J'ai besoin que vous compreniez certaines choses, avait-il dit. Alors je pourrai enfin vous tuer. Etc.

C'était peut-être le cognac, pensa le peintre de batailles, son effet sur le cœur et la tête, qui atténuait la sensation d'irréalité. La visite inattendue, la conversation, les souvenirs et les images déployés avec la même évidence que la photo sur la page ou l'album avec ses reportages de guerre, semblaient maintenant s'inscrire sans la moindre fausse note dans le paysage familier. Même la vaste fresque concave peinte sur l'autre face du mur auquel Faulques s'adossait en ce moment, et la nuit qui enveloppait tout, recelaient suffisamment de lieux propices, de recoins, d'espaces, pour accueillir et loger tout ce que le visiteur, comme un prestidigitateur devant son public fasciné, avait sorti de son sac à mesure que la lumière décroissante teintait de rouge, puis estompait, et enfin noyait dans le noir ce qui les entourait. À la surprise de l'ex-photographe, rien de ce qu'avait dit l'homme, y compris cette mort annoncée non comme une prédiction mais comme une promesse, ne lui semblait jurer avec sa propre présence en ce lieu, avec son travail sur la grande fresque du mur. Si, comme l'affirmaient les théoriciens de l'art, la photo rappelait à la peinture ce que celle-ci ne devait plus jamais faire, Faulques avait la certitude que son travail dans la tour rappelait à la photographie ce qu'elle était capable de suggérer, mais non de réussir : la vaste vision circulaire, continue, de l'échiquier chaotique, règle implacable qui gouvernait le hasard pervers – l'ambiguïté de ce qui gouvernait ce qui n'était jamais dû au hasard – du monde et de la vie. Ce point de vue confirmait le caractère géométrique de cette perversité, la norme du chaos, les lignes et les formes invisibles pour l'œil non averti, tellement semblables aux rides sur le front et les paupières d'un homme qu'il avait un jour photographié une heure durant devant une fosse commune, accroupi, fumant et ne bronchant pas pendant qu'on exhumait son frère et son neveu. Personne ne donnait à personne le douteux privilège de voir ce genre de choses, qu'il s'agisse d'objets, de paysages ou d'êtres humains. Depuis quelque temps, Faulques soupçonnait que cela n'était possible qu'à travers certaines sortes de parcours, ou de voyages : Troie avec un billet de retour, par exemple. La solitude d'une chambre d'hôtel, en annotant les photos et en nettoyant les appareils avec les fantômes encore frais sur la rétine ;

ou plus tard, une fois revenu, devant les images étalées sur la table, en les mélangeant et en les triant comme on fait une réussite compliquée. Ulysse, cheveux gris et mains sanglantes, et la pluie noyant les cendres encore fumantes de la ville tandis que les vaisseaux prennent le large. N'importe qui pouvait voir cela plein de fois, clic, clic, clic, laboratoire, tirage, International Press Photo, Europa Focus, et échouer toute une vie durant. Faulques, aujourd'hui peintre de batailles, avait été conduit jusqu'à cette tour par une femme morte et une certitude : personne ne pouvait fixer tout cela sur un rouleau de pellicule au 125$^e$ de seconde.

L'homme qui venait de partir le confirmait. Il était un élément de plus dans l'immense peinture circulaire. Une question de plus au silence du Sphinx. Sans doute méritait-il une place d'honneur dans la fresque, assignée par les paradoxes et les pirouettes d'un monde obstiné à démontrer que, même si la ligne droite est absente de la nature animale et peu présente dans la nature en général – sauf quand les lois de la pesanteur tendent les cordes des pendus –, le chaos, lui, possède des raccourcis impeccablement droits qui conduisent à des points précis dans l'espace et le temps. Bien malgré lui, Faulques était impressionné. Au cours de l'après-midi, après avoir posé l'album de photos sur la table, Ivo Markovic s'était tourné vers le mur circulaire et l'avait étudié en silence durant un long moment.

– C'est donc comme ça que vous le voyez, avait-il murmuré à la fin.

Ce n'était pas une question, pas davantage une conclusion. Cela ressemblait à la confirmation d'une réflexion déjà ancienne. Impossible de détacher celle-ci, décida Faulques, du livre défraîchi ouvert à plat – toute idée de hasard était à écarter – sur une de ses premières photos de reporter, en noir et blanc, prise après la chute d'un missile des Khmers rouges à Pochentong, le marché de Phnom Penh : un enfant blessé à terre, se relevant à demi, les yeux voilés par le choc de l'explosion, observait sa mère gisant sur le dos, en diagonale dans le champ de l'objectif, la tête ouverte et le sang traçant de longues et tortueuses rigoles sur le sol. Et c'est incroyable, devait dire Olvido Ferrara bien plus tard – des années plus tard – à Mogadiscio, devant une scène identique à celle de Pochentong et identique à beaucoup d'autres. C'est incroyable, la quantité de sang que nous avons dans le corps. Cinq litres et plus, je crois, et comme c'est facile de le laisser couler et de le perdre. Non ? Faulques devait se rappeler ces propos et ces photos plus tard, l'œil droit collé au viseur de l'appareil, sur le marché de Sarajevo fumant encore de la chute d'un obus de mortier serbe. Cinq litres multipliés par cinquante ou soixante corps se vidant, cela faisait beaucoup de rigoles, volutes, lignes entrecroisées, reflets qui ternissaient, coagulés, à mesure que passaient les minutes et que s'éteignaient les gémissements. Enfants regardant leur mère et vice-versa, corps en diagonale, perpendiculaires, parallèles à d'autres corps, et, dessous, des lignes liquides aux formes capricieuses enveloppant tout dans un immense filet rouge. Olvido avait raison : elle était stupéfiante, la quantité de sang que tous avaient en eux. Cela faisait des siècles qu'il coulait, et il ne finissait jamais de jaillir. Mais elle n'était plus là pour apprécier l'analogie. Ses cinq litres de sang à elle s'étaient déjà répandus dans un point du temps et de l'espace situé entre le marché de Phnom Penh et le marché de Sarajevo : le bas-côté de la route de Borovo Naselje.

– C'est donc comme ça que vous le voyez, sans vos appareils, avait insisté Ivo Markovic.

Il s'était rapproché du mur, les mains jointes dans le dos après avoir rajusté ses lunettes du doigt, se penchant pour examiner une partie de la fresque, celle où quelques traits vigoureux, un peu de couleur appliquée sur le dessin au fusain, montraient un corps féminin dans une étrange perspective, le visage indistinct, les cuisses nues ouvertes au premier plan, une rigole de sang entre elles, et la silhouette d'un enfant à terre, se relevant à demi, tourné vers la femme, ou la mère. Curieuse évolution que celle de l'homme, se disait Faulques : poisson, saurien, assassin, laissant son cadavre entre chaque étape. Enfants d'aujourd'hui, bourreaux de demain. Il avait l'intention de donner les mêmes traits que ceux de l'enfant, juste ébauchés, à l'un des soldats qui, sur la droite de cette scène, fusil à la main, poussaient la foule fuyant la ville, représentée – les vieux maîtres flamands n'étant pas faits seulement pour être admirés – par des fenêtres béantes et des ruines noires dentelées se découpant sur le rouge des incendies et des explosions qui couronnaient la colline, au loin.

– Je ne suis pas très calé en art, avait précisé Markovic.

– À vrai dire, ce n'est pas de l'art. L'art vit de la foi.

– Ça non plus, je ne le comprends pas bien.

Il restait immobile, les mains toujours derrière le dos, étudiant tout avec beaucoup d'attention. Comme le paisible visiteur d'un musée.

– Je vais vous raconter une histoire, avait-il dit sans se retourner.

– La vôtre ?

– Quelle importance ? Une histoire.

Alors il avait pivoté lentement pour faire face à Faulques et avait commencé. Il avait raconté pendant un long moment, en observant de grandes pauses quand il cherchait le mot le plus approprié, s'attardait sur un détail avec le plus de précision possible, ou estimait que sa manière de parler, avec la chaleur croissante qu'il mettait dans son récit, cessait d'être impersonnelle pour devenir passionnée. Dès qu'il s'en apercevait, il s'arrêtait tout de suite, hochait la tête comme pour s'excuser et réclamer la compréhension de l'auditeur, puis, après un bref silence, il reprenait au point qu'il avait laissé en suspens, sur un ton plus objectif. Plus modéré.

Et c'est ainsi que le peintre de batailles, stupéfait, très attentif à tout ce qu'il entendait, avait acquis définitivement la certitude qu'il existait un filet invisible qui enveloppait le monde et ses événements, où rien de ce qui pouvait arriver n'était innocent ou sans conséquences. Il avait écouté l'histoire d'un jeune couple dans un petit village de ce qui, en d'autres temps, s'appelait la Yougoslavie : le mari mécanicien agricole, la femme restant au foyer et s'occupant du potager familial, un enfant en bas âge. Il avait aussi reçu confirmation de ce qu'il savait déjà : la politique, la religion, les vieilles haines, la bêtise unie à l'inculture et à l'abjecte condition humaine avaient anéanti ce pays par une guerre où parents, amis et voisins s'étaient battus à mort. Massacrés par les nazis et leurs alliés croates durant la Deuxième Guerre mondiale, les Serbes avaient pris cette fois les devants pour pratiquer ce qui se résumait en deux mots : nettoyage ethnique. Les Markovic étaient un de ces couples mixtes favorisés par la politique d'intégration du maréchal Tito ; mais le vieux maréchal était mort et les choses avaient changé. Le mari était croate et la femme serbe. La partition les avait séparés. Lorsque des bandes de miliciens tchetniks avaient commencé à assassiner leurs voisins, la femme et l'enfant avaient eu de la chance : ils vivaient dans une zone à majorité serbe, et ils y étaient restés, tandis que l'homme, qui s'était enfui, était enrôlé dans la milice nationale croate.

– Concernant sa famille, le soldat était tranquille. Vous comprenez, monsieur Faulques ?... Mère et enfant étaient à l'abri. Quand il montait à l'assaut avec son fusil, il se consolait des misères et des peurs de la guerre en se disant qu'ils étaient en lieu sûr. Vous qui avez été témoin avec un billet de retour en poche de tant de malheurs, vous comprenez ce que je veux dire. Non ?... Le soulagement de savoir, quand tout est en feu, que ceux qu'on aime ne sont pas en train de brûler dans les ruines du monde.

Faulques était assis sur une des chaises en bois, le verre de cognac à la main et aussi immobile que les figures peintes sur le mur. Il avait acquiescé lentement.

– Je peux comprendre ça.

– Je sais que vous pouvez. Du moins, maintenant, je le sais... – Markovic, toujours debout devant la fresque, désignait vaguement un point de celle-ci, comme si ce qu'il allait dire s'y trouvait. – Quand je vous ai vu agenouillé près du corps de la femme sur la route, quelques jours après m'avoir photographié, j'ai cru que c'était aussi votre cas. Un cadavre de plus, une nouvelle image. C'est très triste, bien sûr. Il y a toujours des camarades qui meurent. Mais j'ai pensé que vous vous disiez : mieux vaut quand même un autre que moi... Combien de journalistes sont tombés dans la guerre de mon pays ?

– Je l'ignore. Disons une cinquantaine. Beaucoup.

– C'est bien ça. Un parmi beaucoup d'autres. Une, en l'occurrence. C'est ce que j'ai cru pendant un certain temps. Aujourd'hui, je sais que je me suis trompé. Ce n'était pas une parmi d'autres.

Faulques s'agitait, mal à l'aise.

– Vous aviez commencé à me parler de vous. De votre famille.

Markovic, qui semblait sur le point d'ajouter quelque chose, s'interrompit, la bouche entrouverte, en le regardant avec attention. Puis il lança encore une fois un long regard circulaire pour parcourir la peinture et les esquisses sur l'apprêt blanc du mur ; les navires qui levaient l'ancre sous la pluie, les fugitifs, les soldats et la ville en flammes, le volcan en éruption au loin, le choc des cavaleries, les chevaliers médiévaux attendant le moment d'entrer dans la bataille, les hommes aux costumes et aux armes anachroniques s'entre-tuant au premier plan.

– La famille du soldat était à l'abri pendant qu'il se battait pour sa patrie, poursuivit-il ; même si cette patrie-là lui tenait moins à cœur que l'autre, la vraie : sa femme et son enfant... Et voilà que la patrie officielle s'est transformée en une boucherie nommée Vukovar. Un piège monstrueux. – Markovic resta un moment pensif. – Vous vous rendez compte de ce que ça signifie, être attaqués par les chars serbes sans armes pour les arrêter ?... Un matin, le soldat a couru comme un lièvre avec ses camarades pour sauver sa peau. Ensuite, quand les survivants se sont regroupés, encore hors d'haleine, vous avez fait votre photo.

Un silence suivit. Faulques but une gorgée. Il ne bougeait toujours pas de sa chaise, attentif à ce qu'il entendait. L'autre s'était tourné de nouveau vers la fresque. Maintenant, il regardait le bois avec les hommes pendant des arbres comme des grappes de fruits.

– Au cours des dernières années, poursuivit-il, j'ai lu un

tas de choses. Des magazines, des journaux, et aussi quelques livres. Je sais naviguer sur Internet. Avant, je n'avais pas beaucoup de goût pour la lecture, mais ma vie a pas mal changé. Une fois, j'ai lu des propos de vous qui m'ont intéressé, dans une interview à l'occasion de la sortie de votre dernier album... D'après vous, c'est une formule scientifique : Si un papillon bat des ailes au Brésil, un ouragan se déchaîne à l'autre extrémité du monde... C'est bien ça ?

– Plus ou moins. La théorie est connue sous le nom d'Effet Papillon.

Markovic sourit un peu, un doigt pointé vers Faulques. Un sourire étrange, cependant. Fixe, comme s'il ne lui appartenait pas. Il le conserva un instant, comme gelé, en exhibant le trou noir entre les dents gâtées.

– J'ai trouvé curieux de lire ça dans votre interview, parce que justement, pour le soldat, la photo a joué le rôle du battement d'ailes du papillon... Il n'en a rien su jusqu'au moment où elle est arrivée à l'hôpital d'Osijek. Tout le monde le félicitait. Il était devenu célèbre. Un héros croate. Vukovar avait fini par tomber, tous ses camarades étaient morts au combat ou avaient été assassinés par les tchetniks : Nikola, Zoran, Tomislav, Vinko, Grüber... Ce Grüber était son officier. Ils marchaient côte à côte le jour où vous avez pris la photo. Quand la ville est tombée, Grüber était dans le sous-sol de l'hôpital, amputé d'un pied. Les Serbes l'ont sorti dans la cour avec les autres, ils les ont tous battus à mort avant de leur tirer une balle dans la tête et de les jeter dans une fosse commune.

Faulques constata que le sourire, ou ce qui en tenait lieu, avait disparu. Les yeux de son interlocuteur restaient dirigés vers lui, mais comme si l'image qu'ils contemplaient était en réalité très loin derrière.

– Le soldat de la photo, continua Markovic, a eu plus de chance que ses camarades. Ou moins de chance ? Démobilisé du fait de sa blessure, il a décidé d'aller en convalescence à Zagreb. C'est dans un endroit appelé Okučani que la chance a tourné. Le bus est tombé dans une embuscade.

Les passagers du bus étaient des civils, reprit-il après une pause. Des vieux, des femmes, des enfants. C'est pourquoi, au lieu de tous les assassiner sur place, les Serbes les ont emmenés dans un centre d'interrogatoires de l'armée régulière, où le soldat a été soumis aux mauvais traitements de rigueur. Et puis, entre deux passages à tabac, un garde l'a reconnu. Il était l'homme de la fameuse photo. Le héros de Vukovar. Le visage même des séparatistes croates.

– Il a été torturé pendant six mois. Comme un animal. Après, pour une raison inconnue, ou simplement par hasard, on l'a laissé vivant. Transféré au camp de prisonniers voisin de Banja Luka, il y a passé deux ans et demi. Un jour, on l'a fait monter dans un camion : il pensait qu'on allait le fusiller, mais il s'est retrouvé sur un pont du Danube et a entendu qu'on lui disait : échange de prisonniers, vas-y, tu es libre...

Markovic continua de remuer les lèvres quelques instants mais sans paroles. En silence. Puis Faulques vit qu'il s'arrêtait avec un sursaut et qu'il regardait autour de lui, comme s'il venait d'arriver tout d'un coup dans un lieu inconnu. J'espère que ça ne vous gêne pas si je fume, dit-il soudain. Le peintre fit non de la tête, et l'autre alla tirer un paquet de cigarettes de son sac.

– Vous fumez ?

– Non.

Markovic alluma une cigarette et, en éteignant l'allumette, chercha un cendrier. Faulques lui indiqua un pot de moutarde française vide. L'homme le prit et, le cendrier à la main, la cigarette aux lèvres, il alla s'asseoir sur l'autre chaise, en face de son interlocuteur.

– Comment trouvez-vous cette histoire ? demanda-t-il avec naturel.

– Terrible.

– Pas spécialement. – Le Croate eut une moue objective. – Elle est terrible, naturellement. Mais il y en a d'autres. Certaines, même, sont pires. Des histoires qui se complètent entre elles.

Il demeura un instant muet, les yeux perdus dans les profondeurs de la vaste fresque qui les enveloppait. Entre elles, répéta-t-il, songeur. Et je parle, ajouta-t-il, de familles entières exterminées, d'enfants assassinés devant leurs parents, de frères contraints de se torturer mutuellement pour que l'un des deux reste vivant... Vous ne pouvez pas imaginer ce que le prisonnier a vu. La souffrance, l'humiliation, le désespoir... Les hommes, monsieur Faulques, sont des animaux carnassiers. Notre inventivité, quand il s'agit de créer l'horreur, n'a pas de limites. Vous êtes bien placé pour le savoir. Toute une vie passée à photographier la méchanceté humaine vous apprend quelque chose, je suppose.

– C'est pour ça que vous voulez me tuer ?... Pour venger tout cela ?

Sur le visage de Markovic apparut de nouveau ce sourire froid, presque étranger.

– L'Effet Papillon, avez-vous dit ? Quelle ironie. Un mot si délicat.

# 4.

Le visiteur fumait en se concentrant sur une nouvelle cigarette, comme si chaque bouffée avait de la valeur. Faulques reconnut le vieux tic du soldat, ou du prisonnier. Il avait vu fumer bien des hommes dans bien des guerres où, souvent, le tabac était la seule compagnie. La seule consolation.

– Quand cet homme a été libéré, continua de raconter Ivo Markovic, il a cherché à prendre contact avec sa femme et son fils. Trois années sans nouvelles, vous vous rendez compte... Et, bon. Il n'a pas tardé à en avoir. La célèbre photo était également arrivée au village. Quelqu'un s'était procuré un exemplaire du magazine. Il y a toujours des voisins prêts à s'immiscer dans les histoires de ce genre : la fiancée qu'ils n'ont pas pu avoir, le travail que les grands-parents ont enlevé à d'autres, la maison ou le lopin de terre qu'ils convoitent... C'est toujours la même chanson : jalousie, mesquinerie. Rien que d'habituel, entre êtres humains.

Le soleil déclinant qui entrait horizontalement à travers les étroites fenêtres de la tour auréolait le Croate d'un rouge semblable à celui des incendies peints sur le mur : la ville qui brûlait sur la colline et le volcan lointain qui illuminait des pierres et des branches dénudées, le flamboiement des reflets métalliques sur des armes et des harnais dont on eût dit qu'ils se prolongeaient hors du mur et entraient dans la pièce, les contours de l'homme assis, les volutes de fumée de la cigarette qu'il tenait entre ses doigts ou laissait collée à sa lèvre, spirales rougeoyantes qui, par cette lumière, donnaient une animation singulière aux scènes de la fresque. Qui sait, pensa soudain Faulques, cette peinture n'est peut-être pas aussi mauvaise que je le croyais.

– Une nuit, poursuivit Markovic, un groupe de tchetniks s'est présenté dans la maison où vivaient la femme serbe et le fils du Croate... Ils l'ont violée, l'un après l'autre, tout leur soûl. Comme l'enfant, âgé de cinq ans, pleurait et essayait de défendre sa mère, ils l'ont cloué sur la porte avec une baïonnette; tout à fait comme les papillons sur un bouchon, vous savez, ces papillons de l'effet dont vous me parliez tout à l'heure. Ensuite, quand ils ont été fatigués de la femme, ils lui ont coupé les seins avant de l'égorger. En partant, ils ont tracé sur le mur une croix orthodoxe et ces mots : RATS OUSTACHIS.

Un silence. Faulques chercha le regard de son interlocuteur dans le flamboiement rouge qui encadrait son visage et ne le trouva pas. La voix qui avait raconté cela était aussi détachée et tranquille que si elle avait lu une notice pharmaceutique. Le visiteur leva lentement la main, la cigarette entre les doigts.

– Inutile de vous dire, ajouta-t-il, que la femme a crié toute la nuit, et que pas un voisin n'a allumé la lumière ni n'est sorti de chez lui pour voir ce qui se passait.

Cette fois, le silence dura beaucoup plus longtemps. Faulques ne savait quoi dire. Progressivement, les coins de la pièce s'assombrissaient. La lumière rouge se détachait de Markovic, se déplaçant sur une partie du mur où se trouvait l'esquisse au fusain sur fond blanc d'un homme agenouillé, les mains attachées dans le dos, devant un autre qui levait son épée au-dessus de sa tête.

– Dites-moi une chose, monsieur Faulques... Est-ce qu'il y a des gens qui parviennent à s'endurcir suffisamment?... Je veux dire des témoins pour qui tout ce qui peut se passer devant l'objectif de leur appareil finit par être indifférent? Est-ce possible?

Le peintre porta le verre à ses lèvres. Il était vide.

– La guerre, dit-il après avoir réfléchi un peu, ne peut être photographiée correctement que si, lorsqu'on braque son appareil, ce qu'on voit ne vous affecte pas... Le reste, on doit le laisser pour plus tard.

– Vous avez fait des photos de scènes comme celle que je viens de raconter, n'est-ce pas?

– Des résultats de telles scènes, oui. Quelques-unes.

– Et à quoi pensiez-vous quand vous régliez votre appareil, que vous calculiez la lumière et tout le reste?

Faulques se leva pour chercher la bouteille. Il la vit sur la table, à côté des pots de peinture et du verre vide du visiteur.

– Au réglage, à la lumière et tout le reste.

– Et c'est pour ça qu'on vous a donné le prix pour ma photo?... Parce que, moi non plus, je ne vous affectais pas?

Faulques s'était servi deux doigts de cognac. De la main qui tenait le verre, il désigna la fresque, qui commençait à se couvrir d'ombres.

– La réponse est peut-être là.

– Oui. – Markovic s'était tourné à moitié pour regarder tout autour. – Je crois que je comprends ce que vous voulez dire.

Le peintre de batailles reversa du cognac dans le verre

de l'autre et le lui tendit. Entre deux bouffées de sa cigarette, le Croate y trempa ses lèvres tandis que Faulques allait se rasseoir.

– Assumer ce genre de situation n'est pas approuver, dit ce dernier. Explication n'est pas synonyme d'anesthésie. La souffrance...

Il s'interrompit. La « souffrance » : prononcé devant son visiteur, le mot paraissait inconvenant. Volé à ses propriétaires légitimes, comme si Faulques n'avait pas le droit de l'utiliser. Mais Markovic ne sembla pas s'en formaliser.

– La souffrance, bien sûr, dit-il, compréhensif. La souffrance... Pardonnez-moi si je touche à des sujets trop personnels, mais vos photographies ne montrent pas beaucoup de souffrance. Je veux dire que si elles reflètent la souffrance, c'est toujours celle des autres ; je n'y vois pas de traces de la vôtre... À quel moment ce que vous voyiez a-t-il cessé de vous faire mal ?

Faulques cognait le bord de son verre contre ses dents.

– C'est compliqué. Au début, c'était une aventure excitante. La souffrance est venue plus tard. Par rafales. À la fin, l'impuissance. Je suppose qu'alors plus rien ne fait mal.

– L'endurcissement dont je vous parlais ?

– Non. Je parle de résignation. Même si on ne peut déchiffrer le code, on comprend qu'il y a des règles. Alors on se résigne.

– Ou non, objecta doucement l'autre.

Soudain, Faulques éprouva une sorte de soulagement cruel.

– Vous êtes toujours vivant, dit-il avec rudesse. Ça aussi, c'est une forme de résignation. Vous dites que vous êtes resté trois ans prisonnier, n'est-ce pas ?... Et quand vous avez su ce qui était arrivé à votre famille, vous n'êtes pas mort de douleur, vous ne vous êtes pas pendu à un arbre. Vous êtes ici, aujourd'hui. Vous êtes un survivant.

– Oui, admit Markovic.

– Alors écoutez-moi bien : chaque fois que je rencontre un survivant, je me demande de quoi il a été capable pour rester en vie.

Encore un silence. Cette fois, Faulques eut le sentiment d'avoir marqué un point et regretta que l'obscurité croissante l'empêche de distinguer les traits de son interlocuteur.

– C'est injuste, prononça enfin l'autre.

– Peut-être. Mais injuste ou non, c'est ce que je me demande.

L'ombre assise sur la chaise, nimbée des derniers éclats rougeoyants de la lumière sur la fresque, réfléchit.

– Il se peut que vous n'ayez pas tort, conclut-il. Peut-être qu'avoir survécu là où d'autres n'y ont pas réussi implique un certain degré de bassesse.

Le peintre de batailles porta son verre à ses lèvres. Il était de nouveau vide.

– Vous devez le savoir. – Il se pencha pour poser le verre par terre. – Si j'en crois votre récit, vous en avez l'expérience.

L'autre émit un son étouffé. Peut-être un début de toux, ou un rire subit. Vous aussi, vous êtes un survivant, dit-il, monsieur Faulques. Vous avez continué de respirer là où les autres mouraient. Ce jour-là, je vous ai observé, agenouillé près du corps de la femme. Je crois que vous montriez de la souffrance.

– Je ne sais pas ce que je montrais. Personne ne m'a pris en photo.

– Mais vous, vous en avez fait une. Je vous ai vu lever l'appareil et photographier la femme. Et une chose est sûre : je connais vos photographies comme si je les avais faites moi-même, et je n'ai jamais trouvé celle-là... L'avez-vous gardée pour vous ? L'avez-vous détruite ?

Faulques ne dit rien. Il resta sans bouger dans l'obscurité qui dessinait, comme lorsqu'elle était apparue pour la première fois, lentement, dans la cuvette de révélateur, l'image d'Olvido, gisant la face contre terre, la courroie de son appareil autour du cou, une main inerte couvrant presque sa figure, et la petite tache rouge, le filet sombre qui commençait à glisser de l'oreille le long de la joue pour rejoindre une autre tache plus large et plus luisante qui s'étendait dessous. Mine antipersonnel, éclats d'obus, objectif Leica 55 mm, exposition 1/125e, ouverture 5.6, pellicule noir et blanc – il venait juste de rembobiner l'Ektachrome de l'autre appareil –, pour une photographie ni bonne ni mauvaise, peut-être un peu sous-exposée. Une photo que Faulques n'avait jamais vendue et dont il avait brûlé l'unique tirage, quelque temps après.

– Oui, poursuivait Markovic sans attendre de réponse. C'est bien ça, non ?... Si intense soit-elle, il y a un moment où la douleur cesse d'agir en nous. Votre remède a peut-être été ça. Cette photo de la femme morte... D'une certaine manière, c'est la bassesse qui vous a aidé à survivre.

Faulques revenait lentement au lieu et à l'instant présents.

– Ne soyez pas mélodramatique, dit-il. Vous ne savez rien de tout cela.

Oui, en effet, admit l'autre, tout en éteignant sa cigarette, à ce moment-là je ne savais rien. J'ai mis du temps à savoir. Mais j'ai compris des choses qui, avant, m'échappaient. Ce lieu, par exemple. Si j'étais entré ici il y a dix ans, sans vous connaître comme je vous connais aujourd'hui, je n'aurais même pas regardé ces murs. Je vous aurais juste donné le temps de vous rappeler qui je suis avant de régler notre affaire. Aujourd'hui, c'est différent. Ce que je vois confirme tout ce que je pensais. Ça explique vraiment ma présence ici.

Après avoir dit cela, Markovic s'était penché en avant, comme pour mieux observer Faulques dans la lumière mourante.

– Ainsi, ajouta-t-il, c'est avec ça que vous pensez tout régler?

Le peintre haussa les épaules. Je le saurai quand j'aurai terminé le travail, rétorqua-t-il, et lui-même trouva cette réponse insuffisante, avec cette absurde menace de mort qui planait entre eux. L'autre resta un moment sans parler, réfléchissant, puis il dit que lui aussi faisait son propre tableau. Il dit précisément cela: son paysage de batailles. En voyant ce mur, il s'était rendu compte de ce qui l'avait amené là. Tout devait s'ajuster, non?... S'ajuster avec une étonnante perfection. Et le résultat était étrange. Pour Markovic, l'auteur de la fresque n'avait vraiment rien d'un peintre classique. Il avait déjà confié qu'il ne s'y entendait guère en peinture, mais enfin il connaissait comme tout le monde des tableaux célèbres. Ici, à son avis, il y avait trop d'angles. Trop d'arêtes et de lignes droites dans les visages, dans les mains, dans les personnages représentés sur ce mur... S'agissait-il de ce qu'on appelait le cubisme?

– Pas exactement. Ça s'en inspire, mais pas complètement.

– Je m'en doutais, vous savez. Ces livres qui sont empilés partout... Vous prenez vos idées dedans?

– « Qu'importe si l'on dit que je me suis inspiré de paroles anciennes… »

– Cette réponse est-elle de vous, ou d'un autre ?

Cette fois, Faulques eut un rire fort et bref. Son interlocuteur et lui étaient deux formes indistinctes dans l'ombre. C'était une citation, répondit-il, mais ça ne changeait rien. Ce qu'il voulait exprimer, c'était que ces livres l'aidaient à mettre de l'ordre dans ses idées : des instruments comme les pinceaux, les couleurs et le reste. En réalité, un tableau, une peinture telle que celle-là, était un problème technique qui devait être résolu avec efficacité. Cette efficacité était donnée par l'addition des instruments et du talent personnel. Lui-même n'avait pas beaucoup de talent, précisa-t-il. Mais ce n'était pas non plus un obstacle pour le but qu'il s'était fixé.

– Je ne suis pas capable de juger de votre talent, répondit Markovic. Mais, cette question d'angles mise à part, ce que vous faites me semble intéressant. Original. Et certaines scènes sont… Eh bien… Elles sont réelles. Plus que vos photos, je suppose. Et, bien sûr, c'est ça que vous cherchez.

Son visage s'était éclairé tout d'un coup. Il alluma une autre cigarette. L'allumette encore à la main et sans attendre qu'elle s'éteigne, il se leva et marcha jusqu'à la fresque, en promenant la faible lumière sur les images qui y étaient peintes. Faulques aperçut le visage de la femme au tout premier plan, décomposé en traits violents de couleur ocre, terre de Sienne et rouge de cadmium, la bouche ouverte dans un hurlement, par touches brutales, épaisses, silencieuses, vieilles comme la vie. Une vision fugace, avant que la flamme de l'allumette ne disparaisse.

– C'est vraiment ainsi ? demanda l'autre, dans l'obscurité revenue.

63

– C'est ainsi dans ma mémoire.

Un nouveau silence. Markovic tâtonnait, peut-être pour retrouver sa chaise. Faulques ne voulait pas l'aider en allumant une lanterne ou la lampe à gaz qui était près de lui. L'obscurité lui donnait le sentiment d'un léger avantage. Il se rappelait le couteau à peinture sur la table, le fusil qu'il gardait à l'étage. Mais le visiteur parlait de nouveau, et son ton semblait détendu, loin des soupçons du peintre de batailles.

– L'aspect technique, même si on dispose d'excellents instruments, doit être compliqué. Aviez-vous déjà fait de la peinture, monsieur Faulques ?

– Un peu. Quand j'étais jeune.

– Vous étiez artiste, alors ?

– Je voulais l'être.

– J'ai lu quelque part que vous avez fait des études d'architecte ?

– Pas longtemps. Je préférais peindre.

La braise de la cigarette brilla un instant.

– Et pourquoi n'avez-vous pas continué ?... Je parle de la peinture.

– J'ai arrêté très vite. Quand j'ai compris que tous les tableaux que je commençais avaient déjà été peints par d'autres.

– C'est pour ça que vous êtes devenu photographe ?

– C'est possible. – Faulques continuait de sourire dans le noir. – Un poète français prétendait que la photographie est le refuge des peintres ratés. Je crois que, d'une certaine manière, il avait raison... Mais c'est vrai aussi que la photographie permet de voir en quelques fractions de secondes des choses que les gens normaux ne remarqueront jamais, malgré tous leurs efforts. Y compris les peintres.

– Vous avez cru ça pendant trente ans ?

– Pas autant. J'ai cessé de le croire beaucoup plus tôt.

– C'est pour cette raison que vous êtes revenu aux pinceaux ?

– Ça n'a pas été aussi rapide. Ni aussi simple.

La braise de la cigarette s'aviva de nouveau dans l'ombre. Qu'est-ce que la guerre avait à voir avec ça ? demanda Markovic. Il y avait des façons plus paisibles d'exercer le métier de photographe, ou de peintre. Faulques répondit avec simplicité. Il s'agissait d'un voyage, expliqua-t-il. Enfant, il avait passé beaucoup de temps devant la reproduction d'un tableau ancien. Et, finalement, il avait décidé d'entrer dedans, ou plutôt de rejoindre le paysage peint dans le fond. Le tableau s'appelait *Le Triomphe de la Mort*, de Brueghel l'Ancien.

– Je le connais. Il figure dans votre livre *Morituri* : un peu prétentieux, votre titre, si vous me permettez cette remarque.

– Je vous la permets.

Malgré tout, commenta Markovic, l'album de photos de Faulques était intéressant et original. Il donnait à réfléchir. Tous ces tableaux de batailles accrochés dans les musées, avec les gens qui les regardaient comme si ça ne les concernait en rien. Surpris par l'objectif en pleine erreur.

Décidément, se dit Faulques, l'ex-mécanicien croate était intelligent. Très.

– Tant qu'il y a de la mort, fit-il remarquer, il y a de l'espoir.

– C'est encore une citation ?

– C'est un mauvais jeu de mots.

Oui, mauvais. Il était d'elle, d'Olvido. Elle l'avait fait à Bucarest, un jour de Noël, après les massacres de la

Securitate de Ceausescu et la révolution dans les rues. Faulques et elle étaient dans la ville après avoir passé la frontière hongroise dans une voiture de location et fait un voyage de fous en traversant les Carpates, vingt-huit heures à se relayer au volant en dérapant sur des routes verglacées, malgré les paysans armés de fusils de chasse qui bloquaient les ponts avec leurs tracteurs et les regardaient passer du haut des défilés comme les Indiens dans les westerns. Et deux jours plus tard, tandis que les familles des morts creusaient la terre gelée du cimetière avec des marteaux-piqueurs, Faulques avait observé Olvido qui évoluait à pas prudents de chasseur entre les croix et les stèles couvertes de neige, pour photographier les misérables cercueils fabriqués avec des caisses d'emballage, les pieds alignés au bord des fosses béantes, les pelles des croque-morts jetées sur les tas de terre noire. Et quand une pauvre femme en deuil s'était agenouillée devant une sépulture qui venait d'être comblée, les yeux fermés, en murmurant quelque chose qui ressemblait à une prière, Olvido avait fait appel au Roumain qui leur servait d'interprète. « Obscure est maintenant la maison où tu demeures », avait traduit celui-ci : elle s'adresse à son enfant mort. Alors Faulques avait vu Olvido hocher lentement la tête en signe d'assentiment, essuyer d'une main la neige plaquée sur ses cheveux et son visage, et photographier de dos la femme en deuil agenouillée, silhouette noire près du monticule de terre noire semée de neige. Après quoi, elle avait laissé retomber l'appareil sur sa poitrine, regardé Faulques et chuchoté : Tant qu'il y a de la mort, il y a de l'espoir. Et elle souriait en disant cela, d'un sourire absent, presque cruel. Comme jamais il ne l'avait vue sourire.

– Vous avez peut-être raison, admit Markovic. Si on le

regarde bien, le monde a cessé de penser à la mort. Croire que nous ne mourrons pas nous rend faibles, et plus mauvais.

Pour la première fois, Faulques éprouva quelque chose comme un réel intérêt pour son étrange visiteur. Il s'en inquiéta. Ce n'était pas de l'intérêt pour les faits, pour l'histoire de celui qui lui faisait face – aussi conventionnelle que tout ce qu'il avait pris en photo sa vie durant –, mais pour l'homme lui-même. Depuis un moment, étrangement, une certaine affinité semblait flotter dans l'air.

– C'est étonnant, poursuivait Markovic. *Le Triomphe de la Mort* est le seul tableau de votre livre qui ne représente pas une bataille. Le sujet, je crois, est le Jugement dernier.

– Oui. Mais vous vous trompez. Ce que Brueghel a peint, c'est la dernière bataille.

– Ah, bien sûr. Je n'y avais pas pensé. Tous ces squelettes rangés comme des armées, et les incendies au loin. Y compris des exécutions.

Un peu de lune jaunissante pénétrait par une fenêtre. Le rectangle lumineux couronné d'un arc vira au bleu sombre, et cette lueur dessinait les contours des objets à l'intérieur de la tour. La tache claire de la chemise du visiteur devint plus visible.

– Et ainsi, vous avez décidé que la meilleure manière d'entrer dans un tableau de guerre était de passer le plus de temps possible à l'intérieur de la guerre...

– On peut le résumer comme ça.

À propos de lieux, continua Markovic, je ne sais si c'est la même chose pour vous que pour moi. À la guerre, on survit grâce aux accidents du terrain. Ça vous donne un sens très particulier du paysage. Vous ne trouvez pas ? Le souvenir de l'endroit où vous êtes passé ne s'efface jamais, même si vous oubliez les autres détails. Je veux parler du pré que l'on observe en attendant d'y voir apparaître l'ennemi, de la forme de la colline que l'on remonte sous le feu, du fond du fossé qui vous protège d'un bombardement... Vous comprenez ce que je veux dire, monsieur Faulques ?

– Parfaitement.

Le Croate resta un moment silencieux. La braise de sa cigarette lançait son dernier éclat avant qu'il ne l'éteigne.

– Il y a des lieux, ajouta-t-il, d'où l'on ne revient jamais.

Il fit une autre longue pause. Par les fenêtres, le peintre de batailles pouvait entendre le bruit de la mer battant le pied des rochers.

– L'autre jour, en regardant la télévision dans un hôtel, poursuivit Markovic sur le même ton, il m'est venu une idée. Les Anciens contemplaient le même paysage toute leur vie, ou en tout cas très longtemps. Même le voyageur n'y coupait pas, car tout trajet était long. Cela obligeait à réfléchir au chemin lui-même. Aujourd'hui, en revanche, tout est rapide. Les autoroutes, les trains... Y compris la télévision, qui nous montre des paysages qui changent en quelques secondes. On n'a le temps de réfléchir sur rien.

– Il y en a qui appellent cela « l'incertitude du territoire ».

– Je ne sais pas comment ça s'appelle. Mais je sais ce que c'est.

Markovic se tut de nouveau. Puis il s'agita sur sa chaise comme s'il allait se lever, mais il resta assis. Peut-être cherchait-il une position plus confortable.

– Du temps, moi j'en ai eu beaucoup, reprit-il brusquement. Je ne dirais pas que c'était une chance, mais enfin j'en ai eu. Deux ans et demi durant, la seule vue dont j'ai disposé a été celle de barbelés et d'une montagne de pierre blanche. Là, il n'y avait aucune incertitude, ni rien de ce genre. C'était une montagne concrète, dénudée, sans végétation, d'où, en hiver, descendait un vent glacial. Vous comprenez ?... Un vent qui, en passant sur la clôture, produisait un son que j'ai toujours dans la tête et qui ne s'arrête jamais... Le son d'un paysage gelé et impitoyable, vous savez, monsieur Faulques ?... Comme vos photographies.

C'est alors qu'il s'était levé, avait pris son sac et avait quitté la tour.

# 5.

Le peintre de batailles vida son verre – il avait trop bu de cognac et trop parlé, cette nuit – et adressa un dernier regard aux éclats lointains du phare. Le faisceau lumineux tournait à l'horizontale, comme le passage d'une balle traçante sur l'horizon. Souvent, en contemplant cette lumière, Faulques se souvenait d'une de ses vieilles photographies : une vue panoramique nocturne, urbaine, de Beyrouth pendant la bataille des hôtels, au début de la guerre civile. Noir et blanc, silhouettes obscures d'édifices se découpant sur la lueur des explosions et les lignes des balles traçantes. Une de ces photos où la géométrie de la guerre se révélait indiscutable. Faulques l'avait prise dans les premiers temps de sa carrière, conscient déjà que la photographie moderne, du fait de son degré de perfection technique, était si objective et exacte qu'elle pouvait parfois en devenir fausse. – Les célèbres images de Robert Capa à Omaha Beach devaient leur intensité dramatique à une erreur de laboratoire pendant le développement. – Voilà pourquoi les photographes, comme les reporters de télévision et les réalisateurs de films d'action, recouraient maintenant à des petits trucs pour atténuer la fidélité de l'objectif en lui restituant quelques imperfections destinées à aider l'œil de l'observateur en lui faisant appréhender les choses différemment : la même distorsion focale qui, en langage pictural, déformait les minutieux brins d'herbe de Giotto avec les touches épaisses de Matisse. En réalité, il n'y avait là rien de nouveau. Vélasquez et Goya l'avaient fait ; et plus tard, sans complexes, les peintres modernes – tout l'art du XXe siècle en découlait –, quand l'art figuratif était définitivement arrivé au bout de toutes ses possibilités et que la photographie s'était approprié la reproduction fidèle – utile pour l'observation scientifique, mais pas toujours satisfaisante en termes d'art – de l'instant exact.

Quant à la photo de Beyrouth, c'était une bonne photo. Elle reflétait le chaos d'un combat dans la ville, avec le léger tremblement des contours des édifices causé par les explosions, et les traits lumineux parallèles qui zébraient le ciel nocturne. Une image qui permettait de se faire une idée, plus précise qu'aucune autre, du désastre susceptible de s'abattre sur un espace urbain conventionnel. Même les photographies qu'il avait faites vingt ans plus tard durant le long siège de Sarajevo n'avaient pas atteint ce degré de parfaite imperfection géométrique, due à la qualité moindre de l'appareil dont il se servait alors – son matériel professionnel laissait encore à désirer – et à son inexpérience. La photographie du vaste combat nocturne, avec des lueurs d'explosion dans toutes les directions et la ville transformée en labyrinthe polyédrique fouetté par la colère des hommes et des dieux, il l'avait obtenue en se servant d'un Pentax avec une pellicule de 400 ASA, dans l'embrasure d'une fenêtre au onzième étage d'un grand immeuble en ruine – le Sheraton –, en gardant l'obturateur ouvert pendant trente secondes, diaphragme à 1.8. De la sorte s'étaient imprimés ensemble, sur un seul cliché d'un film de 35 mm, chaque tir et chaque explosion qui étaient intervenus pendant cette demi-minute ; avec ce résultat que, au tirage de l'image, tout semblait avoir été enregistré en même temps. Mieux encore, le mouvement à peine perceptible transmis par les mains de Faulques pendant le temps d'exposition, dû aux vibrations des explosions proches, donnait aux contours de certains édifices cette très légère oscillation qui faisait paraître tout cela si réel : beaucoup plus réel que ne l'aurait permis un appareil moderne, parfait, capable de capter avec fidélité le bref instant authentique – et peut-être banal – d'une seule seconde photographique. Olvido avait toujours aimé cette photo, probablement parce qu'on n'y voyait personne, rien que des lignes de lumières et des silhouettes d'édifices. Le triomphe des armes de destruction sur les armes d'obstruction, avait-elle dit une fois. Les dix années de Troie réduites à trente secondes de pyrotechnie et de balistique.

Architecture urbaine, géométrie, chaos. Pour Faulques, cette photographie était la représentation graphique adéquate : incertitude du territoire. Le souvenir de la conversation avec Markovic lui arracha un sourire étonné. Le Croate manquait peut-être de connaissances théoriques, mais nul ne pouvait lui dénier de l'intuition et de la subtilité. Survivre à toutes les calamités, et particulièrement à la guerre, était une bonne école. Elle vous obligeait à revenir sur soi et vous donnait un regard particulier. Un angle de vue. Les philosophes grecs avaient raison de dire que la guerre est la mère de toutes choses. Faulques lui-même, en partant dans sa jeunesse avec son matériel de photo, tout imprégné encore de certaines notions acquises pendant ses études d'architecture écourtées, avait été fasciné par la transformation que la guerre faisait subir au paysage, par sa logique fonctionnaliste, par les problèmes

72

de localisation et d'occultation, de champ de tir, d'angles morts. Une maison pouvait être un refuge ou un piège mortel, une rivière un obstacle ou une défense, une tranchée une protection ou une tombe. Et la guerre moderne rendait ces variations plus fréquentes et plus probables : davantage de technique, c'était davantage de mobilité et d'incertitude. Alors seulement il avait réellement compris la notion de fortification, de rempart, de glacis, de ville ancienne, et sa relation, ou son opposition, avec l'urbanisme moderne : la Muraille de Chine, Byzance, Stalingrad, Sarajevo, Manhattan. L'histoire de l'Humanité. Réaliser à quel point la technique créée par les hommes transformait le paysage en mobile, le modifiant, le rétrécissant, le construisant et le détruisant selon les besoins du moment. On arrivait ainsi, derrière les armes d'obstruction et celles de destruction – Olvido l'avait vu avec une extrême lucidité sur la photo de Beyrouth –, au troisième système : les armes de communication. La fin de l'image aseptisée et innocente, ou de cette fiction universellement acceptée. À l'époque des réseaux informatiques, des satellites et de la mondialisation, ce qui modifiait le territoire et les vies qui le traversaient, c'était la désignation. Ce qui tuait, c'était de désigner du doigt : un pont capté dans le monitor d'une bombe intelligente, l'annonce d'une montée ou d'un écroulement de la Bourse émise par tous les journaux télévisés du monde à la même heure. La photo d'un soldat qui, jusqu'à ce moment, était un visage anonyme parmi d'autres.

Le peintre de batailles entra dans la tour. Là, il alluma la petite lampe à gaz et resta un temps debout et immobile, les mains dans les poches, regardant l'obscur panorama qui l'entourait. La lumière ne pouvait éclairer l'ensemble de l'énorme fresque sur le mur, mais elle détachait de l'ombre ses parties en noir et blanc, certains visages, des armes, des armures, laissant invisibles le fond de ruines et d'incendies, la masse des hommes hérissés de lances qui s'affrontaient dans la plaine, sous le cône rougeoyant de lave – semblable à du sang épais – du volcan en éruption.

Le volcan. Couches géologiques, géométrie de la terre. Balistique et pyrotechnie, d'un genre différent peut-être, mais en rien étranger à la photo du combat nocturne. Cézanne l'avait vu clairement, pensa Faulques. Cela ne se bornait pas à accentuer un sourire par du vert ou à nuancer une ombre par de l'ocre. Ce qui était en jeu, avant tout, c'était que le regard pénètre au plus profond de ce qu'il voulait représenter. En traque la structure. Il prit la lampe et s'approcha du mur, en observant les ressemblances délibérées entre la ville qui brûlait sur la colline et le volcan rougeoyant peint sur un plan plus éloigné, vers la droite, au bout de champs ravagés, ouverts comme si la terre avait été poignardée par une main énorme et puissante. Il avait fait la connaissance d'Olvido Ferrara devant un volcan identique; ou, pour être plus précis, devant le volcan dont celui-ci s'inspirait, ou prétendait s'inspirer : le tableau de 168 × 168 cm accroché dans une salle du Musée national d'Art de Mexico, que Faulques avait découvert avec stupéfaction en regardant sur la gauche, près d'un angle du mur – un endroit où il passait facilement inaperçu des visiteurs se dirigeant tout droit vers les autres tableaux de la salle qui attiraient l'attention au fond et à droite. *Éruption du Paricutín*. Jamais, jusqu'à cet instant, il n'avait entendu parler du docteur Atl. Il ne savait rien de lui : de son obsession des volcans, des paysages de glace et de feu, ni même de son véritable nom – Gerardo Murillo –, ni de Carmen Mondragón *alias* Nahui Ollin, la femme la plus belle du Mexique, qui avait été sa maîtresse, en tout cas jusqu'à ce qu'elle le laisse tomber pour un capitaine de la marine marchande au nom et à l'allure de ténor italien nommé Eugenio Agacino. Le jour où il avait découvert le docteur Atl, il ignorait tout cela ; mais il était resté immobile devant le tableau, interdit, contemplant avec émotion la pyramide tronquée du volcan, la coulée rouge de la lave le long de son flanc, la terre dévastée par des reflets de feu et d'argent qui donnaient à la scène sa profondeur, l'extraordinaire effet de lumière sur les arbres dénudés, les flambées et le panache de cendres noires se répandant sur la gauche, sous le regard froid des étoiles dans la nuit claire, impavide, au-delà du désastre. Cette photographie-là, avait-il pensé à ce moment, il ne parviendrait jamais à la prendre. Et pourtant, tout – absolument tout – était expliqué là : la règle aveugle et impassible traduite en volumes, en droites, en courbes et en angles par lesquels, comme par des sillons inéluctables, se déversait la lave du volcan pour recouvrir le monde.

Ensuite, sortant de sa rêverie, Faulques avait regardé autour de lui, et il avait rencontré des yeux verts, grands et liquides qui observaient le même tableau. Avaient suivi alors l'échange de deux sourires polis et légèrement complices, un rapide commentaire à propos de la peinture qu'ils admiraient tous les deux – la nature aussi, avait-elle fait remarquer, a ses passions –, une séparation silencieuse, impersonnelle, qui avait laissé à l'œil exercé de Faulques le temps d'apercevoir la petite sacoche de photographe que la femme portait pendue à son épaule, et une singulière errance à travers les salles du musée, puis une autre brève rencontre, sans paroles ni sourires, devant le reflet ondoyant de l'eau d'un tableau de Diego Rivera qui avait réuni leurs destins sans que ni l'un ni l'autre en soient encore conscients. Et plus tard, quand Faulques avait quitté le musée en passant devant la statue équestre faisant face à la porte et qu'il avait pris la direction du Zócalo, il l'avait vue assise à une table de la terrasse d'une cafétéria, la sacoche de photographe sur une chaise, les yeux couleur raisin rendus encore plus verts par la lumière de la rue, avec ce jean qui mettait en valeur ses longues jambes minces, et le charmant sourire amical qui l'avait fait s'arrêter pour dire quelques mots sur le musée et le tableau qu'ils admiraient tous les deux, sans savoir que cet instant était en train de changer le sens de toute sa vie. Nous sommes les produits, devait-il penser plus tard, des règles invisibles qui déterminent les hasards : depuis la symétrie de l'Univers jusqu'au moment où l'on traverse la salle d'un musée.

Faulques approcha davantage la lampe du mur, contre la partie où était peint le volcan. Il resta un moment à l'étudier, puis sortit pour brancher le générateur et les lampes halogènes, disposa pinceaux et couleurs et se mit au travail. L'écho de la conversation avec Ivo Markovic donnait des nuances nouvelles au paysage circulaire qui enveloppait le peintre de batailles. Lentement, avec un soin extrême, il appliqua du gris de Payne sans mélange pour figurer la colonne de fumée et de cendres, ensuite, intensifiant la base du ciel avec du bleu de cobalt mélangé à du blanc, il oublia toute précaution pour marquer le feu et l'horreur par des traits vigoureux, presque brutaux, de laque écarlate et blanche, d'orange de cadmium et de vermillon. Le volcan qui vomissait sa lave jusqu'à la limite du champ de bataille, comme un Olympe indifférent à l'agitation des petites fourmis hérissées de lances qui s'affrontaient à son pied, était maintenant sillonné de lignes qui s'ouvraient en éventail, crêtes et ravins sem-

76

blant guider le chaos apparent de la lave rougeoyante – davantage encore d'orange et de vermillon – qui jaillissait sans fin, semence prête à féconder d'épouvante la terre entière. Et quand, à la fin, Faulques lâcha les pinceaux et fit quelques pas en arrière pour contempler le résultat de son travail, il arqua les lèvres pour un sourire satisfait avant de les tremper dans un nouveau verre de cognac. En bien ou en mal, le volcan était quand même différent de ceux qu'avait peints le docteur Atl – et il en avait peint beaucoup – au long de sa vie. Ceux-là étaient des prodiges de la nature grandiose et héroïque, vision extraordinaire de la transformation du monde et des forces telluriques qui le créent et le détruisent. Ils avaient quelque chose de presque sympathique. Celui que Faulques avait représenté sur le mur de la tour était plus sombre et plus sinistre : l'impuissance devant le caprice géométrique de l'Univers, la foudre méprisante de Jupiter qui frappe, précise comme un bistouri guidé par des voies invisibles, au cœur même de l'homme et de sa vie.

Nous n'avons pas beaucoup de temps, avait-elle dit peu après. Faulques devait se souvenir de ces mots au cours des années suivantes, tout comme il s'en souvenait cette nuit, immobile dans l'odeur des mégots d'Ivo Markovic, qui planait devant la peinture murale dont Olvido était la cause directe. Nous n'avons pas beaucoup de temps. Elle avait dit ça d'un ton détaché, un sourire vague sur les lèvres, le soir même du jour où ils s'étaient rencontrés. Un jour long, heureux, de promenade et de conversation, d'affinités professionnelles découvertes par une expression, une phrase, un battement de paupières. Elle était jeune, et si belle qu'elle ne semblait pas réelle. Au musée, Faulques s'en était rendu compte en conservant

77

un regard froid ; mais, quand ils se trouvèrent sous les fresques de Diego Rivera au Palais national et qu'il l'observa, appuyée à la balustrade pour photographier les effets de lumière et d'ombre dans la galerie parmi les enfants d'un collège qui défilaient en se tenant par la main, il comprit qu'elle était d'une beauté particulière, élancée, flexible, comme une biche aux mouvements délicats dont le regard, cependant, démentait l'innocence. Car elle avait une manière de regarder bien à elle, baissant un peu la tête et levant des yeux dans lesquels se mêlaient ironie et insolence. Un regard de chasseur dangereux, avait soudain pensé Faulques. Diane avec un carquois de photographe et quelques appareils.

Ils avaient mangé ensemble dans un restaurant proche de la place Santo Domingo, après avoir marché au milieu de l'agitation des imprimeries artisanales installées sous les porches. Et dans l'après-midi, face aux grandes fresques de Siqueiros, Rivera et Orozco qui couvraient les murs du palais des Beaux-Arts, chacun était déjà en possession des connaissances de base concernant l'autre. Pour Faulques, c'était simple, ou du moins son résumé l'était : l'enfance méditerranéenne dans une ville minière près de la mer, les pinceaux abandonnés, un appareil photo, le monde à travers un objectif. Une certaine notoriété professionnelle se traduisant par de l'argent et un statut social. Quant à elle, elle n'avait pas la moindre idée de ce qu'était une guerre ; juste quelques images aperçues à la télévision. Elle avait étudié l'histoire de l'art, puis posé comme modèle pour des photographes pendant une brève période, avant de décider de passer de l'autre côté de l'appareil. Elle travaillait pour des revues d'art, d'architecture et de décoration. Des revues ridiculement chères, avait-elle ajouté avec un sourire qui enlevait toute vanité à ce jugement. Vingt-sept ans, père italien – un marchand réputé, avec des galeries importantes à Florence et Rome –, mère espagnole. Bonne famille des deux côtés, liée au monde de la peinture depuis trois générations, dont une grand-mère maternelle octogénaire peintre, que Faulques devait connaître : Lola Zegrí, élève de la dernière époque du Bauhaus, amie de Duchamp, de Jean Renoir – elle avait tenu un petit rôle dans *La Règle du jeu*, habillée en séminariste à côté de Cartier-Bresson –, de Bonnard et de Picasso. Olvido aimait beaucoup cette vieille dame qui passait la fin de sa vie dans le Sud de la France, s'inquiétant toujours autant de l'entrée des Allemands dans Paris que de savoir qui était le dernier amant de Kiki de Montparnasse. Peu avant sa mort, ils lui avaient rendu visite : une petite maison blanche aux lignes droites, un intérieur austère, un jardin où elle cultivait, parfaitement alignés aussi, des légumes à la place de fleurs, après avoir vendu ses derniers tableaux, les siens et ceux des autres, et dépensé sans remords jusqu'au dernier centime ; y compris, aux enchères, une vieille et très célèbre Citroën – aujourd'hui au musée Cortanze de Nice –, dont une porte avait été décorée par Braque d'un oiseau gris et l'autre par Picasso d'une mouette blanche. Olvido avait présenté Faulques à sa grand-mère – mon amant, avait-elle dit sans sourciller – qui gardait toujours l'élégance et la séduction qu'on lui voyait sur les vieux albums qu'elle leur avait montrés – Paris, Monte-Carlo, Nice, un déjeuner à Cap-Martin avec Peggy Guggenheim et Max Ernst, une photo d'Olvido à cinq ans, à Mougins, assise sur les genoux de Picasso –, et qui semblait sortir d'un dessin de Penagos. J'ai été l'une des dernières femmes capables de faire souffrir les hommes, avait raconté la vieille dame avec un

79

bon sourire. Ma petite-fille, elle, est arrivée trop tard dans un monde trop vieux.

Dès le début, ce qui, outre la beauté d'Olvido, avait fasciné Faulques était son comportement ; sa manière de parler aux gens, de pencher la tête après une phrase ou d'écouter d'un air entendu, comme si elle ne croyait pas un mot de ce qu'on lui racontait, ses façons de jeune fille bien élevée et un peu supérieure, sa tranquille cruauté – elle était trop jeune et trop belle pour connaître la compassion dépourvue de calcul – tempérée par un humour acéré et une politesse malicieuse. Faulques avait aussi constaté que c'était le genre de femme qui ne passait pas inaperçue, même si elle faisait tout pour cela : les hommes lui cédaient le passage ou lui ouvraient les portières des voitures, les serveurs accouraient au premier regard qu'elle leur lançait, les maîtres d'hôtel lui réservaient la meilleure table disponible, et les directeurs d'hôtel la chambre avec la plus belle vue. Olvido répondait à tout par ce sourire qui n'appartenait qu'à elle, ironique et affectueux en même temps, par la vivacité et l'intelligence de ses observations, par son inépuisable faculté de se mettre, sans rien abdiquer, à la hauteur de chaque interlocuteur. Même les pourboires dans les restaurants et les hôtels, elle les glissait comme on échange une plaisanterie à voix basse. Et quand elle riait aux éclats – ce qu'elle faisait comme un collégien espiègle et complice –, il n'était pas un homme qui ne se serait fait tuer pour elle ou pour son rire. En cela, elle était parfaite. Les personnes bien élevées comme moi, disait-elle, séduisent les autres par un procédé très simple : en parlant toujours de ce qui intéresse leur vis-à-vis. Qu'elle parle ou se taise, elle pouvait séduire en cinq langues, elle imitait les voix et les expressions des autres avec une facilité stupéfiante, et elle possédait une mémoire prodigieuse pour les détails. Faulques l'avait entendue appeler par leur prénom des concierges, des serveurs et des chauffeurs de taxi. Elle adoptait tous les argots, tous les accents et disait des grossièretés avec une charmante désinvolture – son sang italien – quand elle était en colère. Elle avait aussi une habileté spontanée pour neutraliser une possible hostilité chez les subalternes : le ressentiment caché sous la servilité de ceux qui servaient à contrecœur en rêvant de révolutions sanglantes, comme de ceux qui se résignaient à leur rôle avec dignité. Les femmes l'enviaient fraternellement et les hommes l'adoptaient au premier coup d'œil en se mettant de son côté. Faulques imaginait Olvido en garçon du début du siècle, prenant son petit déjeuner sur le zinc, en frac, avec les domestiques de la maison où il avait passé la nuit à faire la fête.

Ce soir du premier jour, à Mexico, il avait lui aussi succombé à ce charme. En dépit de son habituelle défiance, de sa biographie, de ses idées sur le monde, il s'était vu, les mains posées sur le bord d'une table bien située d'un restaurant de San Ángel – il portait une veste bleu marine et un jean, et elle une robe mauve si succincte qu'elle semblait peinte sur ses hanches et au-dessus de ses longues jambes, et le maître d'hôtel avait dit Bonsoir, mademoiselle Ferrara, ça faisait bien longtemps, et comment se porte monsieur votre père –, contemplant les yeux dont la couleur raisin était identique à ceux de cette Nahui Ollin dont elle lui avait conté l'histoire au cours de l'après-midi. Les contemplant avec une telle fixité inconsciente que la femme avait un peu baissé la tête et, observant l'homme entre ses cheveux blonds qui tombaient sur son visage, elle était devenue soudain sérieuse, juste le temps de dire Nous n'avons pas beaucoup de temps, Faulques, sans préciser si elle parlait de ce soir-là ou du reste de leur vie. Elle l'avait appelé comme ça, prononçant pour la première fois, non son prénom, mais son nom de famille. Et elle devait toujours l'appeler de la sorte, jusqu'à la fin. Trois ans. Ou presque. Mille cinquante jours, confirmant ainsi – c'était elle qui avait paraphrasé Newton certaine fois où ils s'étaient embrassés sous la douche d'un hôtel d'Athènes – que tout ce qui les liait était directement proportionnel au produit du désir de deux corps et inversement proportionnel au carré de la distance qui les séparait. Trois années intenses de voyages, débutées cette nuit-là où ils étaient restés boire, seuls, dans une *cantina* de la place Garibaldi, jusqu'à l'heure de la fermeture, en parlant de peinture et de photographie pendant que les garçons empilaient les chaises sur les tables et commençaient à laver par terre ; et quand Faulques avait consulté sa montre, elle s'était étonnée qu'un photographe de guerre ne soit pas capable de boire sans se sentir gêné sous le feu des regards de serveurs impatients. Elle était inégalable dans l'art de s'emparer des pensées d'autrui, et de les ressortir comme des réflexions spontanées ou des jugements personnels, pleine de ressources pour éviter les obstacles en les incorporant au plan original, habile à mentir en faisant croire qu'elle mentait ouvertement et délibérément. Elle adorait les choses fausses, elle les collectionnait en les récoltant partout pour les abandonner ensuite dans les corbeilles à papier des hôtels, dans les aéroports, elle en faisait cadeau aux femmes de chambre, aux téléphonistes et aux hôtesses de l'air : faux cristaux de Murano, fausses dentelles de Bruxelles, faux bronzes anciens, fausses miniatures du XVIIIe achetées sur les marchés. Elle était parfaitement à l'aise là-dedans, il lui suffisait d'un mot, d'un regard, pour conférer de la valeur et de l'importance aux choses et aux personnes auxquelles elle avait affaire, peut-être parce qu'elle possédait cette parfaite assurance que seules ont certaines femmes quand le monde est leur champ de bataille, ô combien excitant, et les hommes un complément utile mais pas indispensable.

En tout cas, elle avait eu raison. Trois ans, ça ne faisait pas beaucoup de temps, même si aucun des deux ne pouvait s'en douter. Cette première nuit à Mexico, Faulques qui, à l'époque, considérait le monde à la lumière de ses paradoxes et de ses coïncidences, avait su tout de suite, avec la précision immédiate d'un instantané, que ce prénom, Olvido, qui signifiait Oubli, était le seul qu'il ne pourrait jamais oublier.

Pour l'heure, par les fenêtres ouvertes de la tour, arrivait le grondement de la marée montante au pied des rochers, tandis que le peintre de batailles regardait le volcan sur le mur. À ce moment, l'alcool ingéré, l'obscurité ou un effet de lumière de la lampe à gaz firent passer une ombre devant ses yeux. Il sursauta et chercha l'endroit de la vaste fresque où cette ombre était allée se cacher. Au bout d'un instant, il hocha la tête. Il se souvint et murmura : Obscure est maintenant la maison où tu demeures.

# 6.

Au matin, l'eau froide de la calanque le revigora. Après avoir nagé les cent cinquante brasses habituelles vers le large et autant dans l'autre sens, il travailla en n'observant qu'un arrêt d'un quart d'heure pour se faire du café qu'il but debout devant la peinture avant de continuer de s'occuper des chevaliers qui, groupés près du montant gauche de la porte de la tour, attendaient, en selle, le moment de se jeter dans la bataille engagée sur les pentes du volcan. Même si les chevaux étaient loin d'être définitifs – Faulques rencontrait des problèmes techniques –, sur les trois, un au premier plan et les autres en retrait, deux étaient presque achevés, les armures en couleurs froides, bleu-gris et bleu violacé, de fines touches à base de blanc, de bleu de Prusse et d'un peu de rouge et de jaune faisant luire les angles et les arêtes des armes. Le peintre de batailles avait surtout travaillé le regard du chevalier situé au premier plan, parce qu'il était le seul à laisser voir son visage, ou une partie de celui-ci, sous le casque dont la visière, à la différence des autres, était relevée : des yeux absents, fixés sur un point indéterminé, contemplant quelque chose que le spectateur ne voyait pas, mais pouvait supposer. Ces yeux qui regardaient sans voir, caractéristiques de l'homme qui s'apprête à

entrer dans la mêlée, résumaient, pour Faulques, d'innombrables souvenirs professionnels ; mais leur exécution picturale devait beaucoup à la main du maître
classique qui – parmi bien d'autres et plus que tous –
guidait, du fond de son xv<sup>e</sup> siècle, l'homme qui travaillait
aujourd'hui dans la tour : le Paolo Uccello des trois
tableaux de la *Bataille de San Romano* exposés au musée
des Offices, à la National Gallery et au Louvre. Le choix
ne devait rien au hasard. Avec Piero della Francesca,
Uccello avait été, en peinture, le meilleur géomètre de
son temps, appliquant une intelligence d'ingénieur à
résoudre des problèmes qui continuaient d'impression-
ner les spécialistes. L'ombre du Florentin planait sur
toute la grande fresque circulaire de la tour, entre autres
parce que cette idée de laisser de côté ses appareils photo
et de peindre une bataille de batailles était venue à
Faulques pour la première fois devant le tableau des
Offices, le jour où Olvido Ferrara et lui étaient restés
immobiles dans la salle vidée par chance pendant cinq
minutes de tout public, admirant la composition extraordinaire, la perspective, les magnifiques raccourcis de cette
peinture sur bois, une des trois qui représentent l'épisode
militaire survenu le 1<sup>er</sup> juillet 1432 à San Romano, dans
une vallée adjacente à celle de l'Arno, entre les armées de
Florence et de Sienne. Olvido avait attiré l'attention de
Faulques sur la ligne horizontale qui se termine sur le
cavalier désarçonné par la lance, et indiqué les autres
lances brisées qui, au sol, près des corps des chevaux
tombés, s'entrecroisent en simulant un canevas, un quadrillage pictural sur lequel vient s'inscrire en perspective, se projetant vers le fond et l'horizon boisé, la masse
des hommes qui s'affrontent dans la scène principale.
Les yeux d'Olvido étaient exercés depuis son enfance ;

d'instinct, elle savait lire un tableau comme on lit une carte, un livre ou les pensées d'un homme. On dirait une de tes photos, avait-elle dit soudain. Une tragédie traitée avec une géométrie presque abstraite. Regarde les arcs formés par les balistes, Faulques. Observe les lances qui se croisent et semblent dépasser du tableau, le cercle des armures qui décomposent les plans, la répartition en volumes des casques et des cuirasses. Ce n'est certes pas un hasard si les artistes les plus révolutionnaires du XX$^e$ siècle ont revendiqué ce peintre pour maître. Lui-même ne pouvait imaginer à quel point il était moderne, ou le serait. Pas plus que toi, avec tes photos. Le pro-blème est que Paolo Uccello disposait des pinceaux et de la perspective, et que toi, tu as seulement un appareil. Ça impose des limites, évidemment. On a tellement abusé de l'image, on l'a tellement manipulée, qu'elle a cessé de valoir plus que mille mots. Mais ce n'est pas de ta faute. Ce n'est pas ta manière de voir qui s'est dévaluée, c'est l'instrument dont tu te sers. Trop de photos, tu ne crois pas ? Le monde est saturé de ces foutues photos. Après l'avoir entendue dire cela, Faulques s'était tourné vers elle, vers son profil se découpant à contre-jour sur la lumière qui entrait par la fenêtre située sur la droite de la salle. Un jour, peut-être, je peindrai un tableau qui traitera de ça, avait-il eu envie de lui répondre, mais il ne l'avait pas dit. Et Olvido était morte quelque temps après, sans savoir qu'il le ferait, entre autres choses, pour elle. Pour l'heure, elle regardait fixement l'Uccello, immobile : son long cou sous la chevelure rassemblée sur la nuque la faisait ressembler à une statue sculptée avec une extrême délicatesse, et elle était fascinée par les hommes qui tuaient et mouraient, et par le chien qui, au-dessus du point de fuite situé à la tête du cheval central, poursuivait des lièvres. Et toi? avait-il alors demandé. Dis-moi comment tu résous le problème. Olvido était restée encore un peu silencieuse, puis elle avait détaché les yeux du tableau pour lui adresser un regard en dessous. Je n'ai aucun problème, avait-elle dit enfin. Je suis une fille simple, sans responsabilités ni complexes. Je ne pose plus pour des photos de mode, ni pour des couvertures, ni pour des publicités, je ne photographie plus des intérieurs luxueux pour des revues destinées à des femmes snobs mariées à des millionnaires. Je suis une simple touriste du désastre, heureuse de l'être, avec un appareil photo qui lui sert de prétexte pour se sentir vivante, comme aux temps où chaque être humain avait son ombre collée à ses pieds. J'aurais aimé écrire un roman ou tourner un film sur les amis morts d'un templier, sur un samouraï amoureux, sur un comte russe qui buvait comme un cosaque et jouait comme un dément à Monte-Carlo avant de finir portier au Grand Véfour; mais je manque de talent pour ça. Alors je regarde. Je fais des photos. Et, pour le moment, tu me sers de passeport. Tu es la main qui me conduit à travers des paysages comme celui de ce tableau. Quant à l'image définitive, celle que, dans notre métier, tous – y compris toi, même si tu ne l'avoues pas – disent chercher, ça m'est égal de la faire ou pas. Tu sais que je viserais de la même manière, clic, clic, clic, si je n'avais pas de pellicule dans la boîte. Bien sûr, tu le sais. Mais pour toi, Faulques, c'est différent. Tes yeux, tou-jours sur la défensive, veulent réclamer des comptes à Dieu avec leurs propres règles. Ou leurs propres armes. Ils veulent pénétrer dans le Paradis, non au début de la Création, mais à la fin, juste au bord de l'abîme. Or ça, tu n'y parviendras jamais avec une simple photo.

« *Cet endroit s'appelle la crique d'Arráez et a servi de*

*refuge aux corsaires barbaresques...* » La voix de la femme, le bruit de moteurs et la musique du bateau de touristes arrivèrent de la mer à l'heure exacte. Faulques cessa de travailler. Il était une heure de l'après-midi, et Ivo Markovic n'était pas revenu. Il s'interrogea à ce sujet pendant qu'il sortait pour jeter un coup d'œil aux alentours, puis allait sous l'abri se laver les bras, le torse et la figure. Rentré dans la tour, il voulut préparer quelque chose à manger, mais demeura indécis, sans parvenir à s'ôter l'étrange visiteur de la tête. Il avait pensé à lui toute la nuit ; et durant son travail de la matinée, il n'avait pu s'empêcher de lui attribuer des emplacements sur la fresque. Markovic, indépendamment de ses intentions, faisait tout naturellement partie de celle-ci. Mais ce qu'il savait de lui ne suffisait pas. Je veux que vous compreniez, avait dit le Croate. Il y a des réponses dont vous avez autant besoin que moi.

Réflexion faite, il monta au dernier étage de la tour et, là, il tira du fond du coffre, emmaillotée dans des chiffons gras, la Remington 870 et les deux boîtes de cartouches. C'était une arme dont il ne s'était jamais servi : un fusil à répétition qui se rechargeait en actionnant un mécanisme coulissant parallèle au canon. Après en avoir vérifié le fonctionnement, il introduisit cinq cartouches dans le chargeur et l'arma d'un mouvement sec qui produisit un déclic métallique, aussitôt lié à une bouffée de souvenirs : Olvido, les yeux bandés par un mouchoir, montant et démontant en aveugle un AK-47 au milieu d'un groupe de miliciens à Bulo Burti, en Somalie. Comme celle du soldat, la guerre du photographe comporte toujours une petite part d'action, le reste n'étant qu'ennui et attente. Telle était justement la situation. Ils attendaient le jour de l'offensive contre les positions d'une milice rivale, quand l'attention d'Olvido avait été attirée par l'entraînement de jeunes recrues. Ils font ça les yeux bandés, avait expliqué Faulques, au cas où, dans un combat de nuit, leur arme s'enrayerait et qu'ils devraient la réparer dans l'obscurité. Alors Olvido s'était approchée des recrues et de leurs instructeurs, et elle avait demandé à apprendre à le faire. Quinze minutes plus tard, assise par terre, jambes croisées, au centre d'un cercle d'hommes armés jusqu'aux dents qui fumaient en l'observant – un milicien très noir et très maigre chronométrait, montre de Faulques en main –, elle s'était fait bander les yeux et, avec des gestes précis, sans erreurs ni hésitations, elle avait démonté et remonté plusieurs fois un fusil d'assaut, alignant les pièces sur une capote pour les assembler ensuite une à une à tâtons avant de faire jouer le verrou, clac, clac, avec un sourire triomphal, heureux. Elle avait continué à s'exercer le reste de l'après-midi, tandis que Faulques la regardait sans rien dire, tout près, en gravant dans sa mémoire le mouchoir sur les yeux, les cheveux rassemblés en deux tresses, la chemise humide de sueur et les gouttes sur le front plissé par la concentration. Au bout d'un certain temps, alors que, l'arme encore une fois démontée, elle palpait les contours de chaque pièce, elle avait deviné sa présence et, sans enlever le mouchoir, elle avait exprimé son sentiment à haute voix. Jusqu'au-jourd'hui, avait-elle dit, je n'avais jamais imaginé que ces choses-là pouvaient être de beaux objets. Elles sont si bien polies. Si métalliques et si parfaites. Au toucher, on découvre des qualités que l'on ne voyait pas. Écoute. Le clic-clac qu'elles font en s'emboîtant est merveilleux. Elles sont belles et sinistres à la fois, non ? Au cours des trente ou quarante dernières années, ces pièces aux formes étranges ont voulu changer le monde, sans succès. L'arme bon marché des parias de la terre, des millions d'unités fabriquées, que je tiens là démontée, toutes tripes à l'air, sur mes jambes moulées dans un jean de luxe. Les surréalistes auraient été fous de ce *ready-made*. Qu'en penses-tu, Faulques ? Je me demande comment ils l'auraient appelé : *Occasion perdue* ? *Funérailles de Marx* ? *Ceci N'Est Pas Une Arme* ? *Quand La Guerre S'en Va, La Poésie Revient* ? Je me rends compte maintenant que la signature de M. Kalachnikov a autant de valeur que celle de M. Mutt. Ou beaucoup plus. Après tout, l'œuvre d'art représentative du XXᵉ siècle n'est peut-être pas l'urinoir de Duchamp, mais cet ensemble de pièces détachées. *Rêve Brisé De Métal Bleuté* : je crois que c'est ce nom-là qui me plaît le plus. Je ne sais pas si un AK-47 figure dans un quelconque musée d'art contemporain, mais il devrait y être, comme celui-là, en morceaux. Parfaitement inutile et beau, une fois désarticulé et exposé ainsi, chaque mécanisme à part, sur une capote militaire tachée de graisse. Oui. Rajuste le mouchoir, s'il te plaît. Il se défait et je ne veux pas tricher. Je triche assez comme ça quand j'ai un appareil pendu à mon cou, un passeport civilisé et un billet de retour dans ma poche. Je suis un technicien indulgent. Tu vois ? *Femme Montant, Démontant Et Remontant Un Fusil Inutile*. Oui. Je crois que je tiens le bon titre. Et ne t'avise surtout pas de me prendre en photo, Faulques. Je t'entends fouiller dans le sac aux appareils. Le véritable art moderne est éphémère, ou il n'est pas.

Le peintre de batailles verrouilla la sécurité du fusil et le remit à sa place. Puis il chercha une chemise propre – froissée et rêche, car il les faisait sécher au soleil sans les repasser –, sortit la moto de sous l'abri du réservoir, mit des lunettes noires et descendit au village en pétara-

dant par le chemin de terre qui serpentait entre les pins.
La journée était lumineuse et chaude. La brise légère du
sud n'était pas suffisante pour adoucir la température du
quai où il s'arrêta et rangea la moto sur sa béquille. Il
resta un moment à admirer le bleu de cobalt de la mer de
l'autre côté du môle et du phare du port, les filets bruns
et verts entassés près des bollards des barques de pêche
qui, à cette heure de la journée, travaillaient au large, le
tintement des drisses agitées par la brise contre les mâts
des douzaines de bateaux amarrés dans le bassin, sous le
rempart du XVIe siècle et le petit fort qui, en d'autres
temps, protégeait la baie et le vieux village de Puerto
Umbría : une vingtaine de maisons blanchies à la chaux
escaladant la colline, autour du clocher ocre d'une église
étroite et sombre – forteresse gothique, fenêtres comme
des meurtrières – qui avait servi de refuge aux habitants
quand débarquaient renégats et pirates. Le relief abrupt
du lieu le maintenait à l'abri du développement touristique environnant : encastré dans la montagne, le village
conservait des limites raisonnables. La zone d'expansion
touristique commençait à deux kilomètres au sud-ouest,
vers Cabo Malo, où les hôtels cernaient les plages et où
les montagnes, truffées de villas, étaient éclairées la nuit
par les lumières de l'urbanisation qui grignotait leurs
pentes.

La vedette de touristes était amarrée au quai, sans personne à bord. Faulques lança un coup d'œil aux alentours, en tentant d'identifier la guide parmi les quelques
personnes qui, de retour de la plage s'étendant au-delà
du port, se promenaient ou déjeunaient sous les tentes
des cafés situés sur le quai des pêcheurs ; mais aucune
des femmes qu'il vit ne correspondait à celle qu'il imaginait, et le bureau où étaient annoncés les circuits de la

vedette, les ventes de villas et les locations de voitures était fermé. D'ailleurs, il n'y consacra que peu de temps. C'était une autre personne qui l'intéressait, bien qu'aucune trace n'en soit non plus visible. Ivo Markovic n'était pas aux terrasses, ni dans les ruelles blanches de derrière – un marchand de couleurs chez qui Faulques achetait sa peinture et ses pinceaux, une épicerie et des boutiques de souvenirs – où il déambula un moment, l'air indifférent mais les yeux aux aguets. Un des retraités qui passaient leur journée devant le petit cercle local le salua, et il répondit sans s'arrêter. Il avait beau n'avoir de rapports qu'avec les gens qui étaient vraiment nécessaires, ou inévitables, il était connu à Puerto Umbría et bénéficiait d'une certaine indulgence polie. Il avait la réputation d'être un artiste bourru et un peu excentrique, mais qui payait rubis sur l'ongle tout ce qu'il achetait, respectait les usages locaux, savait inviter à boire une bière ou un café et laissait en paix les femmes du village.

Il entra chez le marchand de couleurs et prit quatre boîtes de vert oxyde de chrome et autant de terre de Sienne, qui commençaient à s'épuiser. Il avait besoin de ces couleurs pour terminer le sol peint sur la fresque en couches superposées, avec un pinceau épais, sans leur laisser le temps de sécher et en utilisant les irrégularités du crépi de ciment et de sable du mur, autour d'une scène représentant deux hommes qui avaient roulé à terre enlacés en se poignardant sauvagement, les couleurs vives des touches violentes adoucies par des aplats outremer avec un peu de carmin pour traiter les ombres, dont l'effet venait des flamboiements croisés de la ville en flammes et du volcan dans le lointain. Le peintre de batailles avait travaillé longtemps à ce détail, en lui consacrant une attention particulière. Il n'était pas sans rappeler le *Duel à coups de gourdin* de Goya : deux hommes en train de se battre, enfoncés dans la terre jusqu'aux jarrets, le plus cruel symbole de la guerre civile qui ait jamais été peint. En comparaison, le *Guernica* de Picasso était un exercice de style. – Encore qu'en réalité ces personnages ne soient pas le plus important, avait dit Olvido : Le véritable tableau est peint sur le côté droit de la toile, non ? Le vieux don Francisco incroyablement moderne. – De toute manière, comme Faulques lui-même ne le savait que trop, s'il fallait chercher des antécédents plus directs à la scène qu'il avait représentée sur cette partie de la fresque, on les trouvait plutôt, Goya mis à part, dans *La Victoire de Fleurus* de Vicente Carducho, également exposée au musée du Prado – le soldat espagnol transpercé par l'épée du Français qui le frappe –, et surtout dans une fresque d'Orozco peinte au plafond de l'hospice Cabañas de Guadalajara, au Mexique : le conquistador bardé d'acier – les écrous futuristes et polyédriques de l'armure – au-dessus du guerrier aztèque blessé, la sanglante fusion du fer et de la chair figurant le prélude d'une race nouvelle. Des années auparavant, quand il ne pensait nullement à peindre ou croyait en avoir abandonné l'idée pour toujours, Faulques avait admiré cette immense fresque pendant presque une demi-heure, allongé sur un banc près d'Olvido, afin d'en graver tous les détails dans sa mémoire. J'ai déjà vu ça, avait-il dit soudain, et l'écho de sa voix avait résonné sous la voûte peinte. Je l'ai photographié très souvent, et jamais je n'ai réussi à obtenir une image qui l'exprime avec une telle précision. Observe ces visages. L'homme qui tue et meurt, aveuglé, dans les bras de son ennemi. L'histoire du labyrinthe, ou du monde. Notre histoire. Olvido l'avait dévisagé, puis avait posé une main sur la sienne, sans desserrer les dents durant un moment, pour dire enfin : Si je te poignarde, Faulques, je veux te tenir dans mes bras ainsi, en cherchant la faille dans l'acier, pendant que tu te cloues en moi, ou que tu me violes, sans même ôter ton armure. Et aujourd'hui, en réservant à tout cela un espace sur le mur intérieur de la tour de guet, en le mélangeant sur sa propre palette de souvenirs et d'images, le peintre de batailles tentait de reproduire, non la fresque terrible d'Orozco, mais la sensation qu'il avait éprouvée en la contemplant, en entendant les paroles d'Olvido, en sentant le contact de sa main ; cette sensation qui, des années plus tôt, s'était imprimée dans son cœur et sa mémoire. Ils étaient subtils et bien étranges, pensait-il, les liens qui pouvaient s'établir entre des choses en apparence sans rapport : peintures, paroles, souvenirs, horreur. Comme si tout le chaos du monde, répandu pêle-mêle sur la terre par le caprice de dieux ivres et imbéciles – une explication aussi valable que n'importe quelle autre – ou de hasards impitoyables, pouvait se voir soudain transformé en un ensemble aux proportions précises, par le simple fait d'une image insoupçonnée, d'un mot prononcé fortuitement, d'un sentiment, d'un tableau contemplé en compagnie d'une femme morte depuis dix ans, remémoré aujourd'hui et peint de nouveau à la lumière d'une biographie différente de celle du peintre qui l'avait conçu. D'un regard qui peut-être l'enrichissait et l'expliquait.

En passant devant l'hôtel de Puerto Umbría – il y avait aussi une auberge, un plus loin dans la même rue –, Faulques s'arrêta un instant, songeur, les mains dans les poches et la tête penchée sur le côté. Un autre souvenir venait de lui revenir, plus immédiat et plus urgent : Ivo Markovic. Finalement, il décida d'entrer. Le concierge l'accueillit aimablement. Il regrettait, mais non. Ce monsieur n'était pas descendu dans cet établissement. En tout cas, il n'y avait personne de ce nom, ni qui corresponde à sa description. Dix minutes plus tard, l'employé de l'auberge lui dit la même chose. Faulques ressortit en plissant les yeux devant la lumière qui se réverbérait sur les murs blancs. Il mit ses lunettes de soleil et retourna au port. Il ne voulait pas recourir à la police. Le poste local comportait cinq agents et un chef; parfois, à l'occasion de rondes sur la côte, une 4 × 4 noire et blanche montait jusqu'à la tour, et le peintre de batailles leur offrait une bière. De plus, la femme du chef de la police peignait à ses moments perdus; Faulques avait vu un tableau d'elle dans le bureau du mari – un abominable coucher de soleil avec des cerfs et un ciel vermillon –, un jour où il était venu effectuer une démarche: l'homme le lui avait montré avec orgueil. Tout cela garantissait une certaine sympathie, et il aurait été facile de faire en sorte qu'ils s'occupent de Markovic. Mais n'était-ce pas aller trop loin? Mise à part son étrange déclaration d'intentions, le Croate n'avait rien fait qui justifie des mesures aussi radicales.

La marche sous le soleil faisait transpirer Faulques, mouillant sa chemise. Il alla s'asseoir sous la tente d'un des cafés-restaurants situés sur le quai des pêcheurs. Il allongea les jambes sous la table, se carra sur sa chaise et commanda une bière. Il aimait cette terrasse parce que c'était celle qui offrait la meilleure vue, avec la mer au-delà de la passe, entre le phare du môle et les rochers. Lorsqu'il descendait au village chercher du matériel de peinture ou des provisions, il avait plaisir à s'asseoir là à la fin de la journée, quand l'eau se teintait de rouge le long de la côte et que se découpaient les silhouettes des bateaux de pêche qui rentraient l'un après l'autre, suivis de bandes de mouettes criardes, pour décharger les caisses destinées à la halle aux poissons. Certains soirs, Faulques commandait un *caldero de arroz*, une marmite de poisson au riz, et restait dîner avec une bouteille de vin en regardant la mer s'obscurcir, le feu vert du môle s'allumer, et les éclats blancs, lointains et intermittents du phare de Cabo Malo.

Un garçon lui servit sa bière, Faulques la porta à ses lèvres et en vida la moitié d'un coup. En reposant le verre, il s'aperçut que des traces de peinture, rouge cadmium, étaient restées aux ongles de sa main droite. Tout à fait semblables à du sang. Et la fresque, le mur circulaire de la tour, revint occuper ses pensées. Il y avait très longtemps de ça, dans une ville bombardée – c'était Sarajevo mais il aurait pu s'agir de Beyrouth, Phnom Penh, Saigon ou n'importe quelle autre –, Faulques avait eu du sang sur les ongles et sur sa chemise pendant trois jours. Le sang était celui d'un enfant déchiqueté par un tir de mortier; il était mort dans ses bras pendant qu'il le transportait à l'hôpital. Il n'avait pas d'eau pour se laver ni de linge de rechange, et donc il avait passé les trois jours suivants avec le sang de l'enfant sur sa chemise, sur ses appareils et sous ses ongles. L'enfant, ou ce qui restait de lui dans la mémoire du peintre de batailles – il le confondait souvent avec d'autres enfants dans d'autres lieux –, était maintenant représenté en traits froids, une grisaille plombée, à un endroit de la grande fresque de la tour: une petite silhouette couchée sur le dos, la nuque sur une pierre, qui devait beaucoup, elle aussi, dans son inspiration technique, à Paolo Uccello. Pas à ses tableaux de batailles, cette fois, mais à une fresque récemment découverte dans Saint-Martin-Majeur de Bologne: *L'Adoration de l'Enfant.* Dans le bas, entre une mule, un bœuf et diverses figures décapitées par les ravages du temps, un Enfant Jésus gisait les yeux fermés, dans une immobilité presque cadavérique qui annonçait, au grand dam du spectateur attentif, le Christ torturé et mort de toutes les Pietà.

Faulques était en train de se débarrasser des traces de peinture quand une ombre se projeta sur la table. Il leva les yeux et vit Ivo Markovic.

# 7.

Quand le garçon lui eut apporté sa bière, Markovic resta un moment à la contempler, sans y toucher. Puis il fit glisser verticalement un doigt le long du verre embué tout en observant les gouttelettes qui se déposaient en cercle humide sur la table. Finalement, sans boire encore, il sortit un paquet de cigarettes du sac qu'il avait posé par terre, près de sa chaise, et en alluma une. La brise marine faisait voltiger la fumée entre ses doigts, quand, penché sur la flamme de l'allumette qu'il protégeait au creux de ses mains, il regarda Faulques.

– Je croyais que vous aviez soif, dit celui-ci.

– Et vous aviez raison.

Il jeta l'allumette consumée, contempla de nouveau le verre de bière et enfin, lentement, le saisit pour le porter à ses lèvres. À mi-chemin il s'arrêta, comme s'il allait dire quelque chose, mais il sembla changer d'idée. Ce ne fut qu'après avoir bu une gorgée et reposé le demi sur la table qu'il tira deux bouffées de sa cigarette et sourit à Faulques. Ou plutôt que ses lèvres esquissèrent un sourire, tandis que les yeux gris demeuraient impassibles, rivés sur le peintre de batailles.

– Il y a quelque chose, dit sans emphase le Croate, qu'on apprend dans un camp de prisonniers : attendre. Au début, bien sûr, on s'impatiente. La peur et l'incertitude, comme vous pouvez imaginer… Oui. Les premières semaines sont dures. C'est à ce moment-là que les plus faibles disparaissent. Ils ne tiennent pas le coup, ils meurent. D'autres se suicident. Ça m'a toujours paru une erreur de se suicider par désespoir; et encore plus lorsqu'il existe une possibilité de faire, tôt ou tard, payer les bourreaux… Autre chose, je suppose, est d'accepter sereinement la fin, quand on a compris qu'elle est inéluctable. Vous ne croyez pas?

Faulques le regardait sans rien dire. Du doigt, l'autre rajusta ses lunettes, puis hocha la tête. Le danger, poursuivit-il, c'est que le désir de vengeance, ou même le simple espoir de survivre, peut se transformer en piège.

– Oui, ajouta-t-il après avoir réfléchi un moment. Je crois que le pire, c'est l'espoir. Vous avez fait une allusion dans ce sens, hier, bien que, peut-être, vous ne parliez pas de la même chose… On s'imagine qu'il s'agit d'une erreur, que ce sera bientôt fini. On se dit que ça ne peut pas durer. Mais le temps passe, et ça se prolonge. Et vient un moment où tout se fige. On n'arrive plus à compter les jours, l'espoir s'évanouit… C'est alors qu'on devient réellement un prisonnier. Un professionnel, si j'ose dire. Un prisonnier patient.

Le peintre de batailles contemplait maintenant la ligne bleue de la mer dans la passe. Puis il haussa les épaules.

– Vous n'êtes plus prisonnier, dit-il. Et votre bière va être chaude.

Un silence. Lorsqu'il posa de nouveau les yeux sur Markovic, celui-ci l'observait presque avec méfiance à travers les verres sales de ses lunettes.

– Vous aussi, vous semblez être patient, monsieur Faulques.

Le peintre de batailles ne répondit pas. L'autre tira une bouffée de sa cigarette et laissa la brise emporter la fumée sortant de sa bouche entrouverte. Après quoi, il hocha la tête.

– Elle est bizarre, votre peinture. Je vous assure que j'ai été surpris... Dites-moi, je vous prie : vous avez photographié des guerres, des révolutions... Votre travail actuel, est-ce un résumé, ou une conclusion ?... Je veux dire : est-ce que vous vous bornez à reproduire ce que vous avez vu, ou tentez-vous de l'expliquer ?... De vous l'expliquer à vous-même.

Faulques émit un ricanement délibéré. Désagréable.

– Revenez à la tour quand vous voulez, et regardez mieux. À vous de trancher.

Comme s'il pesait le pour et le contre de la proposition, Markovic caressa son menton pas rasé. La barbe et les lunettes sales n'étaient pas les seuls signes de négligence : il avait la peau luisante et portait les mêmes vêtements que la veille. La chemise était froissée, usée au col. Le peintre de batailles se demanda où il avait passé la nuit.

– Merci beaucoup, je viendrai. Demain même, si vous n'y voyez pas d'inconvénient.

Il jeta d'une chiquenaude la cigarette presque consumée et la regarda fumer par terre. Puis il avala un peu de bière et s'essuya la bouche du dos de la main. Permettez-moi une autre question, dit-il.

– Savez-vous pourquoi l'être humain torture et tue ceux de son espèce ?... Est-ce que, en trente ans de photographies, vous avez obtenu une réponse ?

Faulques éclata de rire. Un rire court, sans joie.

– Pas besoin de trente ans. N'importe qui peut s'en rendre compte, il suffit d'observer... L'homme torture et tue parce que c'est dans sa nature. Il aime ça.

– L'homme est un loup pour l'homme, comme disent les philosophes ?

– N'insultez pas les loups. Ce sont des assassins honorables : ils tuent pour vivre.

Markovic baissa la tête, comme s'il réfléchissait profondément. Puis il regarda de nouveau le peintre de batailles.

– Et quelle est, à votre avis, la raison pour laquelle l'homme aime torturer et tuer ?

– Son intelligence, je suppose.

– Voilà qui est intéressant.

– La cruauté objective, élémentaire, n'est pas cruauté. La véritable implique un calcul. Une intelligence, comme je viens de le dire... Voyez les orques.

– Pourquoi les orques ?

Alors Faulques expliqua ce que faisaient les orques. Comment ces prédateurs marins au cerveau évolué, qui opéraient au sein d'un milieu social complexe en communiquant entre eux par des sons sophistiqués, s'approchaient des plages pour capturer de jeunes phoques, qu'ils se renvoyaient ensuite à coups de queue de l'un à l'autre, en jouant avec eux comme si c'étaient des ballons, les laissant s'échapper jusqu'au bord de la plage pour les rattraper ensuite, et comment ils continuaient ainsi par pur plaisir jusqu'au moment où, fatigués du jeu, ils abandonnaient leur malheureuse proie, disloquée, ou la dévoraient s'ils avaient faim. Cela, conclut Faulques, il ne l'avait pas vu à la télévision ou appris par simple ouï-dire. Il l'avait photographié sur une plage australe, durant la guerre des Malouines. Et ces orques paraissaient humaines.

– Je ne sais si j'ai bien compris. Vous voulez dire que plus un animal est intelligent, plus il peut être cruel ?... Qu'un chimpanzé est plus cruel qu'un serpent ?

101

– Je ne connais rien aux chimpanzés ni aux serpents. Ni même aux orques. Les voir m'a fait réfléchir, c'est tout. Je suppose qu'elles ont leurs raisons : s'entraîner à des jeux d'adresse. Mais leur cruauté raffinée m'a rappelé l'homme. Peut-être n'ont-elles pas conscience de cette cruauté, peut-être suivent-elles seulement les codes de leur nature. L'homme ne fait probablement rien d'autre : il est fidèle à l'effroyable symétrie de sa nature intelligente.

Markovic écarquilla les yeux, déconcerté.

– La symétrie ?

– Oui. Un scientifique définirait celle-ci comme les propriétés qui, dans un ensemble, restent stables malgré les transformations... – Devant l'expression de son interlocuteur, Faulques observa une pause et haussa les épaules. – En d'autres termes, les apparences sont trompeuses. Je dirais qu'il y a un ordre caché dans le désordre. Un ordre qui inclut le désordre. Des symétries et des réponses aux symétries.

L'autre se frotta le menton en agitant légèrement la tête.

– Je crois que je ne vous comprends pas.

– Pourtant, hier, vous avez dit que vous aviez fini par me connaître. Mes photos, et tout le reste.

Nouveau haussement de sourcils de Markovic. Il ôta lentement ses lunettes et observa les verres comme s'il venait de découvrir que leur transparence était défectueuse. Songeur, il les nettoya avec un mouchoir en papier qu'il sortit de sa poche.

– Je vois, dit-il après quelques instants. Vous voulez dire que celui qui est mauvais ne peut éviter de l'être.

– Je dis que nous sommes mauvais et que nous ne pouvons l'éviter. Que ce sont les règles de ce jeu. Que notre intelligence supérieure rend notre méchanceté plus efficace et plus tentatrice... L'homme est né prédateur, comme la plupart des animaux. C'est chez lui une pulsion irrésistible. Pour le dire en termes scientifiques, sa propriété constitutive et stable. Mais, à la différence du reste des animaux, notre intelligence complexe nous incite à tout saccager, biens, luxe, femmes, hommes, plaisirs, honneurs... Cette pulsion nous emplit d'envie, de frustration et de rancœur. Elle nous fait être, encore plus, ce que nous sommes déjà naturellement.

Il se tut, et le Croate aussi. Il avait remis ses lunettes. Il regarda Faulques un moment avant de se tourner vers le môle et resta ainsi, contemplant le paysage.

– Avant la guerre, dit-il brusquement, je chassais. J'aimais partir dans la campagne à l'aube, avec des voisins. Marcher dans le petit jour, vous savez, le fusil sur le bras. Pan, pan !

Il continuait de regarder la mer, plissant les yeux à cause du soleil dont la lumière se réverbérait près du quai des pêcheurs.

– Qui aurait dit ça ? ajouta-t-il avec une grimace.

Il baissa la tête pour allumer une autre cigarette. Faulques observa la cicatrice sur sa main droite, puis celle du front, verticale et plus profonde. Une arcade sourcilière éclatée, sûrement. Un objet contondant. Cette cicatrice ne figurait pas sur la photographie, et Markovic ne l'avait pas mentionnée en parlant de sa blessure à Vukovar. C'était probablement un souvenir du camp de prisonniers. Il avait parlé de tortures. Comme un animal, c'étaient ses mots. Ils m'ont torturé – ils l'ont torturé, avait-il dit en employant la troisième personne –, comme un animal.

– Je ne sais pas ce qu'on trouve de si beau à l'aube, dit

soudain Markovic. Ou au coucher de soleil. Pour qui a subi une guerre, l'aube est le signe annonciateur d'un ciel glauque, de l'angoisse, de la peur de ce qui va se passer... Et la tombée du jour, c'est la menace des ombres qui arrivent, de l'obscurité, une terreur qui glace le cœur. L'attente interminable, mort de froid dans un trou, la crosse du fusil collée à la joue...

Il hocha longtemps la tête pour confirmer son propos. Ses souvenirs semblaient se bousculer pour lui donner raison. Sa cigarette collée aux lèvres suivait le mouvement.

– Avez-vous comme moi eu peur un nombre de fois incalculable, monsieur Faulques ?

– Incalculable, comme vous dites. Oui.

Markovic ne paraissait pas apprécier le demi-sourire du peintre.

– Vous avez quelque chose contre le mot « incalculable » ?

– Non, ne vous inquiétez pas, il est correct. Incalculable, c'est bien ça : impossible à calculer.

Le Croate le scruta attentivement, cherchant l'ironie. Puis il parut se détendre un peu. Il tira sur sa cigarette.

– Je voulais vous raconter, dit-il en lançant une bouffée de fumée, qu'une fois j'ai vomi à l'aube, avant une attaque. Par pure peur. Je me suis essuyé la bouche avec un mouchoir en papier, je l'ai jeté, et il est resté accroché à un arbuste en faisant une tache claire. J'ai fixé ce mouchoir tout le temps que le jour se levait... Maintenant, chaque fois que je pense à la peur, je me souviens de ce mouchoir en papier accroché à une branche.

Il ajusta une nouvelle fois ses lunettes d'une pression de l'index, se carra sur sa chaise et regarda autour de lui, d'un air distrait, comme s'il cherchait quelque chose d'intéressant dans le paysage.

– Symétrie, dites-vous, soupira-t-il à la fin. C'est possible. Et cette peinture de la tour... C'est vrai que j'ai été surpris. Enfin je le crois. Ou peut-être ne m'a-t-elle pas surpris autant que je le dis ?

Maintenant il dévisageait de nouveau le peintre, avec méfiance.

– En fait, vous savez ce que je crois vraiment ?... Que tout chasseur reste marqué par le genre de chasse qu'il a pratiqué. Et moi j'ai passé dix ans à vous suivre à la trace. À vous donner la chasse.

Faulques soutint son regard sans desserrer les dents. Il était fasciné par l'exactitude du propos. Chasseurs, genre de chasse, marqué. C'étaient pratiquement les mêmes mots qu'avait employés Olvido. Un jour de printemps, après la première guerre du Golfe, ils avaient vu un groupe d'enfants qui attendaient devant le musée du Louvre, alignés et assis par terre sous un ciel noir et pluvieux, surveillés par des professeurs qui allaient et venaient entre eux. On dirait, avait fait observer Faulques, des prisonniers de guerre irakiens. Et Olvido l'avait longuement regardé, d'un air amusé, avant de s'approcher et de lui donner un baiser sur la joue, un baiser sonore et fort, et de répondre Il y a des chasses qui marquent le chasseur pour toute la vie. Oui. Comme il y a des météorologues qui observent le ciel et n'y voient que des isobares.

– Orques, chimpanzés et serpents... murmura Markovic. Vous voyez vraiment les choses comme ça ?

Ce même jour, elle avait écrit un poème, continuait de se rappeler Faulques. Elle n'avait pas un talent extraordinaire pour la poésie – pas plus en tout cas que pour la photographie : elle était trop passionnée par la vie, trop pressée de brûler la chandelle par les deux bouts. Elle n'était pas une créatrice. Si elle ne s'était pas laissé mener par sa recherche de l'intensité du moment, par le besoin d'aller à l'extrême limite du raisonnable sans renoncer à sa mémoire et à sa culture, ou si elle avait vécu assez longtemps pour rattraper l'ombre d'elle-même qu'elle poursuivait à grandes enjambées, Olvido aurait brillé comme historienne de la peinture, comme professeur d'université, comme galeriste selon la tradition familiale. Ce qui faisait sa valeur, c'était avant tout une vision de l'art très lucide, un coup d'œil hors du commun pour comprendre celui-ci dans toutes ses manifestations, une formidable capacité d'analyse et un goût très sûr quand il s'agissait de détecter ce qui pouvait être sauvé dans la prolifération du médiocre et du mauvais. Autrefois, disait-elle, l'art était la seule histoire où triomphait la justice et où, à la fin, même s'ils y mettaient le temps, c'étaient toujours les bons qui gagnaient ; aujourd'hui, elle n'en était plus si sûre. Ces lignes du poème, griffonnées par Olvido sur la serviette d'un café, Faulques les avait conservées longtemps avant de les perdre il ne savait où, de même que les mots qui le composaient : enfants assis sous la même pluie que celle qui mouillait d'autres lieux, cimetières lointains où reposaient d'autres enfants qui ne seraient jamais vieux, qui ne seraient jamais rien, ou quelque chose comme ça. Il se rappelait juste les deux premières lignes :

*Enfants assis devant un musée*
*(étrangement) intact...*

Il écarta ce souvenir et revint à Markovic. Celui-ci avait répété sa question. Vous voyez vraiment les choses comme ça ? insistait-il. Les orques, etc. Faulques eut un geste vague.

– C'est là, sous la peau, dit-il enfin. Dans nos gènes...

Seuls les règles artificielles, la culture, le vernis des civilisations successives protègent l'homme de lui-même. Les conventions sociales, les lois. La peur de la punition.

L'autre écoutait avec attention, la cigarette fumante collée à ses lèvres. Il haussa de nouveau les sourcils.

– Et Dieu, monsieur Faulques?... Êtes-vous croyant?

– Et puis quoi, encore?

Faulques se tourna à demi. D'un geste, il désignait les gens assis aux terrasses ou se promenant sur le quai, bronzés, en short, suivis de leur marmaille et de leur chien.

– Regardez-les. Impossible d'être plus civilisés, tout au moins tant que ça ne leur coûte aucun effort. Polis, disant même encore parfois « s'il vous plaît » avant de demander quelque chose... Mettez-les dans une pièce fermée, privez-les de l'indispensable, et vous les verrez se déchiqueter entre eux.

Markovic les observait aussi. Convaincu.

– J'ai vu ça, confirma-t-il. Pour un quignon de pain, ou une cigarette. Et plus simplement pour rester en vie.

– Vous savez donc, comme moi, que quand le désastre renvoie l'homme au chaos dont il est issu, tout ce vernis de civilisation éclate en morceaux, et il redevient ce qu'il était, ou ce qu'il a toujours été : un parfait salaud.

L'autre regarda avec attention le mégot qu'il tenait entre le pouce et l'index. Puis il le jeta, comme le précédent. Il tomba au même endroit.

– Vous n'êtes pas doué pour la compassion, monsieur Faulques.

– Non, je ne le suis pas. Mais c'est étrange que vous disiez ça.

– Et d'après vous, qu'est-ce qui nous protège?... La culture, comme vous le suggériez tout à l'heure?... L'art?

– Je l'ignore. Je ne crois pas.

Markovic semblait déçu, aussi Faulques fit-il un effort de réflexion.

– Je soupçonne, ajouta-t-il, que rien ne peut changer la nature humaine. Ou aider à s'en protéger constamment.

Il réfléchit encore un peu. Une jeune femme à l'allure avenante passait près du bureau des billets du bateau de touristes. C'est peut-être elle, pensa-t-il. La guide de la vedette qui parlait du peintre connu de la tour. Elle poursuivit son chemin.

– La mémoire, peut-être. D'une certaine manière, c'est une forme de dignité stoïque. La lucidité à l'heure de contempler les lignes maîtresses de l'événement. D'assumer les règles du jeu.

Il vit que Markovic souriait, comme si, cette fois, il avait été capable de comprendre de quoi parlait son interlocuteur.

– Les symétries, approuva le Croate, satisfait.

– C'est cela. Un poète anglais a parlé de « terrible symétrie », en évoquant les rayures du tigre.

– Allons donc. Un poète, dites-vous ?

– Oui. Il voulait dire que toute symétrie est porteuse de cruauté.

Markovic fronça les sourcils.

– Et comment est-il possible d'assumer les symétries ?

– Au moyen de la géométrie qui permet de les observer. Et de la peinture qui l'exprime.

Me voilà encore perdu, signifiait le froncement de sourcils.

– Où avez-vous appris tout ça ?

De la main, Faulques fit le geste de feuilleter des pages. En lisant, dit-il. En faisant des photos. En regardant, je suppose. En questionnant. Tout est là, devant nous, ajouta-t-il. La différence est que certains s'en rendent compte et d'autres non. Le Croate continuait d'écouter avec attention.

– Me voici de nouveau désorienté, protesta-t-il. Vos idées sont extravagantes... – Il s'interrompit, soupçonneux. – Pourquoi souriez-vous, maintenant, monsieur Faulques ?

– À cause du mot « extravagantes ». Il est joli. J'aime bien votre manière de vous servir de certains mots.

– Je ne suis pas, comme vous, quelqu'un de cultivé. Ces dernières années, j'ai lu des livres, comme j'ai pu. Mais je suis loin de l'être.

– Je ne parlais pas de ça. Au contraire. Vous employez des mots intéressants. Peu courants. Des mots cultivés.

Je n'ai pas fait beaucoup d'études, dit alors le Croate. Juste une bonne formation technique de mécanicien. Mais, au camp de prisonniers, j'ai rencontré un homme qui avait énormément lu. Un musicien. Nous parlions beaucoup, vous savez, en ce temps-là. J'ai appris des choses. Enfin, vous voyez le genre. Des choses. – Après avoir répété « des choses », Markovic resta songeur quelques instants, l'air de se remémorer. – J'ai également, ajouta-t-il, connu un homme qui était resté enterré onze heures sous les ruines de sa maison bombardée, immobilisé par les décombres, les yeux rivés sur un objet qui était devant lui : un rasoir à manche, ébréché. Vous vous rendez compte : onze heures sans pouvoir bouger, avec cet objet devant lui. Le temps de réfléchir. Un peu comme moi avec le mouchoir sur la branche. Ou avec la photo que vous avez faite de moi. Du coup, cet homme avait fini par tout savoir sur les rasoirs à manche ébréchés et par connaître toutes les associations d'idées qui peuvent venir à leur propos. Et moi aussi, à force de l'écouter.

– Après le camp, quand j'ai appris que je n'avais plus de famille, j'ai un peu voyagé. J'ai lu, aussi... J'avais une bonne raison : vous. Pour comprendre qui était l'homme qui avait détruit ma vie avec une photographie, il me fallait posséder un minimum de connaissances. Le mécanicien d'avant la guerre n'y serait jamais parvenu. Sans le savoir, le musicien et l'homme au rasoir ébréché m'avaient ouvert des portes. Sur le moment, je n'avais pas réalisé non plus à quel point ces portes me seraient utiles ensuite, quand je saurais.

Il s'arrêta, regarda autour de lui, penché en avant, les paumes sur les cuisses comme s'il allait se lever. Mais il resta assis. Immobile.

– J'ai lu, j'ai cherché dans des vieilles revues, des journaux, sur Internet. J'ai parlé avec des gens qui vous connaissaient... Vous étiez devenu mon rasoir ébréché.

Ses yeux fixaient Faulques, plantés sur lui comme s'ils étaient des rasoirs tout neufs.

# 8.

Faulques n'employait jamais le noir pur. Cette couleur laissait des trous ; c'était comme un impact de balle ou une giclée de mitraille sur le mur. Il préférait y arriver indirectement, en mélangeant de l'ombre brûlée et du gris de Payne ou du bleu de Prusse, et même un soupçon de rouge, non sur la palette mais sur le mur même, allant parfois jusqu'à frotter avec le doigt les grandes surfaces pour obtenir le ton souhaité, une nuance cendre très foncée avec des zones plus claires qui l'enrichissaient et lui donnaient de la profondeur. En un certain sens, pensait le peintre de batailles, cela revenait à ouvrir le diaphragme d'un point de plus quand on photographiait des personnages noirs de peau. Dans ces cas-là, si l'on se fiait à la cellule de l'appareil, leur image se révélait empâtée. Pleinement noire, sans nuances. Un trou dans la photo.

Cette fois encore, il appliqua la peinture avec le doigt – noir des ombres, noir de la fumée des incendies, noir de la nuit sans aube prévisible –, et ce faisant, il se souvint d'une peau noire qu'il avait photographiée vingt-cinq ans plus tôt, sur les rives du Chari. Cette image figurait aussi dans l'album qu'Ivo Markovic avait laissé sur la chaise, et c'était réellement une bonne photo, en noir et blanc : d'ailleurs, elle avait eu à l'époque les honneurs

d'une double page dans plusieurs magazines internatio-
naux. Après un combat aux abords de N'Djamena, une
douzaine de rebelles tchadiens blessés et menottés
avaient été déposés le long du fleuve pour servir de
pâture aux crocodiles, non loin de l'hôtel – vitres brisées
par les tirs et murs criblés de trous comme autant de
touches picturales de noir froid – où logeait Faulques.
Pendant une demi-heure, il avait photographié ces
hommes un par un, en calculant l'ouverture et le cadrage,
préoccupé par la différence de lumière entre le sable et
ces peaux noires, luisantes de sueur, assiégées par les
mouches, où se détachait le blanc des yeux terrifiés
qui regardaient l'objectif. L'humidité rendait la chaleur
insupportable, et Faulques se déplaçait avec beaucoup de
précaution en étudiant les hommes gisant à terre, pas
à pas, sa chemise trempée, économisant son énergie à
chaque mouvement, s'arrêtant la bouche ouverte pour
respirer l'air épais et brûlant qui sentait l'eau pourrie du
fleuve et aussi les corps prostrés sur la berge. De la viande
crue. Jamais autant que ce jour-là l'odeur des corps africains ne lui avait paru à ce point pareille à celle de la
viande crue. Et, en se penchant sur l'un d'eux – viande à
l'étal du boucher, prête à être dévorée –, en approchant
l'objectif du visage, il avait vu le blessé lever ses mains
attachées pour se protéger à demi, apeuré, roulant le
blanc de ses yeux encore plus exorbités. C'est alors que
Faulques avait augmenté l'ouverture du diaphragme,
réglé sa mise au point juste entre ces deux yeux et appuyé
sur l'obturateur pour capturer cette image composée avec
une horrible perfection technique : des volumes s'échelonnant du noir au gris, les mains ligotées et sales au tout
premier plan avec la nuance plus claire des paumes et
des ongles, l'ombre que ces mains projetaient sur la par-

tie inférieure de la face dont le haut était éclairé par le soleil, le noir brillant de la peau humide de sueur, les mouches, les grains de sable clair collés à une joue. Et au centre exact de tout, ces yeux démesurément ouverts, remplis d'épouvante : deux amandes blanches avec des pupilles très noires rivées sur l'objectif, sur Faulques, sur les milliers de spectateurs qui verraient cette image. Derrière, au fond, pour marquer un terme au parcours du regard de l'observateur, la somme de tous ces noirs et ces gris : l'ombre de la tête de l'homme sur le sable où, malgré le léger flou, on devinait – coup de maître dû au hasard et à la nature implacables – le sillon laissé par les pattes et la queue d'un crocodile. Faulques avait déjà pris dix-neuf clichés, quand une sentinelle, armée d'un fusil et portant des lunettes de soleil dont l'étiquette de garantie était encore collée au verre gauche, s'était approchée en lui signifiant par gestes que ça suffisait comme ça, que la séance était terminée. Et Faulques, plus pour la forme que par conviction, avait émis une vague protestation, un appel à la pitié que l'homme aux lunettes de soleil avait accueilli avec un sourire éclatant de blancheur qui lui avait découvert les gencives, avant de changer son fusil d'épaule et de retourner à l'ombre. Alors, sans regarder derrière lui, le photographe était rentré à l'hôtel, il avait classé ses bobines, les avait annotées avec un feutre et glissées dans une enveloppe matelassée pour les confier le lendemain à un vol d'Air France. Au coucher du soleil, tandis qu'il dînait sur la terrasse déserte de l'hôtel à côté de la piscine vide, accompagné par la musique de l'orchestre – une guitare, un orgue électrique et une chanteuse noire qui l'avait rejoint plus tard dans son lit moyennant paiement anticipé –, Faulques avait entendu les hurlements des prisonniers entraînés par les crocodiles

113

vers les eaux du fleuve, et il avait renoncé à découper son steak saignant, qu'il avait laissé presque intact dans son assiette.

Il avait posé la question un peu plus tard à un ami dans un restaurant de Madrid. J'ai besoin de savoir si ça fait partie du jeu, avait-il demandé. S'il y a une base scientifique à toute cette viande intelligente étalée au soleil, dans l'attente d'être débitée. Des lois cachées dans la vie ou dans le monde. J'ai besoin de savoir si mes photos sont réellement la ligne la plus courte entre deux points. L'ami était un homme de science, jeune et la tête bien faite, membre de plusieurs académies et auteur de livres de vulgarisation. Aristote, avait-il commencé, et Faulques l'avait arrêté en protestant : Ne me sors pas Aristote, putain. Je te parle de vie et de mort réelles. D'odeur de cadavre sous les décombres, d'odeur de la mort qui rampe sur la berge d'un fleuve. Son ami l'avait regardé trois secondes en silence. Aristote, avait-il repris, imperturbable, ne s'est jamais borné à exposer les faits, il a toujours cherché leur pourquoi. Pour nous comprendre, disait-il, nous devons comprendre l'Univers ; et pour comprendre l'Univers, nous devons nous comprendre nous-mêmes. Le problème, c'est que beaucoup d'eau a coulé sous les ponts depuis. En divorçant de la nature, les hommes ont perdu leur capacité de consolation face à l'horreur qui nous assiège. Plus nous observons, moins tout ça n'a de sens, et plus nous nous sentons désemparés. Rends-toi compte qu'à cause de cet empêcheur de tourner en rond de Gödel il n'est même plus possible de trouver refuge dans le seul lieu que nous croyions sûr : les mathématiques. Mais attention ! Si la consolation ne peut résulter de l'observation, on peut néanmoins en trouver une dans l'acte d'observer. Je parle de l'acte analytique, scientifique, voire esthétique, qui constitue cette observation. C'est – en ne tenant pas compte de Gödel – comme les équations mathématiques : elles possèdent une telle sûreté, une telle clarté, une telle inévitabilité, qu'elles procurent un soulagement intellectuel à ceux qui les connaissent et qui s'en servent. Pour moi, ce sont des analgésiques. C'est ainsi que nous revenons à un Aristote un peu amoché mais encore utile : la compréhension, y compris l'effort de comprendre, nous sauve. Ou tout au moins nous console, parce qu'elle transforme l'horreur absurde en lois sereines.

Ils avaient continué de manger et de parler de tout cela, Faulques posant les questions appropriées et écoutant les réponses en silence, en bon élève qui suit avec intérêt l'exposé du professeur. Il ne le savait pas alors, mais cela modifiait – à vrai dire, « complétait » était le mot juste – une vision et une connaissance du monde qui, jusque-là, étaient passées uniquement par les lentilles de ses appareils. Il situait enfin ce qui n'était que des intuitions et des images flottantes et éparses sur le quadrillage rigoureux d'un immense échiquier qui englobait le monde, la raison, la vie. Et c'est dur, disait son ami, d'accepter l'absence de sentiments de l'Univers : sa nature impitoyable. Les scientifiques d'autrefois le contemplaient comme une énigme que l'on pouvait déchiffrer en possédant le code adéquat : quelque chose comme un hiéroglyphe disposé par Dieu. Cela signifie que tu peux, d'une certaine façon, avoir raison, car si nous remplaçons le mot « dieu » par le concept de système de lois cachées, l'idée continue d'être valable, même si la préciser s'avère difficile. Tu comprends ? Cela se passe comme avec la conjecture de Goldbach : nous savons des choses que nous ne pouvons démontrer. La science classique

115

connaissait l'existence de problèmes associés à des systèmes non linéaires – je veux parler des comportements
irréguliers, arbitraires ou chaotiques –, mais elle n'a pu
les comprendre à cause de la difficulté mathématique de
leur traitement. Aujourd'hui, à mesure que progresse
notre capacité d'observation, nous rencontrons de plus
en plus de chaos apparent dans la nature. Cela fait déjà
un demi-siècle que nous savons que les véritables lois ne
peuvent être linéaires. Dans ces systèmes confortables
avec lesquels la science nous a rassurés pendant des
siècles, des changements minuscules dans les conditions
initiales ne modifiaient pas le résultat ; mais dans les
systèmes chaotiques, dès que les conditions de départ
varient légèrement, l'objet suit un chemin différent. Ça
pourrait bien sûr s'appliquer à tes guerres. Et aussi à la
nature et à la vie même : aux tremblements de terre, aux
bactéries, aux stimuli, aux pensées. Nous vivons en inter-
action avec le paysage confus qui nous entoure. Mais il
est vrai qu'un système chaotique est assujetti à des lois
ou des règles. Et ce n'est pas tout : il y a des règles faites
d'exceptions, ou de hasards apparents, qui pourraient
être décrites avec des lois formulées en expressions
mathématiques classiques. Bref, mon vieux, et pour résumer cette brillante conférence avant que tu veuilles bien
régler l'addition · même si ça ne se voit pas, il y a un
ordre dans le chaos.

Cette fissure du mur, elle aussi, faisait partie du chaos.
Malgré l'épais crépi de ciment et de sable appliqué par
Faulques sur la face intérieure du mur circulaire de la
tour de guet, une des plus grandes fentes s'était agrandie
de plusieurs centimètres au cours des dernières semaines.
Elle affectait déjà une zone peinte, au milieu du noir des
fumées de la ville qui brûlait sur la colline avec d'obscurs

contre-jours géométriques sur un fond de flammes que le peintre de batailles avait fort convenablement rendues – une vie passée à photographier des incendies y aidait – par l'application de rouge anglais dans la partie extérieure et de rouge de cadmium avec une pointe de jaune au centre. L'évolution en zigzag de cette fissure – de ce système non linéaire, aurait dit l'ami de Faulques, le scientifique – répondait également à des lois cachées, à une dynamique évidente dont le développement s'avérait impossible à prévoir. Il avait essayé d'y remédier en remplissant le vide ainsi créé avec de la résine acrylique mélangée à de la poudre de marbre appliquée au couteau, et en repeignant par-dessus ; mais ça ne changeait pas grand-chose : la fissure poursuivait lentement sa progression implacable. Tout en essuyant le gris et le bleu de ses doigts avec un chiffon et un peu d'eau, Faulques observa, résigné, le mur fendillé. Il se consola en se disant qu'après tout cela faisait partie du cryptogramme. Le zigzag du chaos et ses sens cachés. Il se souvint que la nature aussi avait ses passions. Et c'est fort de ce regard qu'il étudia durant un long moment le parcours de la fissure : son point de départ sur le bord supérieur de la fresque, et son cheminement vers le bas en forme d'éventail ou de conque, divisé en autres fissures plus petites, la principale se frayant un passage dans le ciel du petit matin pluvieux qui se prolongeait vers la plage d'où appareillaient les navires, en direction de l'espace séparant les deux villes. La moderne, lointaine, presque une tour de Babel brueghelienne encore endormie et paisible, ignorant que cette aube était celle de son dernier jour ; et l'ancienne, éveillée et incendiée, d'où s'enfuyait le troupeau des réfugiés qui arrivait jusqu'au bord inférieur de la fresque, au premier plan : des femmes et des enfants terrorisés qui marchaient entre les barbelés et des soldats menaçants aux reflets métalliques futuristes, dans les yeux desquels les fugitifs tentaient de lire leur destin comme on interroge le Sphinx. Faulques observa que la fissure adoptait la forme d'un éclair indécis entre les deux villes, mais le peintre de batailles savait que cette indécision n'était qu'apparente ; qu'il y avait une norme cachée sous la peinture, l'apprêt acrylique et le crépi en ciment, une loi rigoureuse et iné- luctable qui finirait par transformer les lointaines tours d'acier et de verre sommeillant tranquillement dans la brume de l'aube en un paysage semblable à celui de la col- line en flammes ; et que, quelque part dans cette fissure, les guettaient des chevaux de bois géants et des avions volant très bas vers les tours jumelles de toutes les Troie endormies.

Olvido s'était moquée de lui quand il avait commencé à se préoccuper de cela. À l'époque, Faulques ne s'enga- geait pas encore dans les fissures et les anfractuosités du problème, mais il était déjà assailli par des intuitions, comme s'il emmenait avec lui un essaim de moustiques qui le harcelaient sans trêve. Tu photographies les gens en cherchant les droites et les courbes qui les tueront, disait-elle avec un rire subit après l'avoir observé un temps en silence. Tu photographies les choses en cher- chant les angles par où elles commenceront à se décom- poser. Tu vas à la chasse aux cadavres et aux ruines qui n'existent pas encore. Parfois, je me dis que si tu me fais l'amour avec ce désespoir désolé et violent, c'est parce que, quand tu me tiens dans tes bras, tu sens le cadavre que je serai un jour, ou que nous serons tous les deux. Tu vas finir par te détruire, Faulques. Tu n'es déjà plus vrai- ment un soldat taciturne et maigre. Tu ne le sais pas, mais tu as contracté le virus qui finira par t'empêcher de faire ton travail. Un jour, quand tu porteras ton appareil à ton visage, tu ne verras plus dans ton viseur que des lignes, des volumes et des lois cosmiques. J'espère qu'à ce moment-là je ne serai pas près de toi, parce que tu deviendras insupportable, un vrai autiste : un archer zen qui exécute des mouvements en l'air avec les mains vides. Et si je suis encore avec toi, je te quitterai. *Ciao !* Je te le promets. Je déteste les soldats qui se posent des questions, mais plus encore ceux qui obtiennent des réponses. Et si quelque chose me plaît chez toi, c'est le silence que gardent tes silences, si semblables à celui de tes photos froides et parfaites. Je ne supporte pas les silences que l'on entend, tu comprends ?... Un jour, j'ai entendu dire, ou j'ai lu, qu'à force d'analyser les faits on finit par détruire le concept... Ou est-ce le contraire : les concepts qui détruisent les faits ?

Elle avait dit ça en riant derrière la transparence d'un verre de vin, à Venise, la dernière nuit du 31 décembre qu'ils avaient vécue ensemble. Elle avait absolument voulu revenir dans cette cité où elle avait passé plusieurs réveillons de fin d'année dans son enfance, pour voir l'exposition des surréalistes au Palazzo Grassi. Je veux que tu m'emmènes dans le meilleur hôtel de cette ville fantôme, avait-elle demandé, et que tu déambules avec moi la nuit dans ses rues désertes, parce que c'est le seul moment de l'année où l'on peut les trouver ainsi : il fait si froid que les routards meurent gelés sur les bancs, tout le monde s'enferme dans les hôtels et les pensions, il n'y a dehors que des gondoles qui se balancent en silence sur les canaux, la rue des Assassins paraît plus étroite et plus sombre que jamais, et les quatre figures de pierre de la Piazzetta se rapprochent les unes des autres comme si elles possédaient un secret que celui qui les contemple ignore. Quand j'étais adolescente, je m'échappais pour me promener, avec écharpe et bonnet de laine, en écoutant l'écho de mes pas, tandis que les chats me regardaient passer, pelotonnés sous leurs porches obscurs. Il y a trop longtemps que je ne suis pas revenue dans cette ville, et je ne veux plus tarder davantage. Avec toi, Faulques. Je veux que tu m'aides à retrouver l'ombre de cette enfant, et ensuite, de retour à l'hôtel, que tu la recouses à mes talons avec du fil et une aiguille, afin qu'elle soit là, silencieuse et patiente, pendant que tu me feras l'amour, la fenêtre ouverte et le froid de la lagune dans ton dos où je planterai mes ongles jusqu'à ce que tu saignes et que j'oublie tout, toi, Venise, ce que j'ai été et ce qui m'attend.

Aujourd'hui Faulques se souvenait de ces paroles, et il se souvenait d'Olvido marchant dans les rues étroites couvertes de neige : le sol glissant, les gondoles tapissées de blanc sur l'eau clapotante verte et grise, le froid intense et la pluie de neige fondue, les touristes japonais agglutinés dans les cafés, le hall de l'hôtel avec les escaliers centenaires parés de brocart, les grands lustres du salon décoré d'un énorme et absurde arbre de Noël, le directeur et les vieux concierges qui sortaient pour saluer Olvido en l'appelant « *signorina* Ferrara », comme dix ou quinze ans auparavant, les petits déjeuners dans la chambre avec vue sur San Giorgio et, à droite, la Douane et l'entrée du Grand Canal dans la brume. La nuit de la Saint-Sylvestre, ils s'étaient habillés pour le dîner, mais le restaurant était bondé d'Américains vociférant et de mafieux slaves avec des femmes blondes, si bien qu'ils avaient pris leurs imperméables et marché par les rues blanches et gelées jusqu'à une petite trattoria sur les Zattere. Là, lui en smoking et elle portant un collier de perles sur une robe noire et légère qui semblait flotter autour de son corps, ils avaient dîné de spaghettis, d'une pizza et de vin blanc, avant de se promener jusqu'à la pointe de la Douane pour s'embrasser à minuit précis en grelottant, dans le crépitement des feux d'artifice illuminant le ciel au-dessus de la Giudecca ; puis ils étaient rentrés tranquillement à l'hôtel par les rues désertes en se tenant par la main. Depuis, quand Faulques pensait à Venise, c'étaient toujours les images de cette nuit unique qui revenaient, les lumières voilées par la brume et les flocons pâles qui tombaient sur les canaux, les langues d'eau qui léchaient les marches de pierre blanche et se répandaient doucement sur le pavé, la gondole qu'ils avaient vue passer sous le pont avec deux passagers immobiles et le gondolier qui chantait à voix basse. Et aussi les gouttes d'eau sur le visage d'Olvido, sa main gauche glissant sur la rampe de l'escalier en montant dans leur chambre, le grincement du plancher, le tapis dans lequel un de ses talons s'était pris, l'immense miroir à droite où il l'avait vue se regarder du coin de l'œil au passage, la faible lueur jaune qui entrait par la fenêtre quand, devant le grand lit, après avoir ôté leurs imperméables dans la pénombre, il lui avait relevé très lentement sa robe jusqu'aux hanches pendant qu'elle plongeait ses yeux dans les siens avec une intensité impassible, la moitié du visage très légèrement éclairée, belle comme un rêve. À ce moment, Faulques s'était réjoui de tout son cœur – une satisfaction tranquille et sauvage en même temps – de ne pas s'être fait tuer toutes les fois où cela aurait été possible ; car, sinon, il n'aurait pas été là ce soir, dénudant les hanches d'Olvido, et jamais il ne l'aurait vue reculer pour s'allonger sur la courtepointe sans cesser de le regarder à travers sa chevelure défaite et mouillée de neige fondue qui coulait sur sa figure, la

121

robe retroussée jusqu'à la taille, ouvrant lentement les jambes avec un mélange délibéré de soumission et de défi impudique, tandis que lui, toujours impeccablement vêtu, s'agenouillait devant elle et approchait sa bouche, encore engourdie par le froid de la nuit, de la jonction obscure de ces longues cuisses parfaites au centre desquelles palpitait, chaude, très douce, délicieusement humide au contact de ses lèvres et de sa langue, la chair splendide de la femme qu'il aimait.

Le peintre de batailles se secoua, et il passa les doigts sur les bords de la fissure du mur, rugueux et froids. De la viande crue, se souvint-il soudain, près des empreintes d'un animal sur le sable. L'horreur toujours à l'affût, exigeant de prélever sa dîme, prête à égorger Euclide avec la faux du chaos. Papillons voletant autour de toutes les guerres et de toutes les paix. Chaque moment était un mélange des situations possibles combinées avec les impossibles, de fissures prévues dès l'instant originel à la température de trois milliards de kelvins, situé entre quatorze secondes et trois minutes après le Big Bang, départ de la série de hasards précis qui créent l'homme, et le tuent. Dieux ivres jouant aux échecs, loteries olympiques, une météorite errante de seulement dix kilomètres de diamètre qui, en frappant la Terre et en anéantissant tous les animaux de plus de vingt-cinq kilos, avait ouvert la voie à des mammifères encore petits et craintifs qui, soixante-cinq millions d'années plus tard, devaient finir par être Homo sapiens, Homo ludens, Homo occisor.

Une Troie prévisible sous chaque photo et chaque Venise. Vénérer des chevaux de bois au ventre engrossé de bronze, applaudir dans les rues les maîtres florentins ou brûler, avec un même enthousiasme, leurs œuvres sur les bûchers de Savonarole. Le bilan d'un siècle, ou de trente siècles, tel avait été le résumé qu'avait fait Olvido cette nuit-là au bout du quai de la Douane, en observant la foule rassemblée de l'autre côté de l'entrée du canal, sur la place Saint-Marc, les pétards et les fusées qui éclataient et les cris de ceux qui célébraient l'avènement de la nouvelle année sans savoir ce que celle-ci leur réservait. Il n'y a plus de barbares, avait-elle murmuré en frissonnant. Ils sont tous entrés, ils sont tous à l'intérieur. Ou c'est peut-être nous qui sommes restés au-dehors. Veux-tu que je te dise pourquoi nous sommes ensemble, toi et moi, cette nuit ? Parce que tu sais que le collier que je porte en ce moment est fait de perles authentiques. Non parce que tu les as examinées, mais parce que tu me connais. Tu comprends ?... Ce monde me fait peur, Faulques. Il me fait peur parce qu'il m'ennuie. Je déteste que tous les imbéciles proclament qu'ils font partie de l'Humanité et que tous les faibles s'abritent derrière la Justice, que tous les artistes sourient au marchand et au critique qui les inventent, ou qu'ils leur crachent dessus, ce qui revient au même. Lorsque mes parents m'ont baptisée Olvido, ils ont manqué leur coup. Aujourd'hui, pour survivre dans la caverne du Cyclope, il faut s'appeler Personne. Oui. Je crois que je vais avoir très vite besoin d'une nouvelle dose – et forte. Une nouvelle dose de tes guerres, si belles et si hygiéniques.

Le peintre de batailles décida de laisser la fissure en l'état. En fin de compte, elle faisait partie de la peinture, comme tout le reste. Comme Venise, comme le collier de perles d'Olvido, comme lui-même. Comme Ivo Markovic qui, en cet instant, sans qu'il l'ait entendu venir, se découpait à contre-jour dans l'embrasure de la porte de la tour.

# 9.

– Alors je suis dedans ?

Il se tenait debout devant la fresque, et la fumée de la cigarette qui pendait de ses lèvres le faisait cligner des yeux derrière ses lunettes. Il était rasé de frais et portait une chemise propre, manches relevées sur les coudes. Faulques suivit la direction de son regard. Sur une zone encore vierge de peinture, le dessin au fusain et quelques traits de couleur sur l'enduit blanc esquissaient des formes étendues par terre, qui, l'œuvre terminée, représenteraient des cadavres dépouillés par des pillards pareils à des corbeaux. Il y avait aussi un chien qui flairait des restes humains, et des arbres avec des corps pendant aux branches.

– Bien sûr, répondit le peintre de batailles. Vous y étiez déjà avant. C'est de ça qu'il s'agit, je suppose... Ou plutôt je sais. Dès que vous êtes apparu, j'en ai été convaincu.

– Et où se trouve votre responsabilité ?

– Je ne comprends pas.

– Vous êtes également responsable de ce qui se passe dans le tableau.

Faulques posa le pinceau court qu'il tenait à la main – il constata avec déplaisir que la peinture acrylique avait séché et l'avait durci –, puis s'approcha du mur pour se mettre à côté de Markovic, en croisant les bras. En regardant ce que l'autre regardait. Les dessins étaient suffisamment éloquents, décida-t-il. Même s'il n'éprouvait pas une estime démesurée pour ses talents de peintre, la certitude d'être un bon dessinateur le consolait. Et, en fin de compte, le désordre apparent de ces traits vigoureux et expressifs contenait véritablement la guerre. Ils exprimaient la désolation et la solitude : celles des hommes morts. Tous les morts qu'il avait photographiés au cours de sa vie apparaissaient seuls. Aucune solitude n'était plus parfaite que celle-là, absolue et irréparable. Il le savait de première main. Dessin ou couleur mis à part, là était peut-être sa supériorité, décida-t-il encore. Ce qui donnait sa consistance au travail qu'il réalisait dans cette tour. Personne ne lui avait raconté ce qu'il racontait.

– Je ne suis pas sûr de la justesse du mot : responsabilité. J'ai toujours essayé d'être l'homme qui regardait. Un troisième homme indifférent.

Sans quitter la peinture des yeux, Markovic hocha la tête.

– Je dirais, moi, que vous vous êtes trompé. Personne n'est indifférent. Vous aussi, vous êtes dans le tableau... Mais pas seulement comme une partie de lui : vous y êtes aussi comme un agent. Comme une cause.

– C'est étrange que vous disiez cela.

– Qu'est-ce qui vous paraît étrange ?

Faulques ne répondit pas. Il se souvenait maintenant, un peu troublé, de ce que son ami le scientifique avait ajouté à la fin de leur discussion sur le chaos et ses règles : qu'un élément de base de la mécanique quantique était que l'homme créait la réalité en l'observant. Avant l'observation, ce qui existait véritablement, c'étaient toutes les situations possibles. Il fallait ce regard pour que, enfin,

125

la nature se concrétise : elle prenait parti. Il existait donc une indétermination intrinsèque dont l'homme était plus témoin que protagoniste. Ou, pour régler la question, les deux à la fois : autant victime que coupable.

Ils restèrent à regarder la fresque, sans parler, immobiles. Côte à côte. Markovic ôta la cigarette de sa bouche. Maintenant il se penchait légèrement pour mieux contempler les deux hommes qui se battaient enlacés au premier plan, dans la partie inférieure.

– Est-ce vrai que certains photographes payent pour qu'on tue les gens devant leurs appareils ?

Faulques agita lentement la tête en signe de dénégation. Deux fois.

– Non. Et, évidemment, ça n'a jamais été mon cas. – Il fit non de la tête une troisième fois. – Jamais.

Le Croate s'était tourné vers lui pour l'observer avec intérêt. Il demeura ainsi un moment, puis il tira une autre bouffée de sa cigarette et alla l'éteindre dans le verre à moutarde vide posé sur la table au milieu des flacons de peinture et des pinceaux. *The Eye of War* était toujours là. Il feuilleta distraitement quelques pages et s'arrêta sur une.

– Bonne photo, dit-il. C'est celle de l'autre prix ?

Faulques s'approcha. Liban, près de Daraya. Pellicule 400 ASA noir et blanc, 125e de seconde, objectif 50 mm. Une montagne au sommet enneigé, à peine visible dans la brume, servait de fond à la scène principale : trois miliciens druses au moment de leur exécution par six membres des Phalanges chrétiennes, ces derniers agenouillés à trois mètres de leurs victimes, fusils pointés, en train de tirer. Les Druses devant eux, yeux bandés, deux au fond de l'image déjà touchés par les balles, leurs vêtements déchirés par l'impact – l'un atteint en plein

126

ventre et pliant les genoux, l'autre levant les mains et tombant en arrière comme si le monde s'effondrait dans son dos –, et le troisième, le plus proche du photographe, environ quarante ans, brun, cheveux courts, une barbe de deux ou trois jours, campé droit et ferme, attendant stoïquement le coup qui n'était pas encore venu, la tête haute, les yeux bandés avec un mouchoir noir, une main blessée, emmaillotée dans un bandage qui lui pendait du cou, posée sur la poitrine. Si serein et si digne, que les bourreaux qui le visaient, deux jeunes maronites, semblaient hésiter avant de le tuer, le doigt sur la détente de leurs fusils d'assaut Galil. Le Druse à la main blessée avait été exécuté une seconde après que Faulques eut pris la photo – il avait appuyé sur l'obturateur en entendant la première rafale, convaincu que les trois tomberaient en même temps –, la poitrine transpercée, alors que ses camarades étaient déjà à terre ; mais Faulques n'avait pas réussi à le saisir en train de tomber, car il travaillait avec le Leica sans moteur, à entraînement manuel, et il était juste en train de manœuvrer le levier pour passer au cliché suivant. Si bien qu'il l'avait faite quand l'homme s'était déjà écroulé, la face vers le ciel, la main bandée un peu levée, raide au milieu de la fumée des tirs qui flottait dans l'air et de la poussière soulevée par le corps dans sa chute. Faulques avait fait une troisième photo, celle du chef des exécuteurs qui se tenait debout entre les cadavres après avoir donné le coup de grâce au premier, et juste avant de le donner au deuxième.

– Intéressant, commenta Markovic, un doigt posé sur l'image. La dignité de l'homme, et tutti quanti. Mais tous ne meurent pas ainsi, n'est-ce pas ?... En réalité, très peu meurent ainsi. Ils pleurent, ils supplient, ils se traînent... Cette bassesse dont nous parlions l'autre jour. Pour survivre.

Les responsables de l'agence à laquelle Faulques avait envoyé la bobine sans la développer avaient sélectionné la photo du Druse debout à cause de la dignité devant la mort qui se dégageait de son attitude, de l'apparente hésitation des exécuteurs et de la présence pathétique des hommes abattus derrière. À l'époque, elle avait été largement publiée – *La fierté de mourir*, avait titré avec grandiloquence un magazine italien –, et elle avait gagné la même année les vingt mille dollars du prix de l'International Press Photo. Dans le livre que Markovic avait en ce moment devant lui, cette image faisait face à une autre que Faulques avait prise en Somalie quinze ans après : un membre de la milice de Farah Aidid qui exécutait un pillard au marché de Mogadiscio. Les deux scènes étaient différentes autant par le sujet que par la composition, et Faulques avait longtemps hésité avant de décider de les placer en vis-à-vis dans l'album ; mais c'était justement cela qui avait fini par le convaincre : elles avaient plus de sens ensemble. Celle du Liban était en noir et blanc, sereine, les lignes étaient équilibrées malgré le drame, les plans bien définis, avec un point de fuite parfait – cette montagne au sommet enneigé, à peine visible dans le flou de la brume – et des diagonales qui venaient de très loin pour converger là, les exécuteurs et les deux Druses abattus figurant comme comparses ou comme toile de fond de la scène principale : le parfait parallélisme des fusils du premier plan, deux droites mortelles dirigées vers la poitrine du troisième Druse debout, visant directement au cœur sur lequel était posée la main bandée en écharpe, une harmonie presque circulaire de lignes courbes, de rayons droits et d'ombres dont le centre était cette main et ce cœur sur le point de s'arrêter de battre. La photo de Mogadiscio était le contraire : pellicule couleur, image sans volume, presque plate, avec le fond ocre d'un mur de torchis sur lequel se projetaient les ombres d'un groupe de curieux situés en dehors du champ, et, au centre de la scène, debout, un milicien somali, vêtu d'un short qui lui donnait l'air étonnamment jeune, tendant le bras tenant un AK-47 pour placer l'extrémité du canon contre la tête de l'homme gisant à terre sur le dos. Les muscles et les tendons du bras noir, décharné, étaient crispés par la tension du recul de l'arme, dont les balles déchiquetaient le visage de l'homme qui levait les bras et les genoux, toujours vivant, agité de soubresauts sous les balles, la face explosant en fragments rouges – *action painting* à l'état pur, devait dire Olvido ensuite, encore blême –, et deux douilles vides expulsées du magasin de l'arme avaient été rattrapées par la photo en plein vol, immobiles, dorées et luisantes au soleil. Cette image n'avait pas de profondeur, ni de fond, ni de lignes lointaines, rien d'autre que les ombres sur le mur en manière de témoins anonymes et le triangle fermé, équilatéral, géométriquement parfait – comme le triangle symbolique qui représentait Dieu dans les livres de classe de Faulques –, formé par l'homme debout, la victime à terre, et l'arme comme une prolongation du bras et de la volonté rationnelle qui procédaient à l'exécution. Ils pleurent, ils supplient, ils se traînent, avait dit Markovic. Pour survivre. Ce n'était pas le cas, pensa Faulques, des trois Druses de la première photo, qui s'étaient laissé tuer sans prononcer un mot ni rien perdre de leur dignité ; mais c'était bien celui du Somali de la seconde, qui s'était jeté aux pieds du bourreau en le suppliant de lui laisser la vie sauve, ce qui n'avait pas empêché ce dernier de le bourrer de coups de pied pour la plus grande joie des gamins qui contemplaient la scène – c'étaient leurs ombres qui se projetaient sur le mur ; et ainsi, à genoux, agrippé

129

aux jambes du milicien, il avait reçu d'abord le coup de crosse qui l'avait expédié en arrière, puis, levant les mains comme dans un dernier geste d'imploration pour se protéger la figure, il avait hurlé en voyant se poser sur lui l'embouchure du canon, avant le sursaut de tout son corps et les spasmes finaux sous la giclée de balles. Cette fois, Faulques avait un appareil avec moteur et entraînement automatique, une photo appelant l'autre, clic, clic, clic, clic, clic, clic, clic, clic, huit fois de suite, une série complète au 1/500ᵉ de seconde, ouverture à 8. La cinquième s'était révélée la meilleure : celle où le mourant, le visage à peine visible sous les éclaboussures rouges, levait les bras et les jambes. Après, quand le milicien somali s'était aperçu de la présence du photographe – Faulques s'était approché avec une prudence tactique exemplaire, tandis qu'Olvido lui chuchotait Ne fais pas ça, je t'en prie, reste ici et ne bouge pas –, il avait arboré un air fanfaron, tenant le fusil à deux mains, un pied sur la poitrine du cadavre à la façon du chasseur qui pose avec son trophée. *Meik mi ouane photo.* Sourire, relax. Et Faulques, levant de nouveau son appareil, avait fait semblant de prendre aussi cette image. Mais il avait déjà pris une scène identique à Tessenei, en Érythrée : deux guérilleros du FLE posant le fusil à la main, l'un d'eux le pied sur le cou d'un soldat éthiopien mort. Alors pas question de publier deux fois la même photo : c'était absurde de se plagier soi-même. Quant à ce *meik mi ouane photo* et tout le reste, la meilleure définition devait en être donnée par Olvido le soir même à Mogadiscio, à l'hôtel où ils buvaient dans l'obscurité, près de la fenêtre. L'Afrique me fascine, avait-elle dit, parce qu'elle est comme un banc d'essai de l'avenir. Elle dépasse l'absurdité dadaïste la plus extrême. Elle est comme un dessin animé de la télévision dont les personnages seraient des cinglés, armés de machettes, de fusils et de grenades.

– Pour survivre, répéta Markovic.

Faulques, qui émergeait lentement de ses souvenirs, eut une expression d'impuissance.

– Pour la plupart, supplier est inutile, murmura-t-il. Même la bassesse devant le bourreau ne garantit rien.

Le Croate continuait de feuilleter l'album. Finalement, il le ferma.

– Ils essayent, dit-il. Presque tous, en fait. Certains réussissent.

Il resta à regarder, songeur, la couverture du livre. Photo en noir et blanc, l'asphalte de la route de l'aéroport de Saigon : une femme morte gisant avec son bébé également mort dans les bras. Le mari, un peu plus loin, tenant un autre enfant par la main. Morts, eux aussi. Tous morts. Entre eux, un chapeau de paille conique sur une flaque de sang. Ce n'était pas la photo préférée de Faulques, mais, à l'époque, lui et ses éditeurs avaient décidé qu'elle faisait une bonne jaquette.

– Quand on m'a libéré, poursuivit Markovic, on m'a fait monter avec d'autres dans un camion... Nous ne nous sommes pratiquement rien dit. Nous n'osions même pas nous regarder. Honteux. Chacun savait des choses sur les autres, vous comprenez ?... Des choses que nous voulions oublier.

Toujours debout devant la table et l'album de photos, il demeura un moment sans parler. Faulques s'approcha de la bouteille de cognac et interrogea l'autre du regard. Celui-ci dit Non, merci, sans tourner la tête. Le peintre se versa un peu d'alcool, y trempa les lèvres et posa le verre sur le livre. Alors Markovic leva les yeux.

– Il y avait un garçon, très jeune. Beau. Seize ou dix-

sept ans. Bosniaque. Un gardien serbe s'était entiché de
lui.

Il souriait légèrement à cette évocation. S'il n'y avait eu
l'expression de ses yeux, on aurait pu croire qu'il évoquait un souvenir agréable.

– Quand, certaines nuits, le gardien l'emmenait, le gosse
revenait toujours avec quelque chose. Un peu de chocolat,
une boîte de lait condensé, des cigarettes… Il nous donnait tout. Parfois, même, il obtenait des médicaments
pour les malades… Et pourtant, nous le méprisions.
Qu'en pensez-vous ?… Mais ça ne nous empêchait pas de
prendre tout ce qu'il apportait. Avec avidité, je peux vous
l'assurer. Oui. Jusqu'à la dernière cigarette.

Le soleil qui se glissait par une fenêtre de la tour
éclaira le visage du Croate, dont les yeux s'éclaircirent
encore derrière les verres des lunettes. L'ébauche de sourire disparut de ses lèvres, comme effacée par la lumière ;
les yeux imposaient leur vrai pouvoir, en donnant l'impression que le sourire n'avait jamais existé. Faulques
pensa qu'en d'autres temps il aurait agi avec une extrême
précaution, levant lentement son appareil pour ne pas
effrayer la proie, afin de saisir ce regard qui n'était pas à
la portée du premier venu. À un tel regard devait correspondre une biographie bien précise. Olvido appelait ça le
regard des cent pas. Il y a des êtres humains, disait-elle,
qui font cent pas de plus que les autres pour arriver en
un lieu dont ils ne reviennent jamais. Après, ils entrent
dans des bars, des restaurants, des autobus, et presque
personne ne les remarque. Absurde, non ? Nous devrions
tous porter notre biographie sur la figure, comme une
note de service. Certains la portent, bien sûr. Laisse-moi
te regarder. Tu la portes. Mais les autres ne savent pas
toujours la lire. Les gens les croisent et ne s'aperçoivent

de rien. Peut-être parce que aujourd'hui personne ne regarde vraiment. Dans les yeux.

– Une nuit, continuait de raconter Markovic, plusieurs de mes camarades ont sodomisé le gosse. Si tu te fais niquer par un Serbe, disaient-ils, tu peux bien te faire niquer par nous. Ils lui avaient fourré un chiffon dans la bouche pour qu'il ne crie pas. Nous n'avons rien fait pour le défendre.

Survint un long silence. Faulques observa la fresque, là où l'enfant à demi enterré dans le sable regardait la femme gisant sur le dos, les cuisses nues et ensanglantées. La file de fugitifs venant de la ville en flammes, surveillée par les gardes armés, passait sans y prêter attention. Ce n'était qu'une histoire de plus, et chacun avait ses propres histoires.

– Le gosse s'est pendu le lendemain. Nous l'avons trouvé derrière le baraquement.

Markovic regardait maintenant le peintre de batailles comme s'il l'invitait à porter un jugement. Mais celui-ci ne dit rien. Il se borna à faire un signe d'assentiment, sans écarter les yeux de la femme violée et de l'enfant peints sur le mur. L'autre suivit la direction de son regard.

– Avez-vous, un jour, pu empêcher quelque chose, monsieur Faulques ? Un passage à tabac, une mort ?... En avez-vous eu l'occasion, et l'avez-vous fait ? – Il observa une pause délibérée. – Ou l'avez-vous tenté ?

– Parfois.

– Souvent ?

– Je n'ai jamais fait le compte.

Le Croate souriait d'un air méchant.

– Bien. Je sais que vous avez voulu le faire au moins une fois.

Il parut déçu que Faulques n'ajoute pas de commentaire, les yeux toujours rivés sur la fresque. Il y avait deux personnages à moitié peints derrière le soldat au premier plan qui, esquissé, surveillait les fugitifs : un autre soldat d'apparence médiévale mais portant des armes modernes, spectre sans visage sous la visière du casque, qui braquait son fusil sur un homme dont seules la tête et les épaules étaient achevées. Quelque chose dans l'expression de la victime ne satisfaisait pas le peintre de batailles. Elle allait être assassinée un instant après, et Faulques le savait. L'exécuteur aussi le savait. Le problème résidait dans les sentiments du supplicié. Son visage, auquel avaient été ajoutés de l'ombre brûlée et du bleu de Prusse pour en accentuer les angles et les saillants, semblait décomposé par la peur ; mais il n'était pas tourné vers le bourreau, il l'était vers l'observateur, ou le peintre, ou n'importe quelle personne assistant à la scène. Et Faulques comprit ce qui clochait. Ce n'était pas de la terreur que devait refléter le visage de cet homme sur le point de mourir. Si le condamné n'observait pas son bourreau mais le témoin, c'est-à-dire l'appareil photo transformé en pinceaux et en regard du peintre, l'œil imaginaire qui, avec un tel cynisme, s'apprêtait à assister à sa mort, son expression ne pouvait refléter de la peur mais de l'indignation. Une surprise indignée, voilà la nuance exacte. Naturellement. Il était en pyjama, on venait de le sortir de chez lui, les cheveux en désordre, les paupières encore lourdes de sommeil, sous les regards passifs, lâches, réjouis ou complices des voisins. Il était exactement pareil à l'homme que Faulques avait photographié sur la corniche de Beyrouth au moment où, pieds nus et vêtu d'un ridicule pyjama à losanges blancs et rouges, les fusils pointés sur lui le poussaient vers le lieu où gisaient déjà, assassinés, quatre autres habitants de son immeuble. L'homme en pyjama savait ce qui l'attendait, mais son expression de peur – décomposé, la peau d'un jaune cendreux – s'était changée en surprise et en colère quand il avait vu derrière ses bourreaux l'appareil avec lequel Faulques, qui avait eu vingt-cinq ans la semaine précédente, le photographiait. Et celui-ci avait appuyé sur l'obturateur juste à temps pour capter ce regard, rendu furieux par l'intimité violée d'un homme en pyjama qui s'apercevait qu'on le photographiait à l'instant de mourir de cette manière inique et dans cet accoutrement. La photo était impeccable, mais lorsque Faulques avait appuyé de nouveau sur l'obturateur, l'homme avait déjà reçu trois balles dans le corps et s'écroulait sur les autres cadavres. Il y avait une troisième photo possible, mais il ne l'avait pas faite. En voyant un des exécuteurs s'approcher du cadavre et se pencher sur lui, Faulques avait fait passer le diaphragme de 8 à 5.6 et s'était préparé à appuyer. Mais quand, dans le viseur, il avait vu que l'homme sortait des pinces de sa poche pour arracher les dents en or du mort, la nausée l'en avait empêché. Il avait laissé retomber l'appareil sur sa poitrine, il avait marché sans se presser vers le taxi déglingué qui l'attendait plus loin, le panneau PRESS-SAHAFI collé au pare-brise, et, sous le regard ironique du chauffeur libanais à qui il payait deux dollars de commission pour chaque bonne photo qu'il l'aidait à prendre, il avait vomi tout le petit déjeuner de l'hôtel Commodore.

– Un témoin indifférent et idéal, commenta Markovic. C'est de ça qu'il s'agit ?... Eh bien, on ne dirait pas, quand on voit ce que vous peignez ici. Vous ne m'avez pas non plus paru indifférent, le jour où je vous ai vu agenouillé sur le bas-côté de la route de Borovo Naselje... Au moins jusqu'à ce que vous preniez votre appareil et que vous fassiez la photo de la femme.

Faulques ne répondit pas. Il était allé devant la fresque et, légèrement penché sur la scène qu'il y avait peinte, il l'étudiait de près. C'était tellement évident qu'il se traita de tous les noms pour ne pas s'en être rendu compte avant. Il prit une éponge de cuisine verte et frotta doucement avec beaucoup de soin le visage de l'homme qui allait mourir, en estompant légèrement ses traits, surtout autour de la bouche, jusqu'à ce que certaines irrégularités, dues au sable dans la couche de blanc sur le ciment du mur, apparaissent dessous. Puis il passa une brosse de boulanger afin de nettoyer la surface grattée et revint vers la table pour fouiller parmi les pinceaux secs plantés dans des bocaux et des boîtes de café, et finir par en trouver un rond, taille numéro 4. Il sentait le regard de Markovic peser sur sa nuque. Le peintre de batailles n'avait jamais travaillé en présence de quelqu'un, mais, en ce moment, cela lui était égal.

– C'est étrange, murmura le Croate. Il y a des gens qui considèrent que l'art est affaire de culture, de délicatesse. Moi-même, je le croyais.

Il était difficile d'établir si son propos concernait les scènes dramatiques de la fresque ou, plus prosaïquement, l'usage de l'éponge de cuisine ; de toute manière, Faulques avait d'autres préoccupations. Il ouvrit deux flacons hermétiquement fermés dans lesquels il conservait des mélanges de couleurs – il avait l'habitude de préparer les plus usuels en quantité suffisante pour ne pas perdre de temps à chercher la nuance désirée –, et il fit un essai avec le pinceau sur la grande plaque de four qui lui servait de palette. Les mélanges avaient gardé la texture adéquate. Il rinça le pinceau, le sécha avec un chiffon, en suça la pointe, mit un peu du contenu de chaque flacon sur la plaque et revint au mur. Markovic le suivit. Il avait saisi un pinceau anglais plat d'un pouce et demi qu'il étudiait avec curiosité.

– Les poils sont naturels ?… D'écureuil, de martre, ou d'un autre animal ?

Synthétiques, répondit Faulques. Le frottement contre le mur abîmait beaucoup les pinceaux. Le nylon était plus résistant et meilleur marché. Après quoi, il resta un moment à observer le personnage, les yeux peints une semaine plus tôt, l'ovale du visage, les traits violents et réussis des cheveux hirsutes – de près, un rapide enchevêtrement de couleurs superposées –, et, finalement, il appliqua la couleur chair, jaune de Naples mélangé à du bleu, du rouge et un soupçon d'ocre, en touches verticales appuyées autour de la bouche estompée de l'homme qui était mort cela faisait presque trente ans.

– Cette conversation d'hier, sur la torture… dit soudain Markovic. Il y a quelque chose que je ne vous ai pas dit. Une fois, j'ai torturé un homme.

Il était toujours près de Faulques et le regardait travailler. Il faisait tourner le pinceau entre ses doigts et en éprouvait la douceur sur le dos d'une main. Le peintre s'était courbé pour rincer son pinceau et, après l'avoir essuyé avec le chiffon, il appliquait maintenant un autre mélange, ombre brûlée et bleu de Prusse, afin de bien marquer le visage, les joues creusées sous les pommettes, l'effet de lumière sur la tête tournée vers le spectateur. Il le fit en prenant quelques risques, humide sur humide, de manière à ce que les deux mélanges se fondent à leur tour sur les bords, avant le séchage rapide de la peinture acrylique. Après quoi, il s'écarta du mur pour juger du résultat. Maintenant, l'expression de l'homme qui allait mourir était ce qu'elle devait être : étonnement, indignation. Qu'est-ce que vous fichez là, à regarder, à observer, à photographier, à peindre ? Faulques savait que, en dernière instance, tout dépendrait de la manière dont il saurait exécuter la bouche, encore grattée et brouillée ; mais ça, il s'en occuperait plus tard, lorsque le reste aurait séché. Il se pencha pour déposer le pinceau dans le reposoir au-dessus du récipient plein d'eau, observa dans cette position ce qu'il venait de faire et, après s'être redressé, retravailla les contours, cette fois en frottant directement avec le pouce et le majeur. Alors il se remit à écouter ce que disait Markovic. Ça s'est passé au début de la guerre, racontait le Croate. Je parle de la mienne, naturellement. De ma guerre. Avant Vukovar. J'étais mobilisé depuis une semaine, quand nous avons reçu l'ordre de nettoyer les environs de Vinkovci de leur population serbe. Le système était le même que le leur : on arrivait devant une maison, on faisait sortir tout le monde, on ouvrait le gaz dans la cuisine, on lançait une grenade et on passait à la suivante. Nous mettions à part les hommes en âge de combattre, en gros de quatorze à soixante ans. Enfin, vous savez tout ça. Mais nous ne violions pas les femmes, comme le faisaient les autres. En tout cas, pas de façon organisée. Pas comme dans un programme délibéré de terreur et de nettoyage ethnique. Les hommes étaient emmenés en camion. Je ne sais pas ce qu'on faisait d'eux. Ça m'était égal et ça m'est toujours égal. Ce que je veux raconter, c'est qu'en arrivant devant une maison de Vinkovci un de mes camarades a dit qu'il connaissait cette famille ; que c'étaient des paysans riches et qu'ils avaient de l'argent caché. Le père, la mère déjà âgés, et un fils. Jeune. Un peu plus de vingt ans. Attardé mental.

– Je ne crois pas que cet épisode m'intéresse, l'interrompit Faulques, sans cesser de frotter la peinture avec les doigts. Il n'a rien d'original et la suite n'est que trop prévisible.

Markovic resta un moment silencieux pour considérer le bien-fondé de cette remarque.

– Il riait, vous savez, reprit-il soudain. Ce malheureux riait, tandis que nous le battions devant ses parents... Il nous regardait, les yeux grands ouverts, tout comme sa bouche qui bavait, et il continuait à rire... Comme s'il voulait s'attirer à tout prix nos bonnes grâces.

– Et, bien entendu, il n'y avait pas d'argent caché.

Markovic regarda le peintre avec une attention respectueuse. Puis il eut un léger mouvement de tête.

– Rien. Pas un centime. Le problème, c'est que nous avons mis beaucoup de temps avant d'en avoir la preuve.

Il reposa le pinceau à sa place et resta les mains accrochées par les pouces aux poches de son pantalon, en suivant le travail de Faulques.

– Lorsque nous sommes sortis de là, nous avons aussi mis beaucoup de temps avant d'oser nous regarder.

Le peintre cessa de frotter, recula un peu et contempla le résultat. À défaut d'avoir terminé la bouche de l'homme condamné, il avait beaucoup amélioré le visage. L'indignation avait remplacé la peur. Et ces ombres verticales, sales, en faisaient ressortir l'expression. Du volume et de la vie, à un pas de la mort. Aussi réel que dans sa mémoire, ou presque. Satisfait, il alla vers la cuvette et nettoya ses mains tachées de peinture.

– Pourquoi avez-vous participé?... Vous auriez pu vous limiter à regarder. Peut-être même l'empêcher.

Markovic haussa les épaules.

– C'étaient des camarades, vous comprenez?... Il y a des rituels de groupe. Des codes.

– Bien sûr. – Faulques eut une moue sarcastique. – Et qu'auriez-vous fait, s'il s'était agi d'un viol ? À quels codes vous seriez-vous conformé ?

– Je n'ai jamais violé personne. – Le Croate s'agitait, gêné. – Et je n'ai jamais non plus assisté à un viol.

– C'est peut-être que vous n'en avez pas eu l'occasion.

Le regard de Markovic s'était étrangement durci.

– Vous aussi, vous avez commis des saloperies, monsieur le photographe. Attention ! Votre appareil a bien souvent été un complice passif… Ou actif. Rappelez-vous votre foutu papillon. Rappelez-vous pourquoi je suis ici.

– La différence, c'est que mes saloperies, je les ai commises seul. Mes appareils et moi. C'est tout.

– Dire ça est bien présomptueux.

– Vraiment ?

– Vous avez eu de la chance.

– Non. – Faulques leva un doigt. – J'ai toujours fait ce que je voulais faire. Depuis le début, j'ai agi par choix.

– Peut-être que vous vous trompez. Il se peut que vous ayez toujours été ce que vous êtes, et que le mot « choisir » n'ait rien à voir là-dedans. Ça expliquerait tout, y compris que vous ayez survécu.

Sur ce, Markovic désigna sa tête, pour montrer de quel genre de survie il parlait. Puis il eut un geste vers la peinture. Ça explique aussi votre travail ici, poursuivit-il. Ça confirme ce que j'ai toujours soupçonné dans vos photos. Rien, dans ce que vous peignez, n'est remords ou expiation. C'est plutôt une… Enfin. Je ne sais pas comment l'exprimer. Une formule. Non ?… Un théorème.

– Une sorte de conclusion scientifique ?

Le visage du Croate s'éclaira. C'est ça, répondit-il. Je viens de comprendre que vous n'avez jamais souffert. Ni autrefois, ni aujourd'hui. Voir tout ce que vous avez vu

140

ne vous a rendu ni meilleur ni plus solidaire. Votre problème, c'est seulement que vos photos ne vous suffisaient plus. Il vous est arrivé ce qui arrive à certains mots : à force d'être utilisés, ils finissent par perdre leur sens. Voilà peut-être pourquoi, maintenant, vous peignez. Mais peinture, photos ou mots, avec vous c'est toujours la même chose. Je crois que vous éprouvez la même compassion que celle du chercheur qui observe à travers un microscope la bataille dans une blessure infectée. Microbes contre bactéries.

– Leucocytes, le corrigea Faulques. Ce sont les leucocytes qui luttent contre les microbes. Les globules blancs.

– D'accord. Leucocytes contre microbes. Vous observez et vous prenez des notes.

Faulques revint vers lui en s'essuyant les mains sur le chiffon. Tous deux restèrent un moment sans parler, en contemplant la peinture.

– Il se peut que vous ayez raison, dit le peintre.

– Ça vous rendrait pire que ce que je suis.

Passant à travers la fenêtre, un rai lumineux parcourait, sur la fresque, la file des fugitifs. Il y avait des petits points dorés, des nœuds de poussière suspendus dans l'air qui donnaient à celui-ci une consistance presque solide. On eût dit le projecteur de surveillance d'un camp de concentration.

– Une fois, j'ai photographié un combat dans un asile de fous, dit Faulques.

# 10.

Resté seul, il travailla toute l'après-midi et jusque tard dans la nuit sur une zone située dans la partie basse de la fresque : là, à côté du montant gauche de la porte de la tour, des guerriers attendaient, à cheval, le moment d'entrer dans la bataille, à l'exception d'un seul qui s'écartait du groupe, lance en arrêt, pour se diriger vers un faisceau de lances peint un peu plus sur la gauche, à l'endroit où le crépi du mur ne portait que l'esquisse au fusain, noir sur blanc, de silhouettes confuses qui, la peinture terminée, seraient l'avant-garde d'une armée. La manière dont il avait représenté ce chevalier solitaire – au début, il devait garder une attitude sereine, dans le style du *Chevalier, la Mort et le Diable* de Dürer – avait été suggérée à Faulques par une scène de *La Contre-attaque de Micheletto da Cotignola*, un des tableaux du triptyque de la bataille de San Romano : celui du Louvre. Sur ce dernier, les ravages du temps avaient brouillé les contours et donné à la scène originelle une insolite modernité, en transformant ce qui était initialement cinq chevaliers montés, avec cinq lances en arrêt, en une séquence dotée d'un mouvement extraordinaire, comme s'il s'agissait d'un seul personnage dont la progression aurait été décomposée visuellement : annonce étonnante des distorsions temporelles de Duchamp et des futuristes, ou des chronophotographies de Marey. Dans le tableau d'Uccello, sur ce qui semblait être à première vue un seul cheval, le groupe était formé de cinq cavaliers presque superposés, dont on voyait quatre têtes avec trois panaches, l'un d'eux suspendu en l'air. Un unique guerrier paraissait tenir deux des cinq lances disposées en éventail, de haut en bas, comme si c'était la même à différents stades du mouvement. Tout cela se fondait en une décomposition très réussie, dynamique, à la manière d'une séquence de film vue image par image : mais même une photographie moderne, délibérément surexposée, avec un très long temps de pose, n'aurait jamais obtenu cet effet-là. À leur manière, le temps et le hasard étaient aussi des peintres.

Faulques, prédateur graphique sans complexes, avait exécuté le chevalier de la fresque en gardant tout cela à l'esprit ; d'où l'apparence de photo bougée du personnage, les différents contours qu'il semblait abandonner derrière lui comme des traces fantomatiques dans l'espace. Il avait travaillé en pulvérisant de l'eau pour maintenir fraîches les premières couches, humidité sur humidité : couleurs diluées et coups de pinceau rapides dessous, densité et touches plus énergiques dessus. Maintenant le peintre de batailles s'était levé du coussin taché de peinture sur lequel il s'était agenouillé pour travailler, il posait le pinceau dans le reposoir à pinceaux au-dessus du récipient rempli d'eau, se frottait les reins et reculait de quelques pas. C'était honorable. Il n'avait pas fait un Uccello dans toute sa gloire, évidemment, juste un modeste Faulques qu'il n'avait même pas l'intention de signer quand il l'aurait terminé. Mais le travail avait bonne allure. Le groupe de chevaliers était désormais complet, seules manquaient encore quelques retouches qu'il laissait pour plus tard. Sur leurs têtes, au point de fuite prévu entre eux et le chevalier qui se dirigeait, solitaire, vers le faisceau de lances ennemies, se dressaient – ou plutôt se dresseraient quand elles seraient un peu plus que quelques traits schématiques de fusain – les tours de Manhattan, Hong-Kong, Londres ou Madrid; n'importe quelle ville parmi toutes celles qui vivaient en faisant confiance au pouvoir de leurs colosses arrogants: une forêt d'édifices modernes, intelligents, habités par des êtres sûrs de leur jeunesse, de leur beauté et de leur immortalité, convaincus que la douleur et la mort pouvaient être tenues à distance avec la touche *enter* d'un ordinateur. Ignorant, tous, qu'inventer un objet technique était inventer en même temps son accident spécifique, de la même manière que la création de l'Univers portait en elle implicitement, dès l'instant de la nucléosynthèse originelle, le mot «catastrophe». Raison pour laquelle l'histoire de l'Humanité regorgeait de tours construites pour être évacuées en quatre ou cinq heures qui n'en résistaient que deux aux ravages d'un incendie, et de *Titanic* magnifiques, insubmersibles, en quête de l'iceberg placé par le Chaos au point exact de sa carte nautique.

Aussi certain de cela que s'il l'avait vu – et en réalité il l'avait vu, et il le voyait –, Faulques hocha la tête, content de ce qu'il avait jeté sur le mur et dont il possédait déjà la forme et les couleurs dans son imagination et sa mémoire. Nul besoin de rien inventer. Tout ce verre et tout cet acier étaient le prolongement direct de ces chevaliers empanachés et bardés de fer, dont la cuirasse était à la merci de n'importe quel humble valet qui, mi-désespoir mi-audace, saurait trouver le défaut par où glisser la lame affilée d'une dague.

144

Elle le lui avait expliqué avec une grande précision à Venise. Il n'y a plus de barbares, Faulques. Ils sont tous entrés, ils sont à l'intérieur. Il n'y a même plus de ruines comme celles de jadis, devait-elle ajouter plus tard, à Osijek, en photographiant une maison dont la façade avait disparu sous un bombardement et qui, au milieu des décombres amoncelés dans la rue, exhibait, toujours intact, le quadrilatère intime des chambres avec leurs meubles, leurs objets de la vie quotidienne, leurs photos de famille accrochées aux cloisons. Autrefois, disait-elle – elle se déplaçait avec précaution entre les blocs de ciment et les poutrelles tordues, l'appareil collé au visage, cherchant le bon cadrage –, les ruines étaient indestructibles, non ? Elles demeuraient là des siècles et des siècles, bien que les gens viennent se servir en pierres pour leurs maisons et en marbre pour leurs palais. Et ensuite venaient Hubert Robert ou Magnasco avec leur chevalet, qui les peignaient. Aujourd'hui, tout a changé. Mets-toi bien ça dans la tête. Notre monde ne fabrique plus de ruines mais des décombres, et, dès qu'il le peut, il envoie un bulldozer qui balaye tout pour laisser la place à l'oubli. Les ruines gênent, elles incommodent. Et ainsi, sans livres de pierre pour lire l'avenir, nous ne sommes pas longs à nous voir sur la rive, un pied dans la barque, et sans monnaie en poche pour Charon.

Faulques sourit intérieurement, les yeux rivés sur la fresque. L'allusion au nautonier du fleuve des morts était devenue une plaisanterie traditionnelle entre eux depuis qu'en compagnie de guérilleros sahraouis ils avaient dû traverser sous le feu des Marocains le lit de sable d'un oued, près de Guelta Zemmour. Tandis qu'ils attendaient le moment de quitter l'abri des rochers et de courir cinquante mètres à découvert – Qui part le premier ? avait

145

questionné, inquiet, l'homme qui devait les couvrir avec son Kalachnikov –, Olvido avait palpé la poche de Faulques avec une grimace moqueuse, en le regardant très fixement, ses iris verts dilatés par la réverbération du soleil sur le sable, de petites gouttes de sueur perlant à son front et sur sa lèvre supérieure. J'espère que tu as de la monnaie pour Charon, avait-elle dit, la respiration entrecoupée, toute à l'intensité du moment. Après quoi, elle avait touché les lobes de ses oreilles, sous les tresses, auxquels brillaient des petites boules d'or. – Elle ne portait presque jamais de bijoux ; elle aimait évoquer les dames vénitiennes qui, pour se moquer des lois interdisant toute parure ostentatoire, se promenaient suivies de servantes qui exhibaient leurs joyaux. – Pour moi, avait-elle ajouté, je crois que ça suffira. Puis, après s'être relevée en étirant ses longues jambes moulées dans le jean maculé de terre – elle riait à voix basse, et Faulques avait continué d'entendre ce rire un instant –, elle avait pris le sac des appareils et s'était lancée à la poursuite du Sahraoui qui la précédait, tandis que l'autre guérillero vidait la moitié de son chargeur sur les positions marocaines et que Faulques la photographiait à la vitesse de 3,4 clichés par seconde, filant sur le sable, souple et rapide comme la gazelle qu'évoquaient à chaque instant ses mouvements. Et lorsque son tour était venu de traverser, elle l'attendait de l'autre côté, à l'abri, encore palpitante d'excitation, la bouche entrouverte, reprenant son souffle. Avec une expression de bonheur sauvage. Au diable Charon, avait-elle dit en passant les doigts sur le visage de Faulques. Et elle souriait.

La douleur revenait, et le peintre de batailles avala deux comprimés avec une gorgée d'eau, puis s'accroupit, dos au mur. Il attendit sans bouger, dents serrées, que le

médicament fasse son effet. Quand il se releva, ses vêtements étaient trempés de sueur. Il alla à l'interrupteur et
éteignit les deux puissants projecteurs qui éclairaient le
mur. Puis il ôta sa chemise, sortit pour se laver la figure
et les mains, et, encore ruisselant, s'enfonça dans le paysage nocturne à pas longs et lents, les mains mouillées
dans les poches de son pantalon, tandis que la brise de
mer lui rafraîchissait le visage et le torse nu, et que, dans
le maquis et le petit bois noirs, les grillons le saluaient de
leur stridulation assourdissante. Le bruit du ressac montait des rochers de la calanque invisible. Il marcha jusqu'au bord de la falaise – il s'arrêta un peu avant,
prudent, encore mal remis de la puissance éblouissante
des lampes halogènes – et resta là le temps que sa rétine
s'accoutume à l'obscurité, pour observer l'éclat lointain
du phare, la lune, les étoiles. Il repensait à Ivo Markovic.
On dirait, avait dit le Croate le matin, quand tous les
deux regardaient la fresque, que nous sommes dans un
concours de rasoirs ébréchés, monsieur Faulques. Le
peintre de batailles venait de raconter quelque chose en
observant, à sa manière habituelle, de longues pauses ;
comme si, plutôt que de converser avec un inconnu qui
ne l'était plus tout à fait, il fouillait pour son compte
dans sa mémoire. Un asile de fous, avait-il dit. Une fois,
il avait photographié un combat dans un asile de fous.
Avec de vrais dingues. La ligne du front passait par
la cour de l'établissement, une vieille bâtisse près de
San Miguel, au Salvador. Les gardiens et les infirmiers
avaient fui. Les guérilleros étaient à l'intérieur et les soldats dehors, de l'autre côté de l'enceinte et dans la maison d'en face, à une vingtaine de mètres. Ça crachait
dans tous les sens, balles et grenades, pendant que les
fous déambulaient à leur guise d'une position à l'autre en

traversant la cour sous les tirs, ou restaient debout à côté des combattants en les regardant fixement, tenant des discours incohérents, riant aux éclats, hurlant de terreur lorsqu'un obus éclatait tout près. Il en était mort huit ou dix, mais, ce jour-là, c'est avec les vivants que Faulques avait fait les meilleures photos : un vieux vêtu d'une veste de pyjama et le reste nu, qui, debout dans la fusillade, observait, tranquille et très intéressé, mains croisées dans le dos, deux guérilleros à plat ventre en train de tirer. Il avait photographié aussi une femme d'âge moyen, grosse, dépeignée, avec une robe de chambre tachée de sang, qui berçait un jeune combattant blessé au cou comme si c'était un bébé ou une poupée. Faulques avait préféré s'en aller quand un fou s'était emparé du fusil du blessé et s'était mis à tirer dans toutes les directions.

– Je suis revenu deux jours plus tard pour jeter un coup d'œil... Il y avait des trous dans les murs et le sol était jonché de douilles. Les soldats et les guérilleros n'y étaient plus, et des fous habitaient toujours le bâtiment. Il y avait des excréments et du sang séché partout. L'un d'eux s'est approché d'un air très mystérieux pour me montrer un bocal qui me parut contenir des pêches au sirop. Et puis j'ai vu que c'étaient des oreilles coupées.

Markovic s'était tourné à demi vers Faulques. Il semblait réellement intéressé.

– Vous avez fait la photo ?

– On ne l'aurait jamais publiée. Donc je ne l'ai pas faite.

– Mais vous avez fait celles des hommes avec des pneus qui brûlent autour de leur cou... En Afrique du Sud, si je me rappelle bien. Et elles ont été publiées ?

– Ne croyez pas ça. Les plus dures ont été écartées. Les annonceurs n'apprécient guère de voir ce genre de scènes à côté de leur publicité pour des voitures, des parfums et des montres de luxe.

Le Croate continuait de regarder le peintre de batailles. Son sourire était placide. C'est alors qu'il avait déclaré :

– On dirait que nous sommes dans un concours de rasoirs ébréchés, monsieur Faulques.

Après cela, Markovic avait de nouveau fait face à la fresque. Il était resté ainsi un très long moment. À la fin, il avait eu un bref haussement d'épaules, comme s'il répondait à une question qu'il s'était posée.

– Qui a dit : « La guerre a épuisé les mots ? »

– Je ne sais pas. Ça me semble très ancien.

– Et en plus, c'est un mensonge. Celui qui a dit ça n'a jamais connu de guerre.

– Je le crois aussi. – Faulques souriait légèrement. – Il se peut que la guerre épuise les mots stupides, mais pas les autres. Ceux que nous connaissons, vous et moi.

Une lueur de complicité était passée dans les yeux de Markovic qui s'était à demi retourné.

– Vous pensez à ceux qu'on ose à peine prononcer, ou qui ne surgissent que devant les gens qui les connaissent ?

– C'est cela.

L'autre avait repris sa contemplation de la fresque.

– Vous savez, monsieur Faulques… quand, après le camp de prisonniers, j'ai été hospitalisé à Zagreb, ma première réaction a été de sortir et d'aller m'asseoir dans un café de la place Jelacic. Pour regarder les gens, écouter ce qu'ils disaient. Et je n'en croyais pas mes oreilles : leurs conversations, leurs préoccupations, leurs priorités… En les entendant, je me demandais : est-ce qu'ils ne se rendent pas compte ? La voiture cabossée, le bas filé, la traite du téléviseur... mais quelle importance ça peut avoir ? Vous comprenez ce que je veux dire ?

– Parfaitement.

– Ça m'arrive encore... Pas vous ?... Je monte dans un train, j'entre dans un bar, je marche dans la rue, et je les vois autour de moi. Je me demande : mais d'où sortent-ils ? Est-ce moi qui suis un extraterrestre ?... Est-ce qu'ils ne s'aperçoivent pas que la manière dont ils vivent n'est pas un état normal ?

– Non. Ils ne s'en aperçoivent pas.

Markovic avait ôté ses lunettes et s'assurait de la propreté des verres.

– Vous savez ce que je crois, après avoir beaucoup regardé vos photos ?... Qu'à la guerre, l'appareil photo, au lieu de surprendre des gens normaux en train de faire des choses anormales, fait le contraire. Qu'en pensez-vous ?... On photographie des gens anormaux en train de faire des choses normales.

– En réalité, c'est un peu plus compliqué. Ou plus simple. Des gens normaux en train de faire des choses normales.

Markovic était resté immobile. Puis il avait acquiescé lentement deux fois et remis ses lunettes.

– Bon. Ça ne veut pas dire non plus que je les accuse. Moi-même, avant, je ne m'en étais pas rendu compte. – Il se retourna brusquement. – Et vous ?... Avez-vous vraiment toujours été ce que vos photos disent que vous êtes ?

Le peintre de batailles avait soutenu son regard en silence. Au bout d'un moment, l'autre avait encore haussé les épaules.

– Vous n'avez jamais été un photographe ordinaire, monsieur Faulques.

– Je ne sais pas ce que j'étais... Je sais ce que je n'étais pas. Il me semble que j'ai commencé comme tous les autres : témoin privilégié de l'Histoire, danger, aventure. Jeunesse. La différence est que la majorité des photographes de guerre que j'ai connus se sont découvert une idéologie a posteriori... Avec le temps, ils se sont humanisés, ou ils ont fait semblant.

Markovic désignait l'album sur la table.

– « Humanitaire » n'est pas le mot que j'emploierais pour qualifier vos photos.

– C'est que le mot « humanitaire » restreint le photographe. Il le rend conscient de lui-même et, dès lors, à ne plus voir le monde extérieur à travers l'objectif. Le photographe finit par se photographier lui-même.

– Mais ce n'est pas à cause de ça que vous vous êtes arrêté...

– D'une certaine manière, si. Moi aussi, je me photographiais moi-même, à la fin.

– Et vous vous êtes toujours méfié du paysage ? De la vie ?

Faulques, qui rangeait distraitement ses pinceaux, avait réfléchi.

– Je ne sais pas. Je suppose que le jour où je suis parti de chez moi un sac à l'épaule, ce n'était pas encore le cas. Ou peut-être que si. Il est possible que je me sois fait photographe pour confirmer une méfiance précoce.

– Je comprends... Un voyage d'études. Scientifique. Les leucocytes et tout le reste.

– Oui. Les leucocytes.

Markovic avait fait quelques pas dans la pièce en étudiant tout comme s'il y découvrait un nouvel intérêt : la table couverte de flacons de peinture, de chiffons et de pinceaux – l'album de photos était toujours là –, les livres empilés sur le sol et sur les marches de l'escalier en colimaçon conduisant à l'étage de la tour.

– Vous dormez toujours en haut ?

Le peintre de batailles lui lança un regard soupçonneux, et l'autre fit une grimace moqueuse. Il s'agissait d'une question innocente, dit-il. De curiosité pour sa manière de vivre.

– J'allais même commettre, avait ajouté Markovic, l'impertinence de vous demander si vous dormez toujours seul.

« *Cet endroit s'appelle la crique d'Arráez et a servi de refuge aux corsaires barbaresques...* » La voix de la femme dans le mégaphone et la musique amplifiée par le haut-parleur étaient montées du pied de la falaise, dans le bruit des moteurs de la vedette de touristes qui passait, comme tous les jours. Faulques avait tourné la tête vers la fenêtre par où entrait le son – « *La tour est actuellement habitée par un peintre connu...* » – et était demeuré ainsi, immobile jusqu'à ce que celui-ci s'éloigne et s'évanouisse.

– Eh bien ! avait dit le Croate. Vous êtes une célébrité locale.

Il s'était approché du pied de l'escalier et inspectait les titres des livres entassés là. Il avait pris le volume – souligné à presque chaque page – des *Pensées* de Pascal, puis l'avait remis à sa place, sur une *Iliade*, le *Paolo Uccello* de Stefano Borsi, les *Vies* de Vasari et le *Dictionnaire de la science* de Sánchez Ron.

– Vous êtes un homme cultivé, monsieur Faulques... Vous lisez beaucoup.

Le peintre de batailles avait désigné la fresque. Uniquement ce qui a quelque chose à voir avec ça, avait-il répliqué. Markovic était resté à la regarder. Puis son visage s'était éclairé. Je comprends, maintenant, avait-il

152

dit. Vous voulez dire que seul vous intéresse ce qui peut vous être utile pour ce tableau géant. Ce qui vous donne de bonnes idées.

– À peu près.

– La même chose m'est arrivée. Comme je vous l'ai dit, je n'ai jamais été un homme de lecture. Bien que, à cause de vous, j'aie fait plusieurs tentatives. J'ai réussi à lire des livres, je vous assure... Mais seulement quand ils avaient quelque chose à voir avec vous. Ou quand j'ai cru qu'ils m'aideraient à comprendre. Beaucoup étaient des livres difficiles. Il y en a que je n'ai pas pu terminer, avec la meilleure volonté du monde... Mais j'en ai lu quelques-uns. Et c'est vrai : j'ai appris des choses.

Pendant qu'il parlait, il parcourait du regard les fenêtres de la tour, la porte, l'étage supérieur. Faulques éprouvait un peu d'appréhension. Le Croate ressemblait à un photographe qui étudie la manière de pénétrer en territoire hostile et d'en ressortir. Ou à un assassin qui étudie la future scène de son crime.

– Il n'y a aucune femme ?

Faulques n'avait pas l'intention de répondre. Pourtant, cinq secondes plus tard, il l'avait fait. Vous venez de l'entendre passer en bas, avait-il dit. Markovic, surpris, semblait considérer l'éventualité qu'il se moque de lui. Il avait dû conclure par l'affirmative, car il avait hoché la tête avec un petit sourire.

– Je parle sérieusement, avait insisté Faulques. Ou presque.

Le Croate le regardait de nouveau. Son sourire s'était élargi.

– D'accord, avait-il dit. Comment est-elle ?

– Je n'en ai pas la moindre idée... Je ne connais que sa voix. Tous les jours à la même heure.

– Vous ne l'avez pas vue au port ?

– Jamais.

– Et vous ne ressentez pas de curiosité ?

– Pas vraiment.

Une pause. Markovic ne souriait plus. Son regard était redevenu soupçonneux. Intelligent.

– Pourquoi me racontez-vous ça ?

– Parce que vous m'avez posé la question.

L'autre avait ajusté ses lunettes avec un doigt et était resté un bout de temps sans parler, en l'observant. Puis il s'était assis sur une marche de l'escalier, à côté des livres, et sans quitter des yeux le peintre de batailles, il avait eu un geste qui embrassait toute la tour.

– Comment est-ce arrivé ?... Faire quelque chose comme ça, ici ?

Faulques le lui avait raconté. Une vieille histoire. Il connaissait un moulin en ruine, près de Valence, sur les murs duquel un auteur anonyme du XVIIe, sans doute un militaire de passage, avait peint en grisaille des scènes du siège de la forteresse de Salses, en France. Cela avait laissé dans son esprit quelques idées qui avaient pris forme plus tard, entre une visite de la salle des batailles de l'Escurial et la vision de certain tableau dans un musée de Florence. C'était tout.

– Je ne crois pas que ce soit tout, avait objecté Markovic. Il y a ces photos que vous faisiez... C'est extraordinaire. Je n'ai jamais pensé que vous étiez un homme insatisfait de son travail. Horrifié peut-être, me disais-je. Mais insatisfait, non. Encore que cette peinture ne révèle de votre part aucun sentiment d'horreur. Probablement parce que les tableaux ne se peignent pas avec des sentiments. Non ?... Ou bien si ? Il est peut-être possible de tout peindre avec des sentiments sauf un tableau comme celui-là.

154

– Photographier un incendie n'implique pas de se sentir pompier.

Et pourtant, pensait le peintre de batailles, mais en se gardant bien de le dire, pourtant Markovic avait raison. En tout cas dans un certain sens. On ne pouvait pas peindre un tableau comme celui-là avec des sentiments, mais on ne pouvait pas non plus le faire en les ignorant. Il était d'abord nécessaire de les éprouver et ensuite de s'en dépouiller. Ou de s'en libérer. Lui, c'était Olvido qui l'avait vraiment forcé à changer, à deux reprises et dans deux directions. Elle lui avait aussi appris à regarder. Et, d'une certaine manière, à peindre. Il avait eu cette chance. Quand elle était morte et que la lentille de son appareil s'était brouillée, c'était ce qui l'avait sauvé. Il peignait avec le regard qu'elle avait laissé imprimé en lui.

– Dites-moi une chose, monsieur Faulques... Sentir l'horreur, est-ce que ça dérègle l'appareil ?

Maintenant, le peintre de batailles ne pouvait que rire. Cet individu avait fait un bon travail de recherche et d'interprétation, sans aller jusqu'au bout. Il parvenait parfois à frôler la vérité, sans la toucher ; mais, pour maladroites qu'elles fussent, certaines de ses approximations étaient correctes. Faulques devait admettre, non sans admiration, qu'il avait une bonne intuition. Et un certain style.

– Voilà une remarque judicieuse.

– Répondez-moi, s'il vous plaît. Je parle de pitié, pas de technique.

Faulques était resté silencieux. Sa gêne s'accentuait. Tout cela allait trop loin. Mais il reconnaissait qu'il trouvait là-dedans une jouissance perverse. Comme le mari qui soupçonne sa femme et qui ne renonce pas à chercher avant d'avoir obtenu, triomphant, la certitude de

155

son malheur. D'avoir passé un doigt, doucement, sur le fil du rasoir ébréché.

Markovic était toujours assis dans l'escalier. Il hochait la tête affirmativement, comme s'il venait d'entendre une réponse que personne n'avait donnée. Je pensais bien qu'il s'agissait de quelque chose comme ça, avait-il dit. Pour questionner ensuite abruptement :

– Vraiment, il n'y a aucune femme réelle ?

Faulques n'avait pas répondu. Il avait pris des pinceaux pour les laver au savon sous la vidange du bidon d'eau. Après les avoir soigneusement secoués, il avait sucé la pointe des plus fins et les avait tous remis à leur place. Il s'apprêtait maintenant à nettoyer la plaque de four dont il se servait comme d'une palette.

– Excusez mon insistance, poursuivait le Croate, mais c'est important. Ça fait partie de ce qui m'a conduit ici. La femme de la route de Borovo Naselje...

Il s'était interrompu, sans cesser d'observer le peintre. Faulques, impassible, continuait de nettoyer la plaque.

– Tout à l'heure, nous parlions d'horreur et d'appareil déréglé. Et savez-vous ce que je crois ?... Que vous étiez un bon photographe parce que photographier, c'est cadrer, et cadrer, c'est choisir et exclure. Sauver des choses et en condamner d'autres... Ce n'est pas donné à tout le monde de savoir faire ça : s'ériger en juge de tout ce qui se passe autour de soi. Vous comprenez de quoi je parle, en disant cela ?... Personne, s'il aime vraiment, ne peut rendre ce genre de sentences. Si j'avais eu à choisir entre sauver ma femme ou mon fils, je n'aurais pas pu... Non. Je crois que non.

– Et qu'auriez-vous fait, si vous aviez eu à choisir entre sauver votre femme et votre fils, ou vous sauver vous-même ?

– Je sais ce que vous insinuez. Il y a des gens qui...

Il s'était interrompu de nouveau, en fixant le sol entre ses pieds. Vous avez raison, avait dit alors Faulques. La photographie est un système de sélection visuelle. On cadre en partant de son propre angle de vision. Il s'agit d'être au bon endroit au bon moment. De voir la partie, comme aux échecs.

Markovic continuait de regarder par terre.

– Aux échecs, dites-vous ?

– Je ne sais pas si c'est un bon exemple. Le football aussi peut faire l'affaire.

L'autre avait relevé la tête, avec un sourire étrange.

– Et où est-elle ?... Lui réservez-vous une place spéciale dans le tableau ? Ou fait-elle partie de toute cette masse de gens ?

Faulques avait laissé la plaque. Il n'aimait pas l'insolence de ce soudain sourire. Et, à sa propre surprise, il s'était mis à calculer les possibilités qu'il avait de frapper Markovic. Il estimait que le Croate était fort. Plus petit que lui, mais aussi plus jeune, et costaud. Il faudrait cogner sans lui laisser le temps de réagir. Le prendre au dépourvu. Faulques avait regardé autour de lui : il avait besoin d'un objet contondant. Le fusil était en haut. Trop loin.

– Ça ne vous regarde pas, avait-il répondu.

L'autre avait pincé désagréablement les lèvres.

– Je ne suis pas d'accord. Tout ce qui vous concerne me regarde. Y compris ce jeu d'échecs dont vous parlez avec tant de sang-froid... Et la femme que vous avez photographiée morte.

Il y avait un montant d'échafaudage par terre, à côté de la porte, à trois mètres de l'endroit où Markovic était assis. Un gros tube d'aluminium d'environ un mètre de longueur. Guidé par son vieil instinct de l'espace et du mouvement, comme s'il s'agissait de prendre une photo, Faulques calculait le nombre de pas nécessaire pour s'emparer du tube et aller jusqu'au Croate. Cinq en direction de la porte, quatre en direction de l'objet. Markovic ne se lèverait pas avant de l'avoir vu le ramasser. En deux pas rapides, il pouvait arriver à proximité sans que l'autre ait eu le temps d'être tout à fait debout. Un pas de plus pour frapper. À la tête, naturellement. Pas question de lui laisser la possibilité de se ressaisir. Peut-être que deux coups suffiraient. Ou même un seul, avec de la chance. Il n'avait pas l'intention de le tuer, ni d'aviser ensuite la police. En réalité, il n'avait aucune intention. Il était juste en colère et voulait lui faire mal.

– On raconte qu'elle était photographe de mode et d'art, disait Markovic. Que vous l'avez éloignée de son monde et emmenée avec vous. Que vous êtes devenus amis et... Quel est le mot?... Mari et femme?... Amants?

Faulques s'essuyait les mains avec un torchon. Qui donc raconte ça? avait-il demandé. Puis il avait marché lentement vers la porte, l'air détaché. Du coin de l'œil, il guignait le tube par terre. Il tenait le récipient plein de l'eau sale des pinceaux et s'apprêtait à le vider dehors pour justifier son déplacement. Ceux qui m'ont raconté ça, était en train de dire Markovic, sont des personnes qui l'ont connue et qui vous ont connu. Je vous assure que j'ai parlé avec un tas de gens avant d'arriver ici. J'ai travaillé dur dans plusieurs pays, monsieur Faulques. Voyager coûte cher. Mais j'avais une puissante raison. Aujourd'hui, je sais que ça en valait la peine.

– Je pense beaucoup à la mienne, vous savez? avait-il

ajouté après un moment de silence. À ma femme. Elle
était blonde, douce. Elle avait les yeux noisette comme
mon fils... Mais mon fils, ça non : lui, je ne supporte pas
d'y penser. Je suis pris d'un désespoir noir, d'une envie de
hurler à m'en rompre la gorge. Une fois, je l'ai fait, j'ai
crié, et je me la suis presque rompue pour de bon. Ça
s'est passé dans une pension, et la patronne a cru que
j'étais fou. Deux jours sans pouvoir parler, rendez-vous
compte... Elle, si, je peux y penser. C'est différent. Je suis
allé avec d'autres femmes, depuis. Je suis un homme,
après tout. Mais il y a des nuits où je me retourne dans
mon lit, en me souvenant. Elle avait la peau très blanche,
et la chair... Elle avait...

Faulques était à la porte. Il avait jeté l'eau sale et s'était
penché pour poser le récipient par terre, à côté du tube.
Il le frôlait déjà quand il s'était aperçu que sa colère
s'était évanouie. Il s'était relevé lentement, les mains
vides. Attentif, Markovic l'observait maintenant avec
curiosité. Les yeux du Croate étaient restés posés un
moment sur le tube.

– Ce bateau de touristes passe tous les jours à la même
heure, avec la même femme, et vous n'avez pas envie
d'aller voir sur le port quelle tête elle a ?

– Je le ferai peut-être un jour.

Markovic avait souri d'un air distrait.

– Un jour.

– Oui.

Il pourrait être déçu, l'avait prévenu l'autre. Une voix
semble jeune et jolie, mais sa propriétaire ne l'est peut-
être pas. Il avait dit cela tout en s'écartant pour laisser
Faulques monter à l'étage, ouvrir le réfrigérateur et sortir
deux bières.

– Avez-vous connu des femmes après ce qui s'est passé

à Borovo Naselje, monsieur Faulques ?... Je suppose que oui. Mais c'est curieux, n'est-ce pas ? Au début, quand on est jeune, on croit impossible de se passer d'elles. Ensuite, quand les circonstances ou l'âge vous y obligent, on s'habitue. Ou peut-être on se résigne. Mais non ; je crois que le mot approprié est bien « habitude ».

Il avait pris la cannette que lui tendait Faulques et la regardait sans l'ouvrir. Le peintre avait ouvert la sienne en tirant sur la languette. Elle était tiède, et un flot d'écume se répandit entre ses doigts.

– Donc vous vivez seul, avait murmuré Markovic, songeur.

Faulques buvait à petites gorgées en l'observant. Sans dire mot, il s'était essuyé la bouche du dos de la main. L'autre hochait légèrement la tête. Il semblait confirmer quelque chose. Finalement, il avait ouvert sa bière, bu un peu, avant de la poser par terre et d'allumer une cigarette.

– Voulez-vous que nous parlions de la femme morte sur la route ?

– Non.

– Je vous ai parlé de la mienne.

Ils s'étaient regardés tous les deux en silence un long moment. Trois bouffées de cigarette pour Markovic, deux gorgées de bière pour Faulques. C'est le Croate qui avait le premier repris la parole.

– Vous croyez que ma femme a essayé de se ménager les bonnes grâces de ceux qui la violaient, pour se sauver ?... Ou pour sauver notre fils ?... Vous croyez qu'elle a consenti par peur, ou par résignation, avant qu'ils tuent l'enfant, qu'ils la mutilent et qu'ils l'égorgent ?

Il avait porté la cigarette à sa bouche. La braise s'était avivée entre ses doigts, et la fumée avait voilé un instant

160

les yeux clairs derrière les verres des lunettes. Faulques n'avait rien dit. Il regardait une mouche qui, après avoir voleté entre eux, était allée se poser sur le bras gauche du Croate. Celui-ci l'observait, très calme. Impassible. Sans bouger ni la chasser.

# 11.

La brise soufflait de la terre et la nuit était chaude. La forte clarté lunaire n'empêchait pas la constellation de Pégase d'être parfaitement visible. Faulques était toujours dehors, les mains dans les poches, dans les stridulations des grillons et le vol des lucioles sous les pins qui se découpaient, noirs, à chaque éclat du phare lointain. Il continuait de penser à Ivo Markovic : à ses paroles, à ses silences et à la femme que le Croate avait évoquée avant de partir. Qu'est-ce qu'il y a eu entre elle et vous, monsieur Faulques ? avait-il dit, déjà debout pour gagner la porte, la boîte de bière à la main et cherchant autour de lui un endroit où la poser. Je veux dire : qu'est-ce qu'il y a eu vraiment dans cette dernière photo ? Il s'était exprimé sur un ton détaché, sûr de ne pas obtenir de réponse. Après, il avait écrasé la boîte entre ses doigts pour la jeter dans un carton contenant d'autres déchets et avait haussé les épaules. La photo prise sur le bas-côté, avait-il répété en s'éloignant. Cette étrange photo qui n'a jamais été publiée.

Faulques regagna lentement la tour dont la masse sombre se détachait au-dessus de la falaise. Se souvenir ne servait à rien, pensa-t-il. Mais c'était inévitable. Entre les deux points déterminés par le hasard et le temps, le musée mexicain et le bas-côté de la route de Borovo Naselje, Olvido Ferrara l'avait aimé, il n'en doutait pas. À sa manière délibérément égoïste et pleine de vie, avec des moments de pause, de tristesse lucide. Autour de cette subtile mélancolie, latente derrière son regard et ses paroles, il évoluait toujours avec d'extrêmes précautions, comme un maraudeur prudent, attentif à ne jamais imposer explicitement sa présence. Les fleurs poussent sans états d'âme, elles sont toujours sûres d'elles, avait-elle dit un jour. C'est nous qui sommes fragiles. Faulques s'inquiétait de devoir affronter à voix haute les causes de la résignation désespérée qui courait dans les veines d'Olvido, aussi précise que le battement sain et exact de son cœur, et qu'il pouvait percevoir, comme s'il s'agissait d'une maladie incurable, à ses poignets, sur son cou, lorsqu'il la tenait dans ses bras : dans ces pulsations, et dans cette étrange allégresse – elle était capable de rire comme un enfant heureux, aux éclats – derrière laquelle elle se cachait comme d'autres êtres humains se cachent derrière un livre, un verre de vin ou un mot. Dans l'autre sens, la prudence d'Olvido à l'égard de Faulques n'était pas moins grande. Durant le temps qu'ils avaient vécu ensemble, elle l'avait constamment observé de loin, ou plutôt de l'extérieur, craignant peut-être de pénétrer en lui et de découvrir qu'il était pareil aux autres hommes qu'elle avait connus. Elle ne lui avait jamais posé de questions sur les femmes, sur les années passées, sur rien. Ni sur ce déracinement, ce nomadisme dont il se servait comme défense pour arpenter un territoire qu'il avait, depuis sa première jeunesse, décrété ennemi. Et parfois, quand dans leurs moments d'intimité ou de tendresse il était sur le point de lui confier un souvenir ou un sentiment, elle lui posait les doigts sur la bouche. Non, mon amour. Tais-toi et regarde-moi. Tais-toi et embrasse-moi. Tais-toi et viens plus près. Olvido voulait croire qu'il était différent et que c'était pour cela qu'elle l'avait choisi, moins comme le compagnon d'un avenir improbable – Faulques percevait, impuissant, les signes de cette improbabilité – que comme un chemin vers le lieu inévitable vers quoi la guidait sa propre désespérance. Et peut-être, d'une certaine manière, était-il effectivement différent. Une fois, elle le lui avait dit. Ils montaient l'escalier d'un hôtel, à Athènes, presque à l'aube, Faulques sa veste sur les épaules, Olvido en robe blanche, moulante, qui se fermait dans le dos. Une marche derrière elle, il avait soudain pensé : un jour, nous ne serons plus là. Il avait fait glisser lentement la fermeture de la robe tandis qu'ils continuaient de monter. Olvido ne s'était pas troublée, une main sur la rampe dorée, la robe ouverte jusqu'aux hanches sur le dos splendide, les épaules nues, élégante comme une gazelle imperturbable – et elle serait restée ainsi même s'ils avaient croisé un client ou un employé de l'hôtel. Arrivée sur le palier, elle s'était retournée pour le regarder. Je t'aime, avait-elle dit, sereine, parce que tes yeux ne te trahissent pas. Tu ne le leur permets jamais. Et cela donne un poids silencieux à ce que tu portes en toi.

Il entra dans la tour, chercha à tâtons une boîte d'allumettes et alluma la lampe à gaz. Du fait de la pénombre, les images peintes sur le mur semblaient l'entourer comme des fantômes. Ou peut-être n'était-ce pas la pénombre, se dit-il en promenant un lent regard circulaire sur ce paysage qui, cette nuit-là comme tant d'autres, le transportait sur la rive du fleuve des morts : un lieu aux eaux noires et paisibles, sur la berge opposée duquel étaient rassemblées des ombres ensanglantées qui ne répondaient que par des paroles de tristesse. Faulques chercha la bouteille de cognac et s'en versa trois doigts dans un verre. La nuit passe vite, murmura-t-il après la première gorgée. Et elle se moque bien de nos lamentations.

Personne que vous aimiez vraiment, avait dit Markovic ce soir-là. Est-ce bien ce que toutes les photos que vous avez faites disent de vous ?... Et pourtant le peintre de batailles savait que c'était la seule manière de passer au travers de tout, en gardant l'objectif braqué. À la différence de Markovic, et même d'Olvido, que la guerre avait marqués volontairement ou involontairement en changeant leur vie ou en la détruisant, Faulques, en sillonnant le monde pendant trente ans caché derrière son appareil, avait beaucoup appris sur l'Humanité qu'il observait ; mais, en lui, rien n'avait changé. Rien, en tout cas, qui modifie sa vision de départ du problème. En un sens, le Croate avait raison. Cette fresque qui l'enveloppait de ses ombres et de ses spectres était l'exposition scientifique de ce regard, et non un remords ni une expiation. Mais il y avait une fissure sur le mur, dans la peinture circulaire, et elle n'était pas non plus là par hasard : elle était la confirmation de ce dont, en d'autres temps, Faulques avait eu l'intuition et dont, aujourd'hui, il avait la certitude. Malgré son arrogance technique, le scientifique qui étudiait l'homme dans la solitude glacée de son observation ne se situait pas en dehors du monde, même s'il aimait à le penser. Nul n'était tout à fait indifférent, et toutes les dénégations n'y changeaient rien. Dommage que ce soit impossible, regretta-t-il en vidant son verre et en se resservant du cognac. En ce qui le concernait, un temps Olvido l'avait fait sortir de lui-même. Sa mort avait marqué la fin de la trêve. Ces pas exécutés avec une précision géométrique sur la route de Borovo Naselje – presque le mouvement élégant du cavalier sur l'échiquier du chaos – qui avaient rendu Faulques à la solitude, étaient, d'une certaine manière, rassurants : ils mettaient les choses à leur place. Le peintre de batailles but une autre gorgée après avoir levé silencieusement son verre en direction du mur, en tournant sur lui-même un peu à la façon d'un torero qui salue la foule du centre de l'arène. Maintenant elle était sur la rive obscure, là où les ombres parlaient avec des aboiements de chiens et des gémissements de loups. *Gemitusque luporum*. Quant à lui, Faulques, les derniers pas d'Olvido l'avaient condamné pour toujours à la compagnie des ombres qui peuplaient la tour : un homme debout devant le fleuve noir, contemplé de l'autre rive par les spectres mélancoliques qu'il avait connus en vie.

Il se souvint qu'Olvido et lui avaient contemplé de la même rive un fleuve peint dans un tableau des Offices : la *Thébaïde* de Gherardo Starnina que certains attribuaient à Paolo Uccello ou à la jeunesse de Fra Angelico. Malgré son aspect aimable et familier – des scènes de la vie érémitique avec quelques notes picaresques, allégoriques ou fabuleuses –, une observation attentive du tableau révélait un deuxième niveau au-delà de l'apparence première : sous l'ensemble anecdotique apparaissaient d'étranges lignes géométriques et un contenu inquiétant. Olvido et Faulques étaient restés immobiles devant cette peinture, subjugués par les attitudes des moines et des autres personnages du tableau, par la puissance d'évocation des scènes dispersées. On dirait une de ces crèches que l'on monte avec des petits personnages pour Noël, avait commenté Faulques en s'apprêtant à passer à la suite. Mais Olvido l'avait retenu par le bras,

les yeux rivés sur le tableau. Regarde, avait-elle dit. Il y a
là quelque chose qui met obscurément mal à l'aise. Vois
l'âne sur le pont, les scènes tout au fond, la femme qui
semble fuir en cachette à droite, le moine qui est derrière, à l'orée d'une grotte sur le rocher. À force de les
observer, certaines de ces figures deviennent sinistres,
non ? Elles inspirent la peur parce qu'on ne sait pas ce
qu'elles font. Ce qu'elles trament. Ce qu'elles pensent. Et
le fleuve, Faulques. J'en ai rarement vu d'aussi insolite.
Si trompeusement calme, et si noir. Drôle de tableau, tu
ne trouves pas ? Il n'y a rien d'innocent dans ce qui est
peint ici. Que ce soit l'œuvre de Starnina, d'Uccello ou de
qui on veut – je suppose que le musée préfère que ce soit
d'Uccello, ça le valorise –, on commence par regarder ça
avec amusement et, peu à peu, le sourire se fige.

Ils avaient continué de parler du tableau toute l'après-
midi ; au bord de l'Arno et du Ponte Vecchio, sous la statue de Giovanni delle Bande Nere qui se dresse devant la
façade de Vasari, puis en dînant de bonne heure à la terrasse d'un restaurant sur l'autre rive, d'où ils voyaient les
Offices éclairés par les dernières lueurs du jour. Olvido
restait fascinée par le tableau, qu'elle connaissait déjà
mais qu'elle n'avait jamais vu de cette façon. C'est l'ordre
abstrait fait réalité, disait-elle. Et aussi dense que l'*Allé-
gorie sacrée* de Bellini, tu ne trouves pas ? Aussi surréel.
Les énigmes parlent entre elles et nous laissent en dehors
de leur conversation. Et nous sommes au XVe siècle, rien
de moins. Ces maîtres d'autrefois savaient, comme personne, rendre visible l'invisible. As-tu remarqué les montagnes et les rochers du fond ? Ils annoncent les paysages
géométriques de la fin du XIXe, chez Friedrich, chez
Schiele, chez Klee. Et je me demande comment nous
appellerions ce tableau aujourd'hui. *La Rive ambiguë*,

167

peut-être. Ou mieux : *Théologie picturale sur une topogra-phie géologique rigoureuse.* Quelque chose comme ça. Mon Dieu, Faulques ! Tu te rends compte à quel point nous nous trompons ? Devant un tableau comme celui-là, la photo est hors-jeu. Il n'y a que la peinture. Tout bon tableau aspire toujours à être le paysage d'un autre pay-sage qui n'a pas été peint ; mais tant que la vérité de la société coïncidait avec celle de l'artiste, il n'y avait pas d'équivoque. Ce qui était magnifique, c'était quand elles divergeaient et que le peintre devait choisir entre sou-mission ou mensonge, en faisant appel à son talent pour leur donner une apparence unique. C'est pour ça qu'on trouve dans la *Thébaïde* ce qui existe seulement dans les œuvres maîtresses : les allégories de certitudes qui ne seront certaines qu'au bout de très longtemps. Et main-tenant, s'il te plaît, ressers-moi un peu de ce vin. Elle disait tout cela tandis qu'elle enroulait les pâtes sur sa fourchette avec une remarquable dextérité, s'essuyait les lèvres avec sa serviette ou fixait les yeux de Faulques dans lesquels se reflétait toute la lumière de la Renais-sance. Dans cinq minutes, avait-elle ajouté soudain en baissant la voix – elle s'était penchée un peu en avant vers lui, les coudes sur la table et les doigts croisés, en le regardant d'un air désinvolte –, je veux que nous allions à l'hôtel et que tu me fasses l'amour en me traitant de putain. *Capisci ?* Je suis ici avec toi, en train de manger des spaghettis à exactement quatre-vingt-cinq kilomètres de l'endroit où je suis née. Et grâce à Starnina, ou à Uccello, ou à qui que ce soit d'autre qui a peint ce tableau, j'ai besoin de toute urgence que tu me prennes dans tes bras avec une violence mesurée mais efficace et que tu mettes à zéro le compteur kilométrique de mon cerveau. Ou que tu le casses. J'ai le plaisir de t'annoncer que tu es très beau, Faulques. Et je me trouve au point exact où une Française te tutoierait, une Suissesse tâcherait de découvrir combien de cartes de crédit tu as dans ton portefeuille et une Américaine te demanderait si tu as un préservatif. Donc – elle consulta sa montre –, allons à l'hôtel, si tu n'y vois pas d'inconvénient.

Ce soir-là, ils étaient rentrés avec la dernière clarté en marchant lentement sur la berge de l'Arno, enveloppés dans un mélancolique coucher de soleil de l'automne toscan qui semblait copié d'un tableau de Claude Le Lorrain. Et ensuite, dans la chambre, les fenêtres ouvertes sur la ville et le fleuve d'où montait le bruit du courant cognant les digues, ils avaient fait l'amour longuement et méthodiquement, sans hâte, avec de petites pauses pour souffler quelques minutes et recommencer, s'étreignant dans l'ombre sans autre lumière que celle du dehors, suffisante pour qu'Olvido puisse contempler à la dérobée le tableau qu'ils formaient tous les deux, en tournant le visage vers le mur où se projetaient leurs ombres. À un moment, elle s'était levée pour aller à la fenêtre et, en regardant la façade dépouillée et obscure de San Frediano in Cestello, elle avait prononcé la seule phrase de plus de dix mots que Faulques avait entendue cette nuit-là : Il n'existe pas de femmes comme celle que je voulais être. Après quoi, elle avait marché lentement dans la chambre, sans but apparent, très belle, impudique. Elle avait un goût naturel pour la nudité, elle aimait évoluer ainsi, indolente, avec l'élégance de sa caste raffinée et comme le modèle qu'elle avait été pendant une courte période. Et cette nuit-là, tandis que, du lit, il suivait ses mouvements d'animal délicat et parfait, Faulques avait pensé qu'elle n'avait pas besoin d'être éclairée. De jour et de nuit, nue ou habillée, elle était aussi lumineuse que si le faisceau d'un projecteur mobile braqué sur son corps l'avait suivie partout. Il y pensait encore au matin en la regardant dormir, la bouche entrouverte et le front légèrement froncé par un pli de souffrance semblable à celui de certaines images de vierges sévillanes À Florence, influencé probablement par le lieu et par le fait de la savoir si près du berceau de sa naissance, Faulques avait découvert avec un tranquille étonnement que son amour pour Olvido Ferrara n'était pas qu'intensément physique, ni intellectuel. C'était aussi un sentiment esthétique, une fascination pour les lignes douces, les angles et les champs de vision offerts par son corps, le mouvement serein inhérent à sa nature. Ce matin-là, en la voyant dormir dans les draps froissés du lit de l'hôtel, Faulques avait éprouvé le déchirement des jalousies à venir superposé à celui des jalousies rétrospectives ; tant envers les hommes qui, un jour, la verraient évoluer dans les musées et les rues des villes et dans les chambres donnant sur des fleuves très anciens, qu'envers ceux qui l'avaient vue ainsi dans le passé. Il savait, parce qu'elle le lui avait raconté, qu'un photographe de mode et un couturier bisexuel avaient été ses premiers amants. Il était au courant bien malgré lui, car Olvido en avait parlé une fois, sans qu'il lui ait rien demandé. Hasard ou propos délibéré, elle le lui avait dit, et elle l'avait guetté attentivement jusqu'à ce que, après un bref silence, il passe à autre chose. Et pourtant cette idée avait éveillé chez Faulques – et cela lui arrivait encore – une froide colère intérieure, irrationnelle et inexplicable. Il n'avait jamais mentionné à voix haute ce qu'elle lui avait confié, ni parlé de ses propres expériences, sauf sur le mode de la plaisanterie ou sous la forme de remarques fortuites : quand, par exemple, en constatant que, dans certains des meilleurs hôtels et res-

taurants européens ou new-yorkais, elle était une cliente
connue, Faulques avait tenu à affirmer ironiquement
que, lui aussi, il était connu dans les meilleurs bordels
d'Asie, d'Afrique et d'Amérique latine. Eh bien, avait
répliqué Olvido, tu tâcheras de m'en faire profiter. Elle
était d'une extrême perspicacité : elle savait regarder les
œuvres d'art et les hommes. Capable, surtout, d'écouter
chaque silence avec beaucoup d'attention, telle une élève
appliquée devant un problème que le professeur vient
d'exposer au tableau. Elle démontait chaque silence
pièce par pièce, comme un horloger démonte une pendule. C'est pourquoi elle devinait facilement le désarroi
de Faulques, à la raideur soudaine de ses muscles, à l'expression de ses yeux, à sa manière de l'embrasser ou de
ne pas le faire. Tous les hommes sont d'une stupidité
incommensurable, disait-elle en interprétant ce qu'il
n'avait jamais dit. Même les plus malins le sont. Et je ne
supporte pas ça. Je déteste qu'ils couchent avec moi en
pensant à celui qui a couché avant ou qui couchera après.

Faulques monta à l'étage, le verre de cognac dans une
main, la lampe à gaz dans l'autre. Il fouilla dans la caisse
qui lui servait de table, à côté du lit de camp sur lequel il
dormait ; l'alcool rendait ses doigts maladroits. Il écarta
divers papiers, documents, carnets de notes, et finit par
trouver la photo qu'il cherchait : la seule qu'il gardait de
lui-même, et qu'il n'avait pas contemplée depuis très
longtemps. En réalité, c'était une photo de tous les deux,
car Olvido y figurait aussi : une maison détruite après un
bombardement, avec Faulques endormi par terre, la
bouche entrouverte, le menton pas rasé, la tête posée sur
son sac, les bottes et le pantalon tachés de boue, les deux
Nikon et le Leica sur la poitrine et le chapeau de toile
rabattu sur les yeux. Et Olvido en train d'appuyer sur

l'obturateur, le visage à demi caché par l'appareil, partiellement reflétée dans le miroir cassé du mur. Elle l'avait prise à Jarayeb, dans le Sud du Liban, après un bombardement israélien; mais Faulques ne l'avait su que bien après, une fois tout terminé, en triant ses affaires pour les envoyer à la famille. Il s'agissait d'une photo en noir et blanc, avec un beau contre-jour matinal qui allongeait les ombres sur un côté de l'image, encadrait Faulques et éclairait de l'autre côté la silhouette d'Olvido fragmentée en trois morceaux dans le miroir brisé. Un des reflets montrait le visage derrière l'appareil, les tresses, le torse revêtu d'un tee-shirt noir, le jean serré à la taille; l'autre, l'appareil, le côté droit du corps, un bras et une hanche; le troisième, seulement l'appareil. Et sur chaque fragment de cette image incomplète, Olvido semblait se dissoudre dans son propre reflet: chaque instant de cette fugue était, sur l'émulsion de la pellicule photographique, décomposé et fixé dans le temps comme le guerrier de Paolo Uccello et celui que Faulques peignait sur sa fresque.

# 12.

Elle était partie avec lui, c'était tout. Très vite. Je veux t'accompagner, avait-elle dit. J'ai besoin d'un Virgile silencieux, et tu es fait pour ça. Je veux un guide d'aspect agréable, taciturne et dur comme dans les films de safaris des années cinquante. Voilà ce que lui avait dit Olvido un soir d'hiver devant une mine abandonnée de Portmán, près de Carthagène, au bord de la Méditerranée. Elle portait un bonnet de laine, le froid rougissait son nez, et ses doigts dépassaient à peine des manches trop longues d'un épais chandail rouge. Elle parlait très sérieusement, en le regardant dans les yeux, et le sourire n'était venu qu'après. Je suis fatiguée de faire ce que je fais, et donc je me colle à toi. C'est décidé. Ô Mort, appareillons. Etc. Mes propres photos m'ennuient. Dire que la photographie est le seul art pour lequel la formation n'est pas décisive est un mensonge. Aujourd'hui, tous les arts sont dans ce cas, tu comprends ? N'importe quel amateur possédant un Polaroïd se sent l'égal de Man Ray ou de Brassaï. Mais aussi de Picasso ou de Frank Lloyd Wright. Sur les mots « art » et « artiste » pèsent des siècles de mensonges accumulés. Je n'ai pas une idée très claire de ce que tu fais : mais ça m'attire. Je te vois prendre tout le temps des photos mentales, concentré comme si tu pratiquais une étrange discipline du bushido, avec un appareil photo au lieu d'un sabre de samouraï. Je me demande si le seul art actuel vivant et possible n'est pas celui de tes chasses impitoyables. Et ne ris pas, idiot. Je suis sérieuse. J'ai compris ça cette nuit, quand tu me serrais dans tes bras comme si nous étions sur le point de mourir. Ou comme si quelqu'un allait nous tuer tous les deux d'un moment à l'autre.

Elle était intelligente. Très. Elle avait remarqué qu'il ne prétendait jamais expliquer, résoudre, changer quoi que ce soit. Qu'il cherchait seulement à voir le monde dans sa dimension réelle, sans le vernis de la fausse normalité ; en posant les doigts là où battait la pulsation terrible de la vie, même s'il devait les retirer tachés de sang. Olvido, pour sa part, était consciente d'avoir vécu depuis son enfance dans un monde fictif, comme le jeune Bouddha à qui, racontait-elle, sa famille avait caché pendant trente ans l'existence de la mort. Mon appareil, disait-elle, et toi, Faulques, vous êtes mon passeport pour le réel : là où les choses ne peuvent être embellies à coups de stupidité, de rhétorique et de fric. Je veux violer ma vieille naïveté. Ma lamentable innocence, tellement surévaluée. C'était peut-être pour cela que, quand elle faisait l'amour, elle murmurait des mots crus et lui demandait souvent de ne pas hésiter à être violent. Je déteste, avait-elle dit un jour – cette fois, c'était dans la National Gallery de Washington, devant le *Portrait d'une dame* de Van der Weyden –, ce maintien hypocrite, vertueux, renfrogné des femmes peintes par ces hommes du Nord. Tu comprends, Faulques ? Alors que les madones italiennes ou les saintes espagnoles, elles, à supposer qu'une obscénité s'échappe de leurs lèvres, ont toujours l'air d'en connaître parfaitement le sens. Comme moi.

Dès lors, Olvido n'avait plus jamais produit d'œuvre liée à l'esthétique et au glamour dans lesquels elle avait été élevée et avait vécu ; elle leur avait tourné délibérément le dos. Toutes ses nouvelles photos étaient une réaction contre cela. Jamais de personnages, jamais de beauté ; rien que des choses accumulées comme dans une boutique de brocanteur, restes de vies absentes que le temps déposait à ses pieds : ruines, décombres, squelettes de constructions noircies qui se découpaient sur des ciels sombres, rideaux déchirés, vaisselle cassée, armoires vides, meubles calcinés, éclats d'obus, traces de mitraille sur les murs. Tel avait été pendant trois ans le résultat de son travail, toujours en noir et blanc, antithèse des images d'art et de mode pour lesquelles elle avait posé et qu'elle avait produites avant, en couleur, avec un éclairage et une mise au point parfaits qui rendaient le monde plus beau que dans la vie réelle. Regarde comme j'étais jolie sur les photos, avait-elle dit un jour en montrant à Faulques la couverture d'une revue. – Olvido maquillée, impeccable, posant sur le pont de Brooklyn luisant de pluie. – Incroyablement jolie : et sois assez gentil pour bien retenir l'adverbe. Alors, s'il te plaît, donne-moi ce qui manque dans ce monde qui était le mien. Donne-moi la cruauté d'un objectif jamais complice. La photographie considérée comme un art est un terrain dangereux : notre époque préfère l'image à la chose, la copie à l'original, la représentation à la réalité, l'apparence à l'être ; elle me préfère habillée par les plus grands couturiers et plagiant Sasha Stone et Feuerbach. C'est pour ça que je t'aime, en ce moment. Tu es ma façon de dire : finies les photos de mode, finie la collection de printemps à Milan, à la poubelle Giorgio Morandi qui a passé la moitié de sa vie à représenter des natures mortes avec des bouteilles, à la poubelle Warhol et

175

ses boîtes de soupe, aux chiottes la merde d'artiste qui se vend en paquets-cadeaux dans les enchères pour million-naires de Claymore. Bientôt je n'aurai plus besoin de toi, Faulques, mais je te resterai toujours reconnaissante pour tes guerres. Elles libèrent mes yeux de tout ça. C'est un permis idéal pour aller où je veux : action, adrénaline, art éphémère. Il me délivre de toute responsabilité et fait de moi une touriste de première classe. Je peux enfin regarder. Avec mes propres yeux. Contempler le monde à travers les deux seuls systèmes possibles : la logique et la guerre. En cela, il n'y a pas non plus beaucoup de différence entre toi et moi. Ni l'un ni l'autre ne faisons du photojournalisme éthique. Qui en fait ?

Cette décision de l'accompagner, Olvido l'avait prise alors qu'ils contemplaient le paysage ravagé de Portmán. Ou du moins est-ce à ce moment-là qu'elle la lui avait annoncée. Je sais un endroit, avait dit Faulques, iden-tique à un tableau du docteur Atl, mais sans feu ni lave. Maintenant que je connais ces tableaux et que je te connais, j'aimerais y retourner et le photographier. Elle l'avait regardé, surprise, par-dessus sa tasse de café – ils prenaient leur petit déjeuner chez Faulques, à Barcelone, quand cette idée lui était venue –, et elle avait dit Mais ce n'est pas une guerre, et je croyais que tu ne photo-graphiais que les guerres. Dans une certaine mesure, c'en est une, avait-il répondu : désormais ces tableaux et cet endroit font aussi partie de la guerre. C'est ainsi qu'ils avaient loué une voiture et roulé vers le sud où, dans le silence d'un crépuscule hivernal, ils avaient suivi des che-mins de terre sinueux dans un paysage de fosses et de terrils, de tours en ruine et de maisons délabrées, de murs sans toit, d'anciennes mines à ciel ouvert qui exhi-baient les entrailles brunes, rouges et noires de la terre, veines de rouille ocre, filons épuisés, énormes bassins de décantation dont les boues crevassées et grises, après s'être échappées par les talus effondrés, tapissaient le fond des ravins entre les cactus morts et les troncs desséchés des figuiers, comme des coulées de lave solidifiée. On dirait un volcan refroidi, avait murmuré Olvido, admirative, quand Faulques avait arrêté la voiture pour prendre le sac des appareils et qu'ils avaient marché dans ce paysage d'une sombre beauté, en entendant les cailloux rouler sous leurs pas dans le silence absolu de l'immensité déserte, abandonnée par l'homme depuis près d'un siècle, mais que le vent et la pluie continuaient de sculpter en formes capricieuses, lits de torrents, entrelacement de ravins, éboulements. On eût dit qu'une main gigantesque et chaotique, maniant des outils puissants, avait fouillé la terre en lui arrachant ses viscères de minerai et de pierre, pour laisser ensuite le temps travailler cette masse comme un artiste dans un atelier démesuré. À ce moment, le soleil, qui était sur le point de se coucher derrière la succession de terrils s'étendant jusqu'à la mer proche, avait percé un instant la chape de plomb des nuages, et une flambée rouge avait scintillé sur l'eau en se répandant comme une éruption de lave incandescente sur le paysage tourmenté, sur les bords écroulés des lavoirs, sur les crassiers et les tours des puits de mines délabrées qui se découpaient au loin. Et tandis que Faulques élevait son appareil à la hauteur de son visage pour prendre des photos, Olvido avait arrêté de se frotter les mains pour se réchauffer, elle avait ouvert grands les yeux sous le bonnet de laine et s'était donné une tape sur le front en disant: Mais oui, bon Dieu, c'est exactement ça. Ce n'est pas la pyramide de Guizeh, ou le Sphinx, mais ce qu'il en reste quand le

177

temps, le vent, la pluie, les tempêtes de sable ont fait leur travail. La tour Eiffel ne sera vraiment ce qu'elle est que lorsque la structure de fer, enfin cassée et rouillée, veillera sur une ville morte à la manière d'un fantôme dans son donjon. Rien ne sera réellement ce qu'il est avant que l'Univers, qui n'a pas de sentiments, se réveille comme un animal endormi, étire ses pattes et avec elles les ossements de la terre, bâille et donne quelques coups de griffes au hasard. Tu te rends compte? Oui, bien sûr, tu te rends compte. Je comprends, maintenant. Il s'agit d'amoralité géologique. Il s'agit de photographier l'utile certitude de notre fragilité. D'épier la roulette cosmique pour être là le jour exact où, de nouveau, la souris de l'ordinateur ne fonctionnera pas, où Archimède l'emportera sur Shakespeare et où l'Humanité déconcertée fouillera dans ses poches et découvrira qu'elle n'a pas de monnaie pour le nautonier des morts. Photographier non l'homme, mais sa trace. L'homme nu descendant un escalier. Mais ça, je ne l'avais jamais vu avant. C'était seulement un tableau dans un musée. Mon Dieu, Faulques. Mon Dieu ! – La lumière rougeoyante éclairait son visage comme les flammes d'un volcan accroché au mur. – Au musée, c'est seulement une question de perspective. Merci de m'avoir amenée ici.

Dès lors, elle l'avait toujours accompagné. Elle chassait à sa manière, concentrée sur sa vision du monde, qui n'était pas identique à celle de Faulques mais se nourrissait de la même désolation. Il y avait eu d'abord le Liban. Il l'y avait emmenée parce que c'était un terrain familier, il y avait passé beaucoup de temps durant la guerre civile. Il connaissait les routes, les villages, les villes, il avait partout des amis et des contacts qui lui permettaient de garder, jusqu'à un certain point, la maîtrise de la situation. La guerre s'était repliée au sud du Litani, avec les incursions et les bombardements des guérilleros islamiques contre la frontière nord de l'État hébreu, et les représailles israéliennes. Ils avaient suivi la côte en taxi, de Beyrouth à Sidon et de là à Tyr où ils étaient arrivés par une journée méditerranéenne lumineuse et bleue, avec le soleil aveuglant qui dorait les pierres du vieux port. Là vivait toujours le père Georges, un septuagénaire ami de Faulques, qui, tout de suite séduit par Olvido, lui avait montré la crypte de son église médiévale où se trouvaient – faces de pierre défigurées par les coups de marteau quand la ville était tombée aux mains des Turcs – les gisants des Croisés. Le lendemain, elle avait reçu son baptême du feu sur la route de Nabatieh : une attaque d'hélicoptères israéliens, un missile contre une voiture transportant des chefs du Hezbollah, un homme aux jambes arrachées s'extirpant en rampant de l'amas de tôles fumantes, comme s'il sortait d'un bricolage futuriste de Rauschenberg. Du coin de l'œil, Faulques la voyait travailler, pâle, avide, en jetant d'intenses regards autour d'elle entre deux photos, sans desserrer les dents. Pas une plainte, pas un commentaire : disponible et endurante comme une élève appliquée. Fais comme moi, avait-il dit. Déplace-toi comme moi. Rends-toi invisible. Ne porte pas de vêtements militaires ni rien qui attire l'attention, ne marche pas en dehors de la route goudronnée, ne touche pas à des objets abandonnés, ne reste pas immobile dans l'encadrement de portes ou de fenêtres, n'expose jamais ton appareil au soleil quand des avions ou des hélicoptères volent à proximité ; et rappelle-toi que si tu peux voir un homme avec un fusil, lui aussi peut te voir. Ne braque jamais ton appareil de trop près sur des gens qui pleurent, souffrent ou peuvent te tuer. Le seul indice de ta présence, le premier qu'ils doivent remarquer, c'est le déclic de l'obturateur. Calcule la distance, l'objectif, l'ouverture et le cadrage avant de t'approcher, et fais-le avec prudence, travaille en silence et disparais avec discrétion. Avant d'entrer dans une zone à risque, assure-toi de la manière d'en sortir, observe le terrain, cherche les points protégés, va de l'un à l'autre par étapes ou par bonds. Souviens-toi que chaque rue, chaque tranchée, chaque colline, chaque arbre, a un bon et un mauvais côté ; ne te trompe pas en l'identifiant. Ne te complique pas la vie sans nécessité. Et surtout ne me complique pas la mienne.

Olvido était bien avec Faulques, et elle le lui disait. J'aime voir comment tu te déplaces avec cette prudence de renard, ta mise au point déjà faite, la photo que tu vas prendre déjà prête dans ta tête avant même de la tenter. J'aime voir ton jean usé aux genoux et tes chemises aux manches retroussées sur ton corps maigre et dur, et te voir changer d'objectif ou de pellicule, appuyé à un mur pendant qu'on nous canarde, avec les gestes concentrés d'un soldat qui change le chargeur de son fusil. J'aime te voir dans des chambres d'hôtel, un œil collé au compte-fils, marquant les meilleures images de tes négatifs en les appliquant à contre-jour sur la vitre de la fenêtre, ou te voir passer des heures sur les planches-contacts avec une règle et un marqueur pour choisir le bon cliché, noter tes instructions et chercher à savoir où la rédaction fera passer le pli de la page. J'aime que tu sois si bon dans ton travail et que jamais une larme ne t'ait fait manquer ta mise au point. Ou du moins que ça en ait l'air.

Elle-même était plutôt bonne dans son travail, constatait Faulques sur des routes dangereuses coupées de contrôles hostiles sous la pluie, dans des villages déserts dont le silence était lourd de menaces, troublé seulement par le crissement de leurs pas sur le verre cassé. Olvido n'était pas une photographe brillante, mais elle était méticuleuse, et sa conception de l'image était originale. Elle avait vite révélé des qualités appréciables, un instinct et une froideur technique très utiles dans des situations extrêmes. Elle possédait en outre le don de se faire adopter par les gens dangereux, ce qui est indispensable pour se promener dans les guerres avec un appareil photo. Elle était capable de convaincre n'importe qui, sans mots inutiles, rien qu'avec un de ses charmants sourires, de l'avantage qu'il y avait à la laisser rester, comme un témoin nécessaire. Plus utile vivante que morte ou violée. Mais elle avait très vite cessé de photographier les gens, à quelques exceptions près. Ils ne l'intéressaient pas. En revanche, elle pouvait passer un jour entier à déambuler à l'intérieur d'une maison vide ou dans un village en ruine. Dans ces cas-là, malgré son habitude de collectionner les objets quand elle était à l'arrière – ces objets faux ou banals qu'elle rassemblait avec une passion frivole et distribuait ensuite ou abandonnait n'importe où –, elle ne ramassait jamais rien, ni un livre, ni une porcelaine, ni un éclat d'obus; elle prenait seulement rouleau après rouleau, photographiant tout. Elle disait que la guerre était pleine d'*objets trouvés*. Ça remet le surréalisme à sa place. C'est comme la rencontre sur une table de dissection d'un être humain sans parapluie et d'un hachoir à viande.

Faulques, qui avait jusque-là travaillé presque toujours seul et jamais avec des femmes – il était d'avis qu'à la guerre elles créaient trop de problèmes, entre autres parce qu'on risquait de se faire tuer pour les posséder –, avait constaté que, professionnellement, la compagnie d'Olvido avait des avantages: si elle fermait quelques portes, elle en ouvrait d'autres grâce à son talent particulier pour éveiller l'instinct de protection, l'admiration et la vanité des mâles. Et c'était bien utile. Comme à Jafji, pendant la première guerre du Golfe, quand un sémillant colonel saoudien leur avait non seulement permis de rester dans les parages – ils étaient arrivés sans autorisation de Dahran, camouflés dans un véhicule portant les sigles militaires alliés – mais offert le café en plein combat, avant de demander à Olvido où elle voulait qu'il fasse tirer son artillerie pour qu'elle prenne les meilleures photos. Elle avait remercié avec une extrême distinction et un sourire radieux, indiqué un point au hasard – la grande Water Tower, occupée par les Irakiens – et braqué son appareil avec un objectif de 90 ; l'aimable colonel lui avait fait apporter une chaise pour plus de confort, et il avait eu le temps de commander quatre coups de canon et le tir d'un missile Tow avant qu'un détachement de marines US n'arrive à toute allure, engueule le colonel et les expulse tous de l'endroit où ils étaient. Je veux un enfant, avait-elle dit le soir à Faulques, tandis qu'ils buvaient des jus de fruits au bar sans alcool de l'hôtel Méridien, en riant aux éclats à ce souvenir. J'en veux un pour moi seule, je veux le porter avec moi dans un sac et l'élever dans les aéroports, les hôtels et les tranchées. Que vais-je faire, sinon, quand s'achèvera notre douce camaraderie ? Cette nuit-là, ils avaient fait l'amour jusqu'à l'aube, en silence, sans s'arrêter, même durant une attaque de missiles Scud irakiens, ni ouvrir la bouche autrement que pour s'embrasser, se mordre ou se sucer. Et quand ils avaient enfin cessé, épuisés, elle avait léché le corps de Faulques jusqu'à ce qu'il s'endorme.

Et donc elle photographiait les choses et non les gens : Faulques ne la voyait presque jamais viser quoi que ce soit de vivant. La vérité est dans les choses et non en nous, disait-elle. Mais elle a besoin de nous pour se manifester. Elle était patiente. Elle attendait que la lumière naturelle soit celle qu'elle souhaitait, celle qu'elle jugeait bonne. Et avec le temps, elle avait développé son propre style. Ensuite, à Barcelone – très vite, elle était venue s'installer dans l'appartement haut de plafond qu'il habitait près de la Boquería –, au sortir de la chambre noire, elle se mettait à quatre pattes sur le tapis, entourée de toutes ces images en noir et blanc, et passait des heures à pointer des détails au marqueur, groupant les tirages selon des codes qu'elle était seule à connaître et que Faulques ne réussit jamais à déchiffrer tout à fait. Puis elle retournait aux cuves et au projecteur et travaillait sur les parties de photos qu'elle avait retenues, en les agrandissant, en les cadrant chaque fois différemment jusqu'à ce qu'elle se sente satisfaite. Les choses, l'avait entendue un jour murmurer Faulques, saignent comme les gens. Une de ses obsessions était les photos trouvées dans les maisons dévastées. Elle les photographiait telles qu'elles étaient, sans jamais les toucher ni les disposer autrement ; piétinées, noircies par les incendies, accrochées et déchirées au mur, verres ou cadres cassés, albums familiaux ouverts et déchiquetés. Elle affirmait que les photos abandonnées sont comme les taches claires dans un tableau ténébriste : elles n'éclairent pas, elles obscurcissent encore les ombres. La première et unique fois où Faulques l'avait vue pleurer à la guerre avait été devant un album, à Petrinja, en Croatie, vingt-deux jours avant le bas-côté de la route de Borovo Naselje. Ils l'avaient trouvé par terre, souillé de plâtre et mouillé par la pluie qui gouttait du toit crevé, ouvert sur deux pages où étaient collées des photos d'une famille à Noël, le père et la mère, les grands-parents, quatre jeunes

183

enfants et un chien, images heureuses autour d'un sapin décoré et d'une table bien garnie ; cette famille, Faulques et elle venaient de la voir au-dehors, dans une mare du jardin, magma de vêtements mouillés et de chairs déchiquetées, criblées de balles et achevées avec une grenade à fragmentation. Olvido n'avait pas pris de photo ; elle était restée à contempler les cadavres, ses appareils à l'abri sous son ciré, et c'est seulement en entrant dans la maison et en voyant l'album par terre qu'elle avait commencé à travailler. C'était un jour d'humidité et de vent, ses cheveux et son visage étaient couverts de gouttes de pluie ; c'est pourquoi Faulques avait un peu tardé à se rendre compte qu'elle pleurait, et seulement en la voyant écarter son appareil et se frotter les yeux pour sécher les larmes qui l'empêchaient de voir dans le viseur. Elle n'en avait jamais parlé, et lui non plus. Plus tard, de retour à Barcelone, alors que tout était terminé et qu'il avait vu les planches-contacts dont Olvido n'avait pas eu le temps de faire des tirages, il avait constaté que, par une de ces singulières symétries dont le chaos et ses règles étaient si prodigues, elle avait fait exactement vingt-deux clichés des photos collées dans l'album : c'était le nombre de jours qui lui restaient à vivre. Il l'avait vérifié, calendrier dans une main et contacts dans l'autre, en se souvenant. Il n'avait pas ressenti un étonnement pareil depuis que, revenant d'Afrique – la Somalie, la famine et les massacres avaient été une expérience intense –, elle avait passé une semaine dans un abattoir industriel à photographier les outils aiguisés et les énormes quartiers de viande de bœuf pendus à leurs crocs, enveloppés dans du plastique, estampillés par les services de santé. Tout en noir et blanc, comme d'habitude. Olvido avait fait des tirages de cet étrange travail et les avait rangés dans un dossier sur lequel elle avait écrit : *Der müde Tod*. La Mort fatiguée. Sur ces photos, comme sur ses images de guerre sans personnages – au mieux, le pied d'un mort avec une semelle trouée, la main d'un mort avec une alliance –, le sang ressemblait à ces coulées de boue gris sombre qu'elle avait vues entre les lavoirs à minerais détruits de Portmán. La lave du volcan éteint.

Le silence dans la tour était total. On n'entendait même pas la mer. Faulques rangea la photo sur laquelle ils figuraient tous les deux – lui et le fantôme d'Olvido dans le miroir brisé – et ferma le couvercle de la caisse. Puis il vida son verre et redescendit l'escalier en colimaçon pour chercher de quoi boire, avec l'impression que les marches se dérobaient sous ses pieds. J'espère, pensa-t-il fugacement, qu'Ivo Markovic n'aura pas l'idée de me rendre visite maintenant. La bouteille était toujours au milieu des flacons et des pinceaux, et elle au moins ne poserait pas de questions dérangeantes. C'est bien, se dit-il. C'est tout à fait ce qu'il me faut. La perfection même. Il se versa un autre cognac, vida son verre d'un coup, et, au moment où il sentit la brûlure dans sa gorge, il prononça le nom d'Olvido. Oubli : un bien singulier nom, se répéta-t-il. Un mot incertain. Il reprit la bouteille, hébété, revenu au fleuve des morts, apercevant sur l'autre rive les ombres qui s'agitaient lentement, cernées de ténèbres et de formes noires. Le peintre de batailles observa la fresque dans la pénombre, tout en considérant ce paradoxe : certains mots commettent un suicide sémantique en s'annulant eux-mêmes. Olvido, Oubli, était un de ceux-là. Depuis la rive obscure de son souvenir, elle le regardait boire son cognac.

# 13.

Ivo Markovic revint le lendemain, au milieu de la matinée. Quand Faulques sortit prendre de l'eau au réservoir, il le trouva assis sous les pins au bord de la falaise, en train de regarder la mer. Sans lui adresser la parole, le peintre retourna dans la tour et se remit à travailler pendant un peu plus d'une heure aux dernières retouches sur les guerriers à cheval, jusqu'à ce qu'il considère cette partie de la fresque terminée. Alors, il ressortit, en plissant les yeux sous la forte lumière du soleil déjà haut qui inondait tout, se lava les mains et les bras, et, après un moment de réflexion, se dirigea vers le Croate, toujours assis à l'ombre et immobile, des mégots écrasés et un sac en plastique contenant de la glace et quatre cannettes de bière devant lui.

– Belle vue, dit Markovic.

Ils restèrent tous deux à observer l'étendue bleue qui, partant du pied de la falaise, s'ouvrait en éventail vers l'horizon : les bouches du Ponant au nord, avec l'île des Pendus et la ligne noire tirant sur le gris de Cabo Malo s'avançant dans la mer au sud-ouest. Cela ressemblait, pensa encore une fois Faulques, à une aquarelle vénitienne. L'effet de lumière et de brume devenait plus évident vers le milieu de l'après-midi, quand le soleil commençait à descendre et

186

éclairait à contre-jour, échelonnées sur plusieurs plans dans des tons qui allaient du gris presque noir au gris clair, les irrégularités successives de la côte à mesure que celles-ci perdaient de leur relief.

– Combien peut peser la lumière ? demanda soudain le Croate.

Faulques réfléchit un peu. Puis il haussa les épaules.

– Plus ou moins la même chose que l'obscurité. Environ trois kilos au centimètre carré.

Markovic fronça les sourcils un instant.

– Vous parlez de l'air.

– Évidemment.

Le Croate sembla méditer là-dessus. À la fin, il fit un geste qui embrassait tout le paysage, comme s'il y avait une relation entre une chose et l'autre.

– J'ai pensé à ce dont nous avons parlé ces derniers jours, dit-il. À ma photo, à votre tableau géant et au reste. Après tout, il se peut que ça ait un sens. Que vous ne divaguiez pas avec vos histoires de règles et de symétries.

Sur ce, il resta silencieux puis se frappa doucement la tempe avec un doigt. Je ne suis pas très rapide, ajouta-t-il. J'ai besoin de temps pour faire le tour d'une question. Vous comprenez ?

– Je viens d'une famille de paysans. Des gens qui ne prenaient jamais une décision à la légère. Ils étudiaient le ciel, les nuages, la couleur de la terre... De ça dépendaient l'abondance d'une récolte, les ravages du mauvais temps, de la grêle ou des gelées.

Il redevint muet et continua de regarder la mer et la ligne brisée de la côte. Au bout d'un certain temps, il ôta ses lunettes et, l'air songeur, se mit à les nettoyer avec le pan de sa chemise.

– Le hasard serait le nom que nous donnons à notre ignorance… C'est cela ?

Il ne s'agissait pas d'une question. Le peintre de batailles s'assit près de lui et observa les mains du Croate : larges, courtes, les ongles rognés. La cicatrice de la main droite. Après avoir inspecté les verres en transparence, Markovic avait remis ses lunettes et regardait de nouveau le paysage.

– Une jolie vue, vraiment, insista-t-il. Ça me rappelle la côte de mon pays… Bien sûr, vous la connaissez.

Faulques acquiesça. Il connaissait bien les cinq cent cinquante-sept kilomètres de route sinueuse entre Rijeka et Dubrovnik, le littoral aux criques escarpées et aux îles innombrables, vertes de cyprès et blanches de pierre dalmate, semées le long d'une Adriatique aux eaux calmes et bleues, chacune avec son petit village, ses remparts vénitiens ou turcs, son gracieux campanile. Il avait vu également démolir une partie de ce paysage à coups de canon pendant la semaine qu'Olvido Ferrara et lui avaient passée dans un hôtel de Cavtat, assistant au spectacle de Dubrovnik sous les bombes serbes. Certains affirmaient que la photographie de guerre est la seule qui ne suscite pas de nostalgies, mais Faulques n'en était pas sûr. Ces jours-là, chaque soir après le dîner, ils restaient sur la terrasse de leur chambre, un verre à la main, en voyant brûler la ville au loin, les flammes des incendies reflétées par les eaux noires de la baie pendant qu'éclairs et explosions muettes donnaient à la scène une apparence irréelle ; comme le dernier acte, rouge entre formes et ombres, d'un cauchemar silencieux de Brueghel ou de Bosch. – Je connais des restaurants à Paris ou à New York, disait Olvido, où les gens paieraient cher pour dîner face à un panorama comme celui-là. – Ils étaient là tous les deux, immobiles, fascinés par le spectacle ; parfois, le seul son était celui du tintement de la glace dans les verres quand ils buvaient, distraits, avec des gestes que la situation, l'étrange lumière rougeâtre rendaient démesurément lents, presque artificiels. Par instants, la légère brise de noroît qui soufflait de la terre apportait une odeur intense de brûlé et aussi un sourd grondement syncopé semblable à un roulement de timbales ou à un coup de tonnerre prolongé et monotone. Et le matin, après avoir fait l'amour en silence et dormi accompagnés par le bruit lointain de la canonnade, Faulques et Olvido prenaient leur café avec des toasts en observant les colonnes de fumée noire qui montaient verticalement au-dessus de l'ancienne Raguse. Une nuit, il se réveilla sans la trouver à son côté et, en se levant, il la vit debout sur la terrasse, nue, son corps splendide éclairé en ombre chinoise, teint de rouge par les incendies lointains comme si, sur sa peau, glissaient les pinceaux du docteur Atl, ou comme si la guerre, à distance, l'enveloppait avec une extrême délicatesse. Je prends un bain de feu, avait-elle dit quand il l'avait saisie dans ses bras par-derrière en lui demandant ce qu'elle faisait là à trois heures du matin, et qu'elle avait penché la tête de côté pour la poser sur son épaule sans cesser de regarder brûler Dubrovnik. Il y en a qui prennent des bains de soleil ou de lune, comme dans cette chanson italienne de la fille sur le toit. Moi je prends un bain de nuit et de flammes d'incendies. Et quand il avait caressé sa peau hérissée, baignée de cette clarté rouge qui ne réchauffait pas parce qu'elle était lointaine et froide comme celle d'un volcan sur le mur d'un musée et comme le paysage torturé de Portmán, Olvido s'était agitée faiblement dans ses bras, et il était resté un moment à s'interroger sur les différences entre les mots « frémissement » et « pressentiment ».

189

Ivo Markovic continuait de regarder la mer. Je crois, dit-il, que vous avez raison, monsieur Faulques. Vous avez raison à propos des règles, des rayures du tigre et des symétries cachées qui se manifestent tout d'un coup et dont nous découvrons qu'elles avaient peut-être toujours été là, prêtes à nous surprendre. Et c'est vrai qu'un détail infime peut changer notre vie : un chemin que l'on ne prend pas, par exemple, ou que l'on tarde à prendre à cause d'une conversation, d'une cigarette, d'un souvenir.

– À la guerre, bien sûr, tout cela est très important. Une mine que l'on évite à quelques centimètres près... ou que l'on n'évite pas.

Il leva la tête, et Faulques l'imita. Très haut dans le ciel, presque invisible à six ou sept mille mètres, on apercevait le minuscule reflet métallique d'un avion qui laissait derrière lui un sillage de condensation long et droit, d'est en ouest. Ils le suivirent des yeux jusqu'à ce que le trait, blanc sur bleu, disparaisse derrière les branches des pins. Il y en a qui appellent ça le hasard, poursuivit alors Markovic. Mais vous, vous n'y croyez pas. Après vous avoir entendu parler, il suffit de se rappeler vos photos. D'observer cette peinture. Je vous ai déjà dit que j'ai mis beaucoup de temps à suivre votre piste, comme un chien de chasse.

– Et je crois, conclut-il, que je suis d'accord. Si nous laissons de côté les désastres naturels dans lesquels l'homme n'intervient pas... ou du moins n'intervenait pas, parce que aujourd'hui, avec la couche d'ozone et tout ça... Donc si nous laissons ça de côté, il reste que c'est la guerre qui exprime le mieux cette conception... Vous ai-je bien compris ?

Il le regardait fixement, très attentif, comme s'il venait de formuler une question décisive. Faulques haussa les épaules. Il n'avait pas encore ouvert la bouche. L'autre

190

attendit un moment et, n'obtenant pas de réponse, haussa lui aussi les épaules, imitant son geste. Je suppose que oui, dit-il. La guerre, sublimation du chaos. Un ordre avec ses lois déguisées en hasard.

– Et vous y croyez vraiment ? insista-t-il.

Le peintre de batailles se décida à parler. Il avait un mince sourire, sans aucune sympathie.

– Naturellement... C'est presque une science exacte. Comme la météorologie.

Le Croate leva les sourcils.

– La météorologie ?

On pouvait prévoir un cyclone, expliqua Faulques, mais non le point exact où il se produirait. Un dixième de seconde, une goutte d'humidité supplémentaire ici ou là, et tout se passait à mille kilomètres de distance. Des causes minimes, impossibles à déceler à simple vue, se traduisaient par d'effroyables catastrophes. On affirmait même que l'invention d'un insecticide avait modifié la mortalité en Afrique, changé la démographie, et s'était répercutée sur les empires coloniaux et la situation de l'Europe et du monde. Ou le virus du sida. Ou une puce électronique dont l'invention pouvait remettre en question les formes habituelles de travail, causer des révoltes sociales, des révolutions et des changements dans l'hégémonie mondiale. Ou, plus banal, le chauffeur du principal actionnaire d'une entreprise pouvait, en brûlant un feu de croisement et en tuant son patron dans l'accident, déchaîner une crise qui ferait s'effondrer les bourses du monde entier.

– Dans les guerres, ça devient plus évident. Après tout, elles sont seulement la vie menée à son paroxysme... Il n'y a rien en elles que la paix ne contienne déjà en doses plus réduites.

191

Markovic l'observait maintenant avec un respect renouvelé. Il finit par hocher la tête en signe d'assentiment, l'air convaincu. Je comprends, dit-il. Et voyez plutôt la coïncidence. Quand j'étais petit, ma mère me chantait une chanson. Quelque chose qui avait à voir avec ces lois ou ces enchaînements liés au hasard. Une distraction a fait tomber un clou, le clou a fait tomber un fer, le fer a fait tomber un cheval, le cheval a fait tomber un cavalier. Et à la fin, c'est un royaume qui tombe.

Faulques se leva en défroissant son pantalon.

– Cela s'est toujours passé ainsi, mais on l'oublie. Le monde n'en a jamais su autant sur lui-même et sur sa nature qu'aujourd'hui, pourtant ça ne lui sert à rien. Tenez : il y a toujours eu des raz-de-marée. La différence, c'est que, avant, on ne prétendait pas bâtir des hôtels de luxe sur la plage… L'homme crée des euphémismes et des écrans de fumée pour nier les lois naturelles. Et aussi pour nier l'infâme condition qui est la sienne. Et chaque réveil lui coûte les deux cents morts d'un avion qui s'écrase, les deux cent mille d'un tsunami ou le million d'une guerre civile.

Markovic resta un moment sans parler.

– Vous avez dit « l'infâme condition », murmura-t-il enfin.

– Exact.

– Vous savez trouver les mots qu'il faut.

– Vous ne vous en tirez pas mal non plus.

Markovic prit le sac contenant les bières, se leva et acquiesça de nouveau. Il regardait la mer et réfléchissait.

– Infamie, clous perdus, distractions, symétries, hasards… Nous parlons toujours de la même chose, n'est-ce pas ?

– De quoi d'autre, sinon ?

– Et aussi de rasoirs ébréchés et de photos qui tuent.

De cela aussi, répondit le peintre de batailles, qui le regarda longuement. Avec cette lumière, il voyait sur le visage du Croate des choses qu'il n'avait pas remarquées jusque-là.

– Donc rien n'est innocent, monsieur Faulques. Ni personne.

Sans répondre, le peintre de batailles fit demi-tour et se dirigea vers la tour; l'autre le suivit tout naturellement. Leurs ombres jointes paraissaient celles de deux amis qui marchent sous le soleil de midi.

– Il se peut en effet que parler de hasard soit faux, commenta Markovic d'un ton désinvolte. Est-ce le hasard qui fait que les animaux laissent des traces dans la neige?... Est-ce le hasard qui m'a placé devant votre appareil, ou moi-même qui suis allé vers lui, pour des raisons inconscientes que je ne suis pas capable de m'expliquer?... Et la même chose pourrait être dite de vous. Qui vous a fait me choisir, moi et pas un autre?... En tout cas, une fois le processus lancé, la conjonction de hasards et de conséquences inévitables devient trop compliquée. Vous ne croyez pas?... Tout ça me paraît nouveau, et étrange.

– Vous avez dit « choisir ».

– Oui.

– Je vais vous dire ce que signifie « choisir ».

Alors Faulques parla un long moment – à sa manière, avec des pauses prolongées et des silences – de choix et de hasards. Il le fit en évoquant le sniper avec qui il avait passé quatre heures à plat ventre sur la terrasse d'un immeuble de six étages d'où l'on dominait tout Sarajevo. Le sniper était un Serbe de Bosnie d'une quarantaine d'années, maigre, les yeux placides, qui avait pris deux cents dollars à Faulques pour lui permettre de l'accompagner pendant qu'il tirait sur les gens qui couraient ou passaient en voiture à toute vitesse sur l'avenue Radomira Putnika, à condition qu'il le photographie lui et pas la rue, car il ne voulait pas qu'on puisse localiser sa position grâce à l'image. Ils avaient bavardé en allemand pendant l'attente, tandis que Faulques jouait avec ses appareils pour accoutumer l'autre à leur présence, et que son interlocuteur fumait cigarette sur cigarette en se penchant de temps en temps, histoire de jeter un coup d'œil attentif au-delà du canon de son fusil SVD Dragunov nanti d'une puissante lunette télescopique, pointé vers la rue entre deux sacs de sable obturant une brèche dans le mur. Sans complexes, le Serbe avait admis qu'il tirait indifféremment sur les hommes, les femmes et les enfants, et Faulques ne lui avait posé aucune question d'ordre moral, d'abord il n'était pas là pour ça, et puis il connaissait trop bien – ce n'était pas son premier sniper – les raisons simples pour lesquelles un individu possédant les doses adéquates de fanatisme, de rancœur ou d'esprit de lucre mercenaire pouvait tuer sans s'attarder à faire le tri. Il avait posé des questions techniques, de professionnel à professionnel : distance, champ de vision, influence du vent et de la température sur la trajectoire des balles. Explosives, avait précisé l'autre, sur un ton objectif. Capables de faire éclater une tête comme un melon sous un marteau, ou de mettre les tripes à l'air avec une efficacité absolue. Et comment choisis-tu ? avait demandé Faulques. Je veux dire : est-ce que tu tires au hasard, ou est-ce que tu sélectionnes tes cibles ? La réponse du Serbe avait été intéressante. Il n'y a pas de hasard là-dedans, avait-il expliqué. Ou très peu : juste celui qui faisait que quelqu'un décide de passer par là au bon moment. Le reste relevait de lui seul. Il en tuait certains, et pas d'autres. C'était facile. Ça dépendait de leur manière de marcher, de courir, de s'arrêter. De la couleur des cheveux, des gestes, de l'attitude. Des choses auxquelles il les associait en les regardant. La veille, il avait visé une fille pendant quinze ou vingt mètres et, tout d'un coup, un mouvement de celle-ci lui avait fait penser à une petite cousine. – À ce moment, le sniper avait ouvert son portefeuille et montré une photo de famille à Faulques. – Si bien qu'il n'avait pas tiré sur elle et avait choisi en échange une femme tout près, penchée à une fenêtre, et qui, pourquoi pas, attendait peut-être de voir comment se ferait tuer la fille en train de se promener sans prendre garde et à découvert. Voilà pourquoi il disait que cette histoire de hasard était relative. Il y avait toujours quelque chose qui le faisait se décider pour celui-ci ou pour celui-là, difficultés techniques mises à part, bien sûr. Les enfants, par exemple, étaient plus difficiles à atteindre, parce qu'ils ne restaient jamais tranquilles. C'était comme pour les conducteurs de voiture : parfois ils passaient trop vite. Soudain, au milieu de son explication, le sniper s'était raidi, les traits de son visage avaient semblé se creuser et ses pupilles s'étaient rétrécies pendant qu'il se penchait sur son fusil, ajustait la crosse à son épaule, collait l'œil droit au viseur et posait en douceur le doigt sur la détente. *Jägerei*, avait-il dit entre ses dents, dans son mauvais allemand, très bas comme si on pouvait l'entendre de la rue. Gibier en vue. Plusieurs secondes étaient passées durant lesquelles le fusil avait décrit un lent mouvement circulaire vers la gauche. Ensuite, avec une seule détonation, la crosse avait percuté son épaule, et Faulques avait pu photographier en gros plan ce visage mince et tendu, un œil fermé et l'autre ouvert, la peau pas rasée, les lèvres serrées réduites à un simple trait implacable : un homme comme les autres, avec ses critères de sélection, ses souvenirs, ses antipathies et ses goûts, photographié au moment précis de tuer. Il avait pris un second cliché quand le sniper avait écarté la joue de la crosse du fusil, fixé l'objectif du Leica avec des yeux glacés et, après avoir porté à ses lèvres trois doigts de la main qui avait tiré, pouce, index et majeur, pour y poser un baiser, avait fait avec eux le signe serbe de la victoire. Tu veux que je te dise qui j'ai eu ? avait-il demandé. Pourquoi j'ai choisi cette cible-là et pas une autre ? Faulques, qui vérifiait la lumière avec sa cellule, n'avait pas voulu le savoir. Mon appareil n'a pas photographié ça, avait-il répondu, donc ça n'existe pas. Alors l'autre l'avait regardé un moment en silence et esquissé un sourire, avant de redevenir sérieux et de lui demander si c'était bien lui qui était passé l'avant-veille près du pont Masarikov dans une Volkswagen blanche avec une vitre cassée et les mots *Press Novinar* en ruban adhésif rouge sur le capot. Faulques était resté immobile un instant, avait terminé de ranger la cellule dans le sac de toile et répondu par une autre question dont il devinait la réponse. Le Serbe avait tapé doucement sur la Zeiss télescopique de son fusil. Parce que je t'ai tenu quinze secondes dans ce viseur, avait-il répondu. Il ne me restait plus que deux balles, alors j'ai réfléchi et je me suis dit : je ne vais pas tuer ce *glupan* – cet idiot – aujourd'hui.

# 14.

Lorsque le peintre de batailles eut terminé l'histoire du sniper, Ivo Markovic resta un moment songeur, sans rien dire. Ils étaient assis à l'intérieur de la tour et buvaient la bière du Croate. Markovic sur les premières marches de l'escalier en colimaçon, et Faulques sur une chaise près de la table portant le matériel de peinture.

– Comme vous voyez, dit ce dernier, l'incertitude vient du joueur, pas des règles... Sur l'infinité des trajectoires possibles d'une balle, une seule a vraiment lieu dans la réalité.

Le Croate acquiesça entre deux gorgées. Il regardait la cicatrice de sa main.

– Des lois cachées et terribles ?

– C'est ça. Y compris celle de l'origine microscopique de l'irréversibilité.

– Je suis étonné que vous prétendiez connaître cela.

Faulques haussa les épaules.

– « Connaître » n'est pas le mot qui convient. Imaginez quelqu'un qui ignore tout des échecs, mais qui va toutes les après-midi dans un café pour voir les gens y jouer...

– Évidemment. Tôt ou tard, il finira par apprendre les règles.

– Ou en tout cas, par constater qu'elles existent. Ce qu'il

197

ne sera jamais capable de savoir de lui-même, quand bien même il regarderait toute sa vie, c'est le nombre de parties différentes possibles : un, suivi de cent vingt zéros.

– Je comprends. Vous parlez d'un jeu dont les règles ne sont pas la ligne de départ mais le point d'arrivée... Non ?

– Bravo. Cette définition est sacrément bonne.

Markovic posa sa cannette par terre et sortit une cigarette. Il fouillait dans ses poches à la recherche de feu, et Faulques lui lança un briquet en plastique qui se trouvait sur la table. Gardez-le, dit-il. L'autre l'attrapa au vol.

– Bien, conclut-il, en expulsant la fumée. Je crois que je sais maintenant ce que vous faites ici. En réalité, je subodorais quelque chose comme ça, mais pas que vous soyez capable d'aller si loin. Pourtant, en voyant cela – il glissa le briquet dans sa poche et, d'un geste large, désigna la fresque –, je devais bien en prévoir les ultimes conséquences.

Faulques avait faim. Sans la présence de son étrange visiteur, il se serait fait cuire des pâtes sur le réchaud à gaz installé à l'étage de la tour. Il monta, passant entre Markovic et les livres qui occupaient les marches, pour inspecter le coffre où il conservait le linge, les boîtes de conserve et le fusil de chasse. Il ne restait pas grand-chose. Il lui faudrait aller faire des courses au village.

– Et vous croyez qu'il n'y a pas d'échappatoire ? demanda le Croate, resté en bas. Que nous sommes gouvernés par ces lois inévitables ? Ces règles cachées de l'Univers ?

– Dit de la sorte, ça semble excessif. Mais c'est bien ce que je crois.

– Y compris les traces qui servent de piste au chasseur ?

– Sûrement.

En se penchant au-dessus de la rampe, Faulques montra à Markovic une boîte de sardines et un paquet de pain de mie, et l'autre fit un geste d'assentiment. Après avoir pris une seconde boîte, deux assiettes et des couverts, des serviettes en papier, le peintre de batailles redescendit et disposa le tout sur un coin libre de la table. Ils mangèrent en silence, debout, accompagnant les sardines de nouvelles bières du Croate encore fraîches.

– À propos de traces et de chasseurs, fit remarquer Markovic entre deux bouchées, il est possible que, dans son genre, votre sniper ait été aussi un artiste.

Faulques éclata de rire.

– Pourquoi pas ?... En art, l'expression originale de la personnalité a plus de valeur sur le marché que la philanthropie. Enfin, c'est ce qu'on dit.

– Pouvez-vous répéter ça ?

Le peintre de batailles dit Bien sûr, je peux, et il le répéta. L'autre resta un moment concentré puis acquiesça, la bouche pleine, l'air presque réjoui par l'idée. Un artiste, répéta-t-il, songeur. Adapté à notre époque. La vérité, monsieur Faulques, c'est que je n'avais jamais pensé à voir les choses comme ça.

– Moi aussi, il m'a fallu quelques années pour les voir ainsi.

Le peintre de batailles en était à la moitié de sa boîte de sardines, lorsqu'un élancement le prévint que la douleur allait revenir. Il chercha sans se presser les comprimés, en avala deux avec une gorgée de bière, s'excusa auprès de Markovic et sortit au soleil pour s'adosser au mur de la tour en attendant que la douleur se calme. Quand il revint, le Croate l'observait avec curiosité.

– Malade ?

– Parfois.

Ils se regardèrent sans plus de commentaires. Ensuite, quand ils eurent fini de manger, Faulques monta préparer du café et revint avec une tasse fumante dans chaque main. Le visiteur avait allumé une autre cigarette et observait la fresque, à l'endroit où la colonne de fugitifs abandonnait la ville en flammes sous les armes des sicaires revêtus de fer, mi-guerriers moyenâgeux, mi-soldats futuristes.

– Il y a une fissure dans le mur, là, en haut, dit Markovic.

– Je sais.

– Quel dommage. – Le Croate hochait la tête, peiné. – Abîmée avant même d'être terminée. Quoique, de toute manière...

Il se tut, et Faulques voyait son profil, son air intéressé par ce qu'il contemplait, la face tournée vers le haut, le menton pas rasé, la cigarette collée aux lèvres, les yeux gris attentifs qui parcouraient les images du mur en s'attardant sur la plage que les navires quittaient sous la pluie et où, au premier plan, un enfant regardait sa mère gisant sur le dos, les cuisses tachées de sang. Mis à part les souvenirs professionnels du peintre de batailles, cette femme devait beaucoup, dans sa composition, à un tableau de Bonnard : *L'Indolente*. Encore qu'ici « indolente » ne soit pas le qualificatif approprié.

Markovic continuait d'étudier cette figure.

– Me permettez-vous une question de profane ?

– Bien entendu.

– Pourquoi tout est-il si géométrique, et avec tant de diagonales ?

Faulques lui tendit une tasse de café et but une gorgée de la sienne.

– Je crois que les diagonales sont une meilleure garantie d'ordre. Chaque structure a son propre code de la circulation. Ses panneaux de signalisation.

– Y compris la guerre ?

– Oui. Quand je peins ça comme je le vois. Il s'agit de la forme, ou de la règle, ou appelons ça comme nous voudrons, face à la désintégration en points et en virgules, en taches... Face au désordre de la couleur et de la vie. Un certain Cézanne a été le premier à voir ça.

– Je ne connais pas ce Cézanne.

– Aucune importance. Je parle de peintres. De gens que moi-même, avant, j'ignorais, ou que je méprisais, et que, le temps aidant, j'ai fini par comprendre.

– Des peintres célèbres ?

– Des maîtres anciens et modernes. Ils s'appelaient Piero della Francesca, Paolo Uccello, et aussi Picasso, Braque, Juan Gris, Boccioni, Chagall, Léger...

– Ah, bien sûr... Picasso.

Markovic s'approcha un peu plus de la peinture, en se penchant pour observer les détails, cigarette dans une main et tasse de café dans l'autre. Il me semble, dit-il, que Picasso, lui aussi, a peint un tableau de guerre. Ça s'appelle *Guernica*. Bien qu'en réalité on ne dirait pas un tableau de guerre. En tout cas, pas comme celui-ci. N'est-ce pas ?

– Picasso n'a pas vu une guerre de sa vie.

Le Croate regarda le peintre de batailles et acquiesça gravement. Il pouvait comprendre cela. Avec une intuition qui surprit Faulques, il se tourna vers les hommes pendus aux arbres, dans la partie dessinée au fusain sur le blanc du mur.

– Et cet autre compatriote à vous, Goya ?

– Lui, si. Il l'a vue, et il l'a subie.

Markovic acquiesça de nouveau en étudiant les esquisses avec attention. Il s'arrêta très longtemps sur l'enfant mort près de la colonne de fugitifs.

– Je crois que Goya a fait des bons dessins sur la guerre.

– Il a dessiné les meilleures eaux-fortes que l'on a jamais faites. Personne n'a vu la guerre comme lui, ni n'a approché d'aussi près la méchanceté humaine... Quand, finalement, il a perdu tout respect pour les hommes et pour les normes académiques, il est allé plus loin que n'ira jamais la photographie la plus crue.

– Pourquoi cette peinture géante, alors ? – Markovic continuait de contempler l'enfant mort. – Pourquoi peindre ce qu'un autre a déjà fait mieux que vous ?

– Chacun doit peindre sa part. Ce qu'il a vu. Ce qu'il voit.

– Avant de mourir ?

– Oui. Avant de mourir. Personne ne devrait partir sans laisser une Troie en flammes derrière lui.

– Une Troie, dites-vous ?

Markovic, qui maintenant se déplaçait lentement le long du mur, eut un sourire songeur.

– Vous savez, monsieur Faulques ?... Grâce à vous, je ne peux plus croire aux certitudes de ceux qui possèdent une maison, une famille et des amis.

Son sourire découvrait le trou entre ses dents, pendant qu'il faisait halte devant le groupe de guerriers qui attendaient de se mêler au combat, auxquels Faulques avait travaillé la veille. La lumière du soleil, qui commençait à décliner et brillait à la fenêtre, donnait à la scène une clarté extraordinaire, faisant luire les armures comme si elles étaient en vrai métal – bien que tout ne soit dû qu'à l'effet pictural de fines lignes, blanc de titane sur gris neutre, et à la répétition, en légères touches un peu plus claires, des tons qui entouraient ce métal poli.

– On dit qu'avant de mourir, commenta le Croate, il faut avoir planté un arbre, écrit un livre et eu un enfant. J'ai eu un enfant mais je ne l'ai plus. J'ai aussi planté des arbres mais ils ont brûlé... Peut-être devrais-je peindre un tableau, monsieur Faulques. Croyez-vous que j'en serais capable ?

– Je ne vois pas pourquoi vous ne le seriez pas. Chacun se débrouille comme il peut.

– Et collaborer à celui-là ?

– Vous pouvez, si vous en avez envie.

Le Croate rajusta ses lunettes et approcha son visage de la peinture. Il étudiait les armures, les détails des visières et les gantelets. Puis il fit un pas en arrière, adressa un regard circulaire au mur, observa le peintre de batailles et amorça un geste timide vers la table où se trouvaient les pinceaux, les tubes et les flacons.

– Vous permettez ?

Avec un petit sourire, Faulques fit signe que oui.

– Servez-vous.

Markovic hésita, posa la tasse, la cigarette, et désigna finalement les deux hommes qui se battaient à terre en cherchant les défauts de leurs cuirasses qui, hérissées de vis et d'écrous, les faisaient ressembler à des robots. Alors Faulques alla à la table, ouvrit un des flacons hermétiques dans lesquels il conservait de petites quantités de mélanges, et mit un peu de blanc légèrement bleuté sur un pinceau numéro 6.

– Faisons briller un de ces poignards, suggéra-t-il. Une

fine ligne sur le fil suffira. Vous pouvez vous appuyer au mur, la peinture est sèche.

Il indiqua l'endroit, donna le pinceau à Markovic, et celui-ci, agenouillé, après avoir étudié les effets de lui-sance sur ce qui avait déjà été peint, traça une ligne en retouchant le bord de la lame que brandissait l'un des combattants. Il le fit lentement et avec une extrême attention, en s'appliquant du mieux qu'il pouvait. Au bout d'un moment, il se releva et rendit le pinceau à Faulques.

– Alors ? demanda-t-il.

– Pas mal. Si vous vous placez ici, vous verrez que, maintenant, cette lame paraît plus dangereuse.

– Vous avez raison.

– Voulez-vous peindre autre chose ?

– Non, merci. Ça suffit.

Faulques nettoya le pinceau et le mit à sécher. Le Croate continuait d'étudier le mur.

– Vous ne trouvez pas que vos soldats ressemblent à des machines ?... Avec toutes les vis et tout le métal qu'ils portent... – Il se tourna vers le peintre de batailles comme si quelqu'un venait de lui poser une question et qu'il cherchait la bonne réponse. – Des machines à tuer ?

– Vous voyez, ce n'est pas si difficile. Il suffit de se concentrer un peu. – Faulques désigna la fresque. – Ma structure est compatible avec le bon sens.

Le visage de Markovic s'éclaira.

– C'était donc ça.

– Mais oui.

– J'ai l'impression que votre peinture est pleine de devinettes. D'énigmes.

– Toutes les bonnes peintures le sont. Sinon, ce ne sont que des coups de pinceau sur une toile ou un mur.

– Vous croyez que votre peinture est bonne ?

– Non. Elle est médiocre. J'essaye seulement de la faire ressembler à celles qui le sont.

Le Croate prit sa tasse de café, avala une gorgée et observa Faulques, intéressé.

– Vous me dites que tous les tableaux racontent des histoires ? Même ceux qu'on appelle abstraits, les tableaux modernes et tout ce fourbi ?

– Ceux qui m'intéressent, oui, ils en racontent. Voyez.

Il alla vers les piles de livres de l'escalier, en choisit trois, les posa sur la table et les feuilleta jusqu'à ce qu'il trouve ce qu'il cherchait. C'était la reproduction d'un tableau d'Aniello Falcone, un peintre de batailles classique du XVII$^e$ : *Scène de pillage après la bataille*.

– Que voyez-vous sur ce tableau ?

Markovic s'approcha, en se grattant la tempe. Il posa la tasse de café sur la table et alluma une nouvelle cigarette. Je ne sais pas, dit-il, en expulsant la fumée. Il y a eu un combat terrible, et maintenant les vainqueurs volent les vêtements et les bijoux des morts. Le cavalier qui porte une armure est le chef, et il semble impitoyable. On dirait aussi qu'il réclame pour lui la femme que les autres vont violer. Arrivé à ce point, le Croate regarda Faulques. Je vois une histoire, dit-il. Vous avez raison.

– Regardez cet autre tableau, suggéra Faulques.

– Comment s'appelle l'auteur ?

– Chagall. Dites-moi ce que vous voyez.

– Eh bien, je vois... Un tableau un peu abstrait, non ?

– Il n'est pas abstrait. Il contient des choses concrètes, des figures humaines, des objets. Mais ça ne fait rien. Continuez.

– Eh bien, il est... Je ne sais pas. Géométrique, comme votre peinture du mur ; mais vous n'exagérez pas les

205

angles à ce point, et vous ne déformez pas comme ça l'apparence des personnages et des choses. Un homme, un samovar, et un couple minuscule qui danse… Ça raconte aussi une histoire ?

– Oui.

– Quel est le titre du tableau ?

– C'est écrit en bas, en petit : *Le soldat boit*. Ce soldat est russe. Il revient de la guerre, ou il y part, et il est tellement soûl qu'il ne distingue pas la vodka du thé. Sa casquette s'envole de sa tête, il est surpris de voir danser sur la table une paysanne qu'il connaît. Et l'homme avec qui elle danse, c'est peut-être aussi celui qui a peint le tableau.

Markovic se gratta de nouveau la tempe, troublé.

– Une histoire bizarre, en tout cas.

– Chacun raconte à sa façon. De plus, je vous l'ai dit, ce soldat est plein comme une outre. Regardez maintenant cet autre tableau… Qu'en pensez-vous ?

Markovic se concentra. Il était vraiment pétri de bonne volonté, pensa Faulques : un élève intéressé et circonspect.

– Eh bien, il est encore plus bizarre. Il ressemble à ces grands barbouillages sur les murs de certains quartiers… C'est marqué en bas *In Italian*… De qui est-ce ?

– De Jean-Michel Basquiat, un Noir hispano-haïtien. Il l'a peint dans les années quatre-vingt.

– Ça ne semble pas avoir de rapport avec la guerre.

– Et pourtant si. Ça ne représente pas des charges de cavalerie ou des soldats ivres, c'est vrai. Il parle d'une autre guerre, différente de celle à laquelle nous pensons, vous et moi, quand nous entendons ce mot. Encore que pas si différente que ça, en fin de compte… Vous voyez ces inscriptions et le cercle sur la gauche ? Argent, *blood*, sang, *In God we Trust*. La Liberté, marque déposée. À sa manière, ce tableau aussi parle de guerre. Les esclaves révoltés contre Rome. Les barbares bombant des tags sur les murs du Capitole.

– Là, je ne comprends pas très bien.

– Tant pis. Ça n'a pas d'importance.

Le souvenir rôdait, douloureux et fugace. Le dernier travail d'Olvido avant de partir avec lui à la guerre avait été de photographier Basquiat pour la revue *One + One*, quelques mois avant que le peintre de tags n'explose littéralement, entre overdoses d'héroïne et cassettes de Charlie Parker. Laissant le livre ouvert à la page du tableau, le peintre de batailles finit de boire son café. Il était froid.

– Même si, en réalité, reprit soudain Markovic, je crois comprendre ce que vous voulez dire.

Il s'était retourné et le regardait, en fumant d'un air songeur. Et, poursuivit-il, il y a quelque chose que j'aimerais que vous compreniez aussi, monsieur Faulques. En vous conformant à votre propre raisonnement. Je parle de l'histoire de mon tableau particulier. En ce qui me concerne, vous avez participé à un enchaînement de faits que vous n'avez pas vous-même déclenché, d'accord, mais sur lequel vous avez exercé une action déterminante avec votre photo célèbre et primée. Une photo qui a détruit ma vie. J'admets maintenant que cela n'a pas été entièrement un hasard, qu'il y a eu des circonstances qui nous ont conduits à nous croiser, vous et moi, à ce moment exact de ce jour précis. Et, quel que soit finalement l'auteur initial de cet enchaînement, vous, moi ou qui on voudra, l'ultime conséquence en est ma présence ici, aujourd'hui. Pour vous tuer, ne l'oubliez pas.

Faulques soutenait son regard.

– Je ne l'oublie pas. Pas un instant.

207

Le fait est, continua le Croate sur le même ton, que vous ne pouvez pas m'en vouloir pour ça. Vous saisissez ? Moi non plus, je ne vous en veux pas. Au contraire. Je vous suis reconnaissant de m'avoir aidé à comprendre. Si l'on suit votre point de vue, nous sommes tous les deux le produit des hasards et des déterminations de ces lois que vous tentez de représenter dans cette tour après avoir essayé, en vain, de les déchiffrer avec vos photographies. En réalité, la haine et l'acharnement ne devraient pas avoir de place en ce monde. Ils sont inutiles. Les hommes se déchirent entre eux parce que la loi de leur nature, une loi objective et sereine, le veut ainsi. N'ai-je pas raison ?... D'après vous, les gens intelligents devraient s'entre-tuer juste parce qu'il le faut, comme le bourreau qui exécute une sentence dans laquelle il n'a rien à voir... C'est bien ça ?

– Plus ou moins.

Les yeux de Markovic ressemblaient à deux flaques gelées.

– Eh bien, je suis content de vous avoir bien compris et de constater que nous sommes d'accord, car c'est ainsi que je vais vous tuer. Et il n'y aura absolument rien de personnel dans cet acte.

Le peintre de batailles médita ce qu'il venait d'entendre. Il le fit en se voulant impartial, comme s'il s'agissait du sort d'une tierce personne. Il était le premier surpris du calme parfait qui l'habitait. L'homme qu'il avait devant lui avait raison ; tout était comme ce devait être. Conforme aux normes, ou à l'unique norme. Markovic était très sérieux, mais rien en lui n'était menaçant ou hostile. Il semblait attendre seulement une réponse ou une réaction. Patient, tranquille. Courtois.

– Vous le comprenez comme moi, monsieur Faulques ?

– Tout à fait.

Naturellement, développa alors le Croate, c'était très amusant, ou émouvant, de tuer au nom d'une bonne et solide haine. Plus satisfaisant et plus ordinaire. En hurlant de joie dans le feu de l'action pendant qu'on saignait la victime.

– C'est comme l'alcool et le sexe, ajouta-t-il. Ils calment, ils soulagent beaucoup. Mais pour les hommes qui, comme nous, ont passé beaucoup de temps à contempler le même paysage, ce soulagement les laisse indifférents. Un rasoir ébréché dans les décombres d'une maison, une montagne dénudée derrière les barbelés, le fond d'un tableau vers lequel on a voyagé toute sa vie... Des lieux, des souvenirs, d'où l'on ne pourra plus jamais revenir.

Il regarda autour de lui, comme pour vérifier qu'il n'oubliait rien. Puis il pivota sur lui-même et sortit. Faulques le suivit.

– Une de ces visites pourra être différente, dit Markovic.

– Je le suppose.

Le Croate jeta son mégot et l'écrasa consciencieusement de la pointe d'une chaussure. Puis il dévisagea le peintre de batailles, bien en face, sans un battement de paupières, et, pour la première fois, lui tendit la main droite. Faulques hésita un instant avant de la lui serrer. Un contact rugueux, fort. Des mains de paysan. Dures et dangereuses. Markovic fit mine de se retourner et de partir, mais il s'attarda un moment. Vous devriez descendre au village, dit-il brusquement, l'air songeur. Et faire la connaissance de cette femme du bateau. Il ne vous reste pas beaucoup de temps.

Faulques sourit légèrement. Un sourire doux et triste.

– Et la fresque ?... Qui la terminera ?

L'autre laissa entrevoir le trou dans sa dentition. Son sourire, presque timide, ressemblait à une demande d'excuse

— Elle demeurera inachevée, je le crains. Mais vous avez déjà peint le plus important. Le reste, nous le terminerons ensemble, vous et moi. D'une autre manière.

# 15.

Le lendemain, Faulques se rendit au village. Il laissa la moto dans une rue étroite, sans ombre, en plissant les yeux devant la perspective aveuglante des façades blanches qui se chevauchaient en descendant jusqu'à la masse ocre du vieux rempart du port. Puis il entra dans l'agence bancaire pour retirer de l'argent de son compte, alla chez le marchand de couleurs pour régler la dernière facture. Après quoi, il marcha lentement jusqu'au bassin du port de pêche et resta un moment immobile à regarder les bateaux amarrés près des filets amoncelés sur le quai. Quand, derrière lui, l'horloge de la mairie sonna douze coups, il s'assit sous la tente du café-restaurant le plus proche ; celui d'où l'on avait la meilleure vue sur l'entrée du port et l'étendue marine, ridée par le vent d'est, qui allait jusqu'à la ligne grise de Cabo Malo. Il commanda une bière et demeura sans bouger, face à la mer et au môle désert où la vedette de touristes accostait d'habitude, en pensant à Ivo Markovic et à lui-même. Aux dernières paroles prononcées la veille par le Croate avant de partir. Vous devriez descendre au village. Il ne vous reste pas beaucoup de temps.

Faire la connaissance de cette femme. Sans pratiquement s'en rendre compte, Faulques esquissa un sourire. Il n'y avait plus de femmes à peindre sur la grande fresque circulaire de la tour. Elles y étaient toutes : la femme violée avec ses cuisses couvertes de sang, celles qui se pressaient comme un troupeau affolé sous les fusils des bourreaux, celle aux traits africains qui agonisait en regardant le spectateur, celle qui, au premier plan, ouvrait la bouche pour émettre un silencieux hurlement d'horreur. Et aussi Olvido Ferrara, dans tous les coins et sous toutes les formes du vaste paysage qui n'aurait pas eu de sens, qui n'aurait pas pu être composé sans sa présence. Comme dans ce volcan rouge, noir et brun qui constituait la colonne vertébrale de la fresque, le point de convergence de toutes les lignes, toutes les perspectives, toute la complexe et impitoyable trame de la vie et de son hasard régi par des normes rigoureuses, aussi droites que la trajectoire des sinistres flèches du carquois d'Apollon. Celui qui, devant Troie, en bandant son arc meurtrier – lui aussi combinaison mortelle de courbes, d'angles et de droites, comme le reste –, allait semblable à la nuit. Obéissant au destin impitoyable filé par les Parques.

Je comprends maintenant ce que tu cherches, s'était exclamée un jour Olvido. Ils se trouvaient au Koweït que les troupes irakiennes venaient tout juste d'évacuer. Ils étaient entrés la veille avec un détachement de chars américains et s'étaient installés au cinquième étage du Hilton, sans électricité ni vitres aux fenêtres – ils avaient pris une clef au hasard derrière le comptoir désert de la réception –, l'eau des canalisations crevées coulant par terre et dans les escaliers. Ils avaient enlevé le dessus-de-lit couvert de la suie du pétrole incendié et dormi toute la nuit, épuisés, dans les illuminations des puits en flammes et le fracas des derniers coups de canon. Je comprends enfin, avait insisté Olvido. – Elle était allée à la fenêtre, vêtue d'une chemise de Faulques, un appareil dans les mains, pour observer la ville. – Et il m'en a fallu du temps, des baisers, des regards, pour découvrir ça. Il a fallu que je te voie déambuler au milieu des catastrophes avec ta prudence de chasseur, si sûr de toi, si sûr de ce que tu fais et ne fais pas, aussi peu frimeur qu'un vieux soldat. Préparer chaque photo avec les yeux avant de faire un mouvement, évaluer en quelques dixièmes de seconde si elle vaut la peine ou non. Ne ris pas, je dis la vérité. Je te jure que tu es comme ça. Et si je le sais, c'est à force de t'avoir tellement senti exploser dans mon ventre pendant que tu me serrais dans tes bras, et de t'avoir tenu là, au plus profond de moi, enfin détendu, dans l'unique moment de ton existence où tu baisses la garde. Je vois ce que tu vois. Je t'observe quand tu réfléchis avant et après mais jamais pendant que tu fais une photo, parce que tu sais que, sinon, tu ne la feras jamais. La seule question que je me pose est de savoir si cette affreuse compréhension qui est la mienne est due à la contagion, comme s'il s'agissait d'un virus ou d'une maladie secrète et incurable. Si je suis en train d'attraper la guerre ou si elle était déjà en moi, ton rôle se bornant à celui d'agent provocateur ou de témoin. Ça ressemble un peu à ce que ma grand-mère, quand elle sarclait les choux-fleurs et les laitues de son jardin – et comme je suis contente que vous vous soyez si bien entendus tous les deux, la fille du Bauhaus et l'archer zen –, appelait *Gestalt :* une structure complexe qui ne peut être décrite que dans son ensemble, et jamais partie par partie. N'est-ce pas que j'ai raison ? Mais tu as un problème, Faulques. Un problème sérieux. Aucune photographie ne peut le régler. Moi je suis plus pratique, je me limite à collectionner des maillons brisés : ces ruines tant galvaudées, inventées par des littérateurs romantiques idiots et revisitées par des artistes encore plus idiots. Mais ce n'est pas le parfum du passé que je cherche. Je ne désire pas apprendre, ni me rappeler, mais larguer les amarres. Dits dans ton jargon de psychopathe, ces lieux déserts, ces mécaniques et ces objets cassés sont les formules mathématiques qui jalonnent le chemin. Le mien. Un peu de phosphore éphémère dans les méninges du monde. Je ne prétends pas résoudre le problème, le comprendre ou l'assumer. Il fait seulement partie du voyage vers le lieu où je vais : un lieu que je reconnaîtrai quand j'y arriverai. Toi, c'est différent : tu es dans ce lieu pour toute ta vie, et tu en as eu l'intuition dès ta naissance. Mais je doute que tu en obtiennes la confirmation de cette manière. Combien de fois les critiques et le public ont-ils qualifié ces photos de belles ? Rappelle-toi Che Guevara mort, beau comme un Christ, et la photo qu'en a faite Freddy Alborta. Ou la beauté des parias de Salgado, la beauté des enfants mutilés de Gerva Sánchez, la beauté de cette femme africaine que tu as photographiée en train d'agoniser, la beauté des photos que Roman Vishniac a faites dans les ghettos de Pologne, la beauté des six mille photographies prises par Nhem Ein, détenu après détenu, enfants inclus, avant leur exécution par les Khmers rouges. La beauté de tous ces gens beaux dont nous savons qu'ils allaient mourir. Non, mon amour. Tu connais la vieille publicité de Kodak ? Appuyez sur le bouton, nous faisons le reste. Dans un monde où l'horreur se vend comme de l'art, où l'art naît déjà avec la prétention d'être photographié, où vivre en compagnie des images de la souffrance n'a aucune relation avec la conscience ou la compassion, les photos de guerre ne servent à rien. Le monde fait le reste : il se les approprie dès que retentit le déclic de l'appareil – Clic, hop, merci, bonsoir ! C'est vrai que la photo est plus présente que l'image qui passe à la télé. Elle ne file pas sans laisser de traces. Pourtant ça ne suffit pas. Pour ce que tu voudrais faire, seule la peinture pourrait peut-être convenir : mais loin du public et de ses interprétations. Elle possède sa propre mise au point, son propre cadrage et sa propre perspective, impossibles à travers la lentille d'un appareil. Encore que je doute qu'aucun peintre y soit jamais parvenu. Goya ? À la rigueur. Passer de la réalité à la toile n'est pas la même chose que passer de la rétine à la toile. Tu comprends ? On peut reproduire l'aspect de la vie, en l'imitant ou en l'interprétant, plaisir, beauté, horreur, douleur et autres : c'est seulement une question d'œil exercé, de technique et de talent. Mais se laisser guider par la fatalité de la rétine, ce serait tout autre chose. Peindre l'horreur avec des lignes froides... – Elle se tenait toujours devant la fenêtre, nue sous la chemise masculine, observant le nuage de fumée noire qui recouvrait la ville, et, de temps en temps, elle levait un peu l'appareil comme si elle allait prendre une photo, puis le baissait aussitôt. – Un paysage homicide où engendrer des bourreaux n'ajouterait rien. Mais qui sera assez fort pour voir ça, et le peindre ?

Faulques chassa le souvenir en buvant une gorgée de la bière que la serveuse venait de lui apporter. Puis il regarda vers l'est, là où le môle masquait la mer. Un bruit lointain de moteurs se rapprochait de l'autre côté du brise-lames et, à cet instant, une cheminée blanche et rouge défila par-dessus ce dernier, se dirigeant vers le phare de l'entrée du port. Un instant plus tard, la vedette de touristes pénétrait dans la passe et allait accoster le quai, près de la terrasse. Après une manœuvre rapide et précise, un matelot sauta à terre pour frapper les amarres sur les bollards et installer la passerelle, et une vingtaine de passagers débarquèrent.

215

Le peintre de batailles suivit la scène avec curiosité en tâchant d'identifier la femme du haut-parleur, tandis que les touristes se dispersaient. À la fin, une femme encore jeune, blonde, grande et sportive, au visage avenant, se détacha d'un groupe plus restreint et se dirigea vers le bureau de tourisme. Elle portait une robe de lin blanc qui faisait ressortir son bronzage, des sandales de cuir et un grand sac en bandoulière. Elle semblait fatiguée. Faulques la vit ouvrir le bureau et entrer. Il resta assis et observa les touristes qui s'éloignaient sur le quai en se photographiant ou se filmant une dernière fois devant les filets de pêche et à côté des bateaux, avec pour fond le port et la mer au-delà de la passe.

Touristes. Public. Et de nouveau les souvenirs. Nous faisons le reste, disait la publicité de Kodak dont parlait Olvido. L'association fit sourire Faulques. Durant un certain temps encore, il avait essayé avec la photographie, ou presque. Comme objet final, il en serait résulté une formule hybride et insatisfaisante ; mais il s'agissait d'une préparation, d'un échauffement préalable, d'une manière de s'entraîner pour le projet qu'il mûrissait dans sa tête. Une façon d'exercer ses yeux en s'obligeant à porter sur la photographie et la peinture un regard différent. Après le nouveau tour que le bas-côté de la route de Borovo Naselje avait infligé à sa vie – il était parvenu à tenir à distance les effets secondaires par deux années de travail intense, comprenant la Bosnie, le Rwanda et la Sierra Leone –, Faulques avait abandonné le photojournalisme de guerre. La décision était venue au bout d'une longue période où tout s'était accumulé : la terre dévastée de Portmán, le nuage noir sur le Koweït, Dubrovnik brûlant au loin et le corps d'Olvido se nimbant de lumière rouge, les nuits froides et solitaires, plus tard, dans une chambre

sans vitres du Holiday Inn de Sarajevo, devant le panorama de la géométrie urbaine dessinée par les explosions
et les incendies, avaient conduit Faulques inéluctable-
ment, par leurs lignes droites et convergentes, jusqu'à la
salle d'un tribunal où, par un matin d'hiver, vers le milieu
de cette guerre, un Serbe de Bosnie dénommé Borislav
Herak, ancien membre de la brigade d'extermination
ethnique Boica, relatait avec une froide minutie, outre
les exécutions massives, ses trente-deux assassinats personnels – il s'était entraîné auparavant en égorgeant des
cochons dans un abattoir – incluant les seize femmes,
étudiantes ou mères de famille, qu'il avait, comme ses
camarades l'avaient fait pour des centaines d'autres, violées et tuées après les avoir sorties de l'hôtel-prison San-
jak transformé en bordel pour les troupes serbes. Et
quand, devant le tribunal et les journalistes, Herak avait
raconté, avec les gestes appropriés, l'assassinat d'une
jeune fille de vingt ans – « Je lui ai ordonné de se désha-
biller et elle a crié, mais je l'ai encore battue et elle a ôté
ses vêtements, alors je l'ai violée et je l'ai donnée à mes
camarades, et après l'avoir tous violée nous l'avons
emmenée en voiture sur le mont Zuc où je lui ai tiré une
balle dans la tête, et nous l'avons jetée dans des buis-
sons » –, Faulques qui tenait le visage de Herak dans le
viseur de son appareil – un visage insignifiant, vulgaire,
qu'en temps de paix on aurait considéré comme celui
d'un pauvre type – avait baissé celui-ci lentement, sans
appuyer sur l'obturateur, avec la certitude qu'aucune
photographie au monde, non plus que l'image et le son
qu'enregistraient en cet instant les caméras de télévision,
ne pourrait refléter ni interpréter cela. – Amoralité géologique, avait dit un jour Olvido en parlant d'autre chose,
mais qui pouvait bien finalement être la même chose ;

impossible de photographier le bâillement indifférent de l'Univers. – Et c'est ainsi que Faulques était arrivé au terme de trente années de photographie de guerre. La force d'inertie de ces trois décennies l'avait encore conduit pendant quelque temps sur d'autres terrains de conflits; mais il avait déjà perdu ce qui lui restait de foi dans l'objectif, le peu d'espérance qui animait ses doigts quand il appuyait sur l'obturateur et réglait la distance et l'ouverture. Ensuite – Olvido n'était plus là pour savoir la part qui lui revenait dans tout cela –, Faulques avait passé beaucoup de temps dans les musées pour faire collection de scènes de batailles, public inclus : une étrange série dont lui-même n'avait découvert la finalité que petit à petit. Après un travail exhaustif de recherche et de documentation, nanti des autorisations indispensables et d'un Leica sans flash ni pied, objectif 35 mm et pellicule couleur de la sensibilité voulue pour un éclairage naturel et des poses prolongées, l'ex-photographe de guerre avait passé des jours entiers devant chacun des soixante-deux tableaux de batailles qu'il avait sélectionnés sur une longue liste qui comprenait dix-neuf musées d'Europe et d'Amérique, en photographiant également les gens qui se tenaient devant, les visiteurs isolés ou en groupe, les étudiants, les guides, les moments où la salle était vide comme ceux où le public était si nombreux que l'on pouvait à peine voir le tableau. Il avait travaillé ainsi pendant quatre ans, sélectionnant, éliminant, pour réunir finalement une série de vingt-trois photographies, allant des yeux déments de l'homme poignardant un Mamelouk dans *Le 2 Mai 1808 à Madrid*, tout juste entrevus entre les têtes des gens qui remplissaient la salle Goya du musée du Prado, à la *Mad Meg* de Brueghel dans la pénombre, avec d'un côté le guerrier pillard et son épée et de l'autre

218

le profil d'un écolier en train de le contempler dans une salle presque vide du musée Mayer Van den Bergh d'Anvers. Le résultat de tout cela était l'album *Morituri* : son dernier travail publié. Le chemin le plus court entre deux points : de l'homme à l'horreur. Un monde où le seul sourire logique était celui des têtes de mort peintes par les vieux maîtres sur la toile et sur le bois. Et quand les vingt-trois photographies avaient été prêtes, il avait compris qu'il l'était aussi. Alors il avait laissé les appareils pour toujours, fait appel à tout ce qu'il avait appris de peinture dans sa jeunesse et cherché l'endroit idéal.

La femme du bateau de touristes sortit du bureau et se dirigea vers le parking en longeant les terrasses. Faulques la vit s'arrêter pour parler avec le gardien du port et dire bonjour aux serveurs. Elle avait apparemment la conversation facile et un joli sourire. Ses longs cheveux très blonds étaient coiffés en queue-de-cheval. Séduisante malgré sa taille et peut-être quelques kilos en trop. Lorsqu'elle passa devant sa table, le peintre de batailles la regarda dans les yeux. Bleus. Rieurs.

– Bonjour, dit-il.

La femme le fixa, d'abord surprise, puis curieuse. Environ trente ans, estima Faulques. Elle répondit bonjour, fit mine de poursuivre son chemin, mais s'arrêta, indécise.

– Nous nous connaissons ? demanda-t-elle.

– Moi oui, je vous connais. – Faulques s'était levé. – Du moins je connais votre voix. Je l'entends tous les jours à midi précis.

Troublée, elle le regarda avec attention. Elle était presque aussi grande que lui. Faulques fit un geste en direction de la vedette et de la côte où se trouvait la crique d'Arráez. Au bout d'un instant, le sourire de la femme s'élargit.

– Bien sûr, dit-elle. Le peintre de la tour.

– *Le peintre connu qui décore son intérieur avec une grande fresque...* J'aimerais surtout vous remercier pour les mots «connu» et «décore». En tout cas, vous avez une voix agréable.

La femme éclata de rire. Faulques sentit qu'elle dégageait une légère odeur de transpiration. Une sueur propre, de mer et de sel. Ça fait partie de son travail, supposa-t-il. C'est d'avoir trimballé les touristes depuis dix heures du matin.

– J'espère ne pas vous avoir causé de problèmes, dit-elle. Ça m'embêterait qu'on vienne vous déranger... Mais nous n'avons pas beaucoup de célébrités locales à faire valoir auprès des visiteurs.

– Soyez sans crainte. Le chemin est long, malaisé, et ça monte dur. Presque personne ne vient jusque chez moi.

Il l'invita à s'asseoir, et elle accepta. Elle commanda un Coca-Cola au garçon, alluma une cigarette, et raconta à Faulques quelques anecdotes sur son travail. Elle venait d'une ville de l'intérieur et s'occupait du bureau de tourisme de Puerto Umbría pendant la saison. En hiver, elle travaillait comme interprète et traductrice pour des consulats, des ambassades, des tribunaux et des services de l'immigration. Elle était divorcée et avait une fille de cinq ans. Et elle s'appelait Carmen Elsken.

– D'origine allemande?

– Hollandaise. Je vis en Espagne depuis mon enfance.

Ils bavardèrent durant quinze ou vingt minutes. Une conversation superficielle, aimable, sans trop d'intérêt pour Faulques; mais elle était la femme dont il entendait la voix tous les jours depuis si longtemps. Aussi la laissa-t-il parler en gardant un silence relatif, qu'il rompait seulement pour les questions indispensables. De toute manière, ils devaient inévitablement en arriver à lui, à son travail dans la tour. On dit au village que c'est original, commenta Carmen Elsken. Très intéressant. Une peinture immense qui couvre la totalité du mur intérieur, à laquelle vous travaillez depuis bientôt un an. C'est dommage qu'on ne puisse pas visiter, mais je comprends que vous préfériez ne pas être dérangé. Quand même, ajouta-t-elle avec une curiosité renouvelée, j'aimerais bien voir cette peinture un jour.

Faulques hésita un instant. Pourquoi pas, se dit-il. Elle était agréable. Son compatriote Rembrandt n'aurait pas balancé longtemps avant de la peindre en bourgeoise à la chair dorée et aux formes épanouies. Les cheveux bien tirés sur le front et les tempes formaient un joli contraste avec la peau. Le peintre de batailles avait presque oublié ce qu'on ressentait quand on avait une femme près de soi. L'image d'Ivo Markovic passa rapidement dans son esprit. Il ne vous reste pas beaucoup de temps, avait dit le Croate. Vous devriez descendre au village. Une pause pour réfléchir. La trêve avant la conversation finale. Le peintre de batailles étudia les yeux bleus qui lui faisaient face. Il avait l'habitude d'observer, et il y lut une lueur d'intérêt. Il posa la main droite sur la table et vit qu'elle la regardait, en suivait le mouvement.

– J'ai des choses à faire à partir de demain, mais ce serait peut-être possible cette après-midi… Si vous voulez monter là-haut, vous verrez la tour. Mais une voiture ne peut arriver qu'à mi-chemin. Vous devrez faire le reste à pied.

Carmen Elsken attendit quelques secondes pour répondre. Oui, elle monterait avec plaisir. À partir de cinq heures, ça irait ? Après la fermeture du bureau de tourisme.

– Cinq heures, c'est parfait, confirma Faulques.

221

La femme se leva, et lui aussi, pour serrer la main qu'elle lui tendait. Une main chaleureuse et franche. Il remarqua que la lueur d'intérêt était toujours présente dans ses yeux.

– À cinq heures, répéta-t-elle.

Il la suivit du regard pendant qu'elle s'éloignait : ses cheveux blonds, la corolle de sa robe blanche se balançant sur ses hanches larges et ses jambes bronzées. Puis il se rassit, commanda une autre bière et jeta un regard soupçonneux aux alentours, craignant de découvrir Ivo Markovic posté à proximité et souriant d'une oreille à l'autre.

Il continua de contempler la mer et la ligne éloignée de la côte vers Cabo Malo, alors que Carmen Elsken s'effaçait lentement de ses pensées. Le soleil commençait à baisser, et la lumière intense donnait aux choses une clarté précise, une beauté particulière, comme si des voiles superposés, au lieu d'épaissir les couleurs, leur conféraient une extrême transparence. Beauté, pensa-t-il en retournant à ses souvenirs, était un mot possible : mais seulement un parmi d'autres. Il avait aussi réfléchi quelquefois là-dessus avec Olvido, en d'autres temps. De beaux paysages ne signifiaient pas toujours la lumière et la vie, ni un avenir plus lointain que cinq heures du soir, ou n'importe quelle autre heure fixée par les humains avec leur inexplicable optimisme. – Faulques pensa de nouveau à Ivo Markovic et ses lèvres esquissèrent un rictus bref et cruel. – Olvido et lui en avaient discuté devant des aquarelles de Turner à la Tate Gallery de Londres : Venise à l'aube vers San Pietro di Castello ou depuis l'hôtel Europa pouvait être un paysage idyllique vu avec les yeux d'un peintre anglais du milieu du XIXᵉ siècle, mais la frontière était incertaine – l'aquarelle et le flou de ses contours étaient parfaits pour cela – entre la beauté d'une aurore et la représentation plastique que la palette aux infinies variations de l'Univers, le fascinant spectre chromatique de l'horreur mettaient à la disposition de n'importe quel observateur situé à l'endroit propice. Des traînées de nuages pouvaient s'étendre sur la mer, vers le levant, comme la promesse, à l'horizon, d'un nouveau jour de lumière et de formes parfaites ; mais aussi comme la fumée qui, apportée par la brise de terre, charriait avec elle l'odeur de mort d'une ville dévastée – *smell of war*, disait souvent Olvido en touchant ses vêtements avec un sourire horrifié : cette odeur mourra avec moi. De même, la flambée rouge, orange et jaune dont se nimbait le campanile de Saint-Marc en se découpant sur le premier éclat du jour évoquait davantage, pour une rétine auparavant impressionnée par d'autres flambées semblables, l'éclair fugace d'un coup de canon que la lente, délicieuse affirmation – pas forcément exacte, le peintre de batailles en avait acquis depuis l'expérience – que le jour et la beauté succèdent toujours à la nuit. Il y avait des nuits sans aube, des ombres ultimes qui marquaient la fin de tout, et des jours peints avec toute la gamme des ombres.

Faulques but une autre gorgée de bière en observant la mince ligne grise qui se prolongeait vers le large, au loin. Ces aquarelles vénitiennes étaient également liées dans sa mémoire à d'autres circonstances. Par exemple, à la lumière froide et diffuse d'un petit matin d'automne, aux abords de Dubica, dans l'ex-Yougoslavie, alors qu'ils attendaient le moment d'accompagner un détachement de soldats dans la traversée de la Save. Olvido et lui avaient passé la nuit à grelotter dans une usine abandonnée, au milieu de cent quatre-vingt-quatorze Croates qui devaient attaquer au lever du jour. Au début, Olvido avait été accueillie avec la déférence masculine habituelle – elle existait encore à cette époque – envers une femme qui était à la guerre de sa propre volonté. À la lueur de leurs lampes, les soldats l'observaient avec curiosité. Qu'est-ce qu'elle fait ici ? disaient leurs sourires étonnés, leurs commentaires à voix basse. Ils leur avaient cherché un endroit à peu près convenable où s'installer, et quelques jeunes garçons leur avaient donné, sur leurs provisions, une boîte d'ananas au sirop. Après quoi, le temps passant, chaque soldat était retourné à son isolement, au silence méditatif des hommes qui se préparent à une rencontre décisive avec la chance et le destin. Une trentaine d'entre eux étaient presque des gamins : âgés de quinze à dix-sept ans, ils se tenaient autour d'un professeur de leur collège avec qui ils avaient été enrôlés en bloc. Celui-ci était un jeune homme de vingt-huit ans promu officier, qui, malgré les casques, les armes et tout le harnachement militaire bourré de balles et de grenades, gardait pour les commander le comportement du professeur qu'il était encore quelques semaines plus tôt et à qui les parents de ces garçons avaient recommandé de veiller sur eux comme dans sa classe. Il allait de l'un à l'autre en leur parlant calmement à voix basse, vérifiant leur équipement, distribuant des cigarettes et des rasades de *rakja* aux plus vieux ou inscrivant au feutre le groupe sanguin de ceux qui connaissaient le leur sur la chemise, le casque ou le dos de la main. Faulques et Olvido avaient passé la nuit serrés l'un contre l'autre pour se tenir chaud, sans desserrer les lèvres malgré le froid qui les empêchait de dormir, leurs paupières closes traversées de temps en temps par le rayon lumineux d'une lampe qui les éclairait un instant. La première clarté de l'aube était enfin arrivée par les trous du toit et les fenêtres sans vitres ; et dans cette pénombre spectrale les soldats avaient commencé à se lever et à sortir, sous la lumière sale qui découpait des silhouettes comme sur les aquarelles vénitiennes, des douzaines d'hommes et de jeunes garçons inspectant les alentours comme des chiens qui hument l'air, avant de se diriger vers une ligne horizontale de brume, d'un gris un peu plus clair, qui semblait flotter à ras de terre : l'humidité qui montait du fleuve voisin et répandait, dans le petit jour indécis, une tache plus obscure, sombre, irrégulière ; une concentration de droites, de surfaces brisées en angles insolites : le pont sur la Save détruit, sur les débris duquel les soldats devaient passer avant de remonter une longue côte et d'attaquer Dubica, visible de l'autre côté. En frictionnant leurs membres engourdis par le froid, Faulques et Olvido s'étaient dirigés vers le fleuve avec les autres, sans sortir les appareils des sacs car la lumière n'était pas encore suffisante pour faire des photos. On dirait un Turner, avait-elle dit alors. Tu te souviens ? Des ombres dans la lumière de l'aube. Mais cet abruti d'Anglais a oublié de peindre le froid. Là-dessus, elle avait étroitement fermé le col de sa saharienne et, après avoir passé la sangle du sac des appareils sur son épaule, elle avait souri à Faulques. Jamais, avait-elle dit brusquement avec un étrange sourire – et il y avait de la mélancolie dans sa voix –, jamais il n'y aura une autre guerre comme celle-là. Elle lui avait posé un baiser sur la joue, répété le mot « jamais » à voix basse et emboîté le pas aux soldats, tandis que, parmi ces silhouettes qui semblaient suspendues au-dessus de la chape de brume recouvrant la rive, avaient retenti, d'abord un, puis deux, puis trois et enfin une succession de claquements secs de fusils qu'on arme. Le ciel, vers l'est, était en train de se teinter lentement d'orange et d'or quand ils étaient entrés dans la rivière jusqu'à la ceinture, en marchant sur les vestiges du pont grâce à des cordes tendues pendant la nuit. Et de l'autre côté, lorsqu'ils avaient entrepris de remonter la pente entre les deux collines, ruisselants, les pieds pataugeant dans leurs bottes remplies d'eau, la lumière grise et bleue commençait à être suffisante pour que Faulques, en opérant avec l'ouverture maximale – diaphragme 1.4 et temps de pose 1/60e –, puisse photographier les soldats qui se divisaient en groupes et grimpaient derrière leurs officiers vers la colline de droite ou celle de gauche : leurs expressions obstinées, vides, courageuses, tendues, impassibles, méfiantes, décomposées, prudentes, terrifiées, inquiètes, sereines, indifférentes. En somme toutes les variétés possibles chez des hommes affrontés à une même épreuve, dans cette lumière qu'un aquarelliste aurait qualifiée d'extraordinairement belle et qui enveloppait comme un suaire anticipé, de ses tons subtils et délicats, ceux qui allaient à la mort. Faulques avait regardé Olvido et l'avait vue cheminer à quatre ou cinq mètres sur sa gauche, au milieu des soldats, son jean trempé collé à ses jambes, son trois-quart noir de coupe militaire boutonné jusqu'au cou, ses tresses serrées à leur extrémité par des élastiques, ses appareils encore dans le sac qu'elle portait toujours à l'épaule, comme si faire des photos était bien la dernière chose qu'elle avait en tête, le prétexte dont elle n'avait pas besoin dans cette aube d'une beauté équivoque et terrible. Et quand, d'en haut et de l'autre versant des collines, avaient commencé à crépiter les détonations et que les soldats qui l'entouraient avaient serré les dents en étreignant les armes qu'ils portaient, se baissant de plus en plus à mesure qu'ils approchaient de la crête, elle s'était mise à regarder autour d'elle, à observer les visages proches avec une curiosité intense, impitoyable ; comme si elle cherchait des réponses silencieuses à des questions qui ne pouvaient être résolues que dans une aube incertaine comme celle-là, dans les couleurs d'une aquarelle cosmique où chaque silhouette, y compris la sienne, n'était qu'un misérable trait de pinceau. À ce moment, les obus de mortier avaient commencé à éclater, juste derrière la crête de la colline, et un officier – ultime réflexe du mâle qui protège la femelle avant de lui tourner le dos et d'affronter son propre destin – avait regardé Olvido et lui avait dit Stop, en lui signifiant, avec des gestes énergiques, de rester à l'endroit où elle était. Elle avait obéi sans protester, en s'accroupissant, les appareils toujours dans leur sac, les yeux rivés sur les soldats qui continuaient à avancer, sur le professeur et ses élèves qui s'éloignaient, têtes baissées, visages blancs et décomposés dans cette lumière ambiguë du matin ; et elle était restée là, à genoux, tandis que Faulques, qui lui aussi s'était arrêté, changeait de temps de pose et d'ouverture à mesure que la lumière s'installait sur les collines, entourées maintenant d'un halo de poussière dorée formé par la fumée des explosions, et photographiait les premiers hommes qui revenaient du sommet ou en étaient ramenés par leurs camarades en laissant sur le sol de longues traînées rouges, boitant, mettant pansements et bandages sur leurs blessures, hommes souillés de boue et de sang, touchés par des éclats, aveugles terrifiés qui portaient les mains à leur visage en trébuchant dans leur descente. Et Olvido était encore dans la même position lorsque Faulques s'était levé et avait couru vers le haut, s'était baissé, avait couru de nouveau, afin de saisir dans son viseur le professeur que deux garçons ramenaient en le soutenant sous les aisselles, ses pieds traçant deux sillons dans l'herbe humide, la moitié de la mâchoire arrachée par un éclat d'obus. Et derrière eux descendaient d'autres garçons, pleurant, criant ou se taisant, blessés ou indemnes, qui allaient seuls, désarmés, ou en portaient d'autres couverts de sang, nouveaux traits écarlates s'entrecroisant sur cette aquarelle composée par un paysagiste minutieux et appliqué à l'abri derrière son chevalet olympien. Et quand, tandis qu'il rembobinait sa troisième pellicule, Faulques avait de nouveau regardé Olvido, il avait vu que celle-ci avait enfin sorti son appareil : tournant le dos à cette scène, elle photographiait le pont désert et détruit dans le lit du fleuve couleur de plomb, ce chemin précaire entre les deux rives qu'ils avaient laissé derrière eux ; comme si c'était là, et non parmi les hommes en déroute, que se trouvait l'image clef, l'explication qu'elle était venue chercher. À ce moment, Faulques avait su qu'elle était près d'obtenir cette réponse et qu'elle ne resterait plus très longtemps à son côté, parce que le temps, lui aussi, avait ses vieilles règles. *Aritmos kinesios.* Arithmétique du mouvement selon l'avant et l'après. Spécialement l'après. Et un photographe – elle aimait répéter cette phrase, qu'elle tenait de Faulques – n'appartient jamais au groupe auquel il semble appartenir. Jusque-là, pourtant, il avait entretenu l'espoir absurde que le temps la ferait toujours plus sienne : des yeux ensommeillés revus chaque matin, un corps se fanant près de lui, entre ses mains, jour après jour. Une vieillesse sereine, qu'ils passeraient à se souvenir. Mais ce matin-là, quand il l'avait vue tourner vers le pont son visage éclaboussé de boue et lever lentement son appareil en cherchant l'image du chemin incertain qu'ils avaient laissé derrière eux – photographiant l'avant, le moment précédent de cette arithmétique du mouvement qui les menait sur la rive où mouraient les hommes –, Faulques avait regardé à son tour vers l'après, et n'y avait vu que son propre passé. Il avait su ainsi qu'ils ne vieilliraient pas ensemble, et qu'elle partirait vers d'autres lieux et d'autres bras. L'homme, se rappelait-il l'avoir entendue dire plus d'une fois, croit être l'amant d'une femme, tandis qu'en réalité il n'est que son témoin. *Aritmos kinesios.* Alors Faulques avait eu peur de retourner à la solitude qui le guettait dans les mots « avant » et « après », mais il avait eu encore plus peur qu'Olvido survive à cette dernière guerre.

# 16.

Il ne vit pas Ivo Markovic dans le village, et pas non plus sur le chemin du retour. Il laissa la moto près de l'abri et observa les alentours avec méfiance : le petit bois de pins, le bord de la falaise, les rochers isolés sur la pente descendant à la crique et à la plage de galets. Pas de traces du Croate. Le soleil des premières heures de l'après-midi projetait par terre l'ombre immobile du peintre de batailles qui ne se décidait pas à entrer dans la tour. Accoutumé à se déplacer en terrain hostile, quelque chose dans son vieil instinct professionnel lui disait de rester sur le qui-vive. Il regarda encore autour de lui, attentif aux indices de danger. Il n'était plus loin – Markovic lui-même l'avait averti la veille – de la ligne obscure.

L'intérieur de la tour sentait le tabac. Le mégot éteint. C'était étrange, car les fenêtres étaient ouvertes et, le matin, Faulques avait vidé le verre à moutarde dont son visiteur se servait comme de cendrier. Il en était sûr, décida-t-il, perplexe, en contemplant les restes de trois cigarettes qui s'y trouvaient. Le signal d'alarme s'intensifia dans son cerveau. Des mégots récents. Il avança avec prudence, lentement, comme si Markovic pouvait être caché quelque part. C'était peu vraisemblable, se raisonna-t-il en montant, toujours sur ses gardes, l'escalier en colimaçon. Ce n'était pas le style du Croate. Pourtant, le peintre de batailles ne fut pleinement rassuré que lorsque, arrivé en haut, il put constater qu'il était bien seul dans la tour. Assis sur le lit de camp, il chercha d'autres traces du visiteur. Une idée subite le fit se lever pour aller ouvrir le coffre au fond duquel il rangeait le fusil de chasse. Celui-ci n'y était pas, et les boîtes de cartouches non plus. Markovic avait pris ses précautions. Et il ne s'était même pas donné la peine de dissimuler.

La douleur se manifesta, encore légère, sans traîtrise cette fois. Elle s'affirma peu à peu, loyale jusqu'à un certain point, en l'avertissant à temps de l'élancement qui allait suivre. Et, conjointement à la douleur, ou à son prélude, vint aussi la dose adéquate d'indifférence. Et après ? conclut-il en redescendant. Tout avait son bon et son mauvais côté : que ce soit une rue, une tranchée ou une douleur. Celle-ci, concrètement, le condamnait à certaines choses et en éloignait d'autres. Du coup, Markovic se transformait en un simple élément du paysage. Question de priorité. De temps et d'échéances. Et quand la véritable douleur, l'intense, arriva enfin avec un spasme qui le tétanisa, le peintre de batailles avait déjà pris deux comprimés dans leur boîte et les avait avalés avec un verre d'eau. Il n'avait plus qu'à attendre. De sorte qu'il s'accroupit, adossé au mur – le chien qui mordait un cadavre, dessiné au fusain, encore sans couleurs, se trouvait juste derrière sa tête –, serra les dents et resta là, patient, pendant que les élancements atteignaient leur paroxysme, puis s'espaçaient et faiblissaient avant de disparaître. Et entre-temps, les yeux fixés sur la partie de la fresque qui lui faisait face – Hector faisant ses adieux à Andromaque avant le combat, peint sur le côté gauche de la porte –, il se souvint de quelque chose qu'Olvido avait dit un jour, à Rome : *Taci e riposa : qui si spegne il canto.*

Il remua lentement la tête tout en se répétant ces mots à voix basse, entre ses dents serrées, sans quitter la fresque du regard. Tais-toi et sois en paix : ici s'éteint le chant. C'était le premier vers d'un poème d'Alberto Savinio qu'Olvido aimait beaucoup. Elle l'avait cité pour la première fois dans le lieu approprié, puisque Alberto Savinio était le frère de Giorgio De Chirico et qu'ils étaient en train de visiter la maison du peintre à Rome. Ils se promenaient sur la place d'Espagne, à quelques pas de l'escalier de la Trinité-des-Monts ; et devant le numéro 31 – un ancien palais transformé en immeuble d'appartements –, elle s'était arrêtée, avait regardé les fenêtres du quatrième et du cinquième étage, et dit : Quand j'étais petite, mon père m'amenait ici pour rendre visite au vieux Giorgio et à Isabella. Montons. La maison, reprise par une fondation, n'était pas encore un musée ; mais le concierge s'était montré sensible au sourire d'Olvido et à un pourboire, si bien qu'ils avaient pu passer une demi-heure sous les hauts plafonds tachés d'humidité en faisant grincer le parquet sous leurs pieds, et voir la table roulante chargée de bouteilles poussiéreuses de grappa et de chianti, la salle à manger et les natures mortes peintes aux murs – *stilleben*, avait murmuré Olvido : vies silencieuses –, le téléviseur devant lequel Chirico restait assis pendant des heures en regardant les images sans le son. À côté des tableaux de la période néoclassique, d'inquiétants mannequins sans visage allongeaient leurs ombres entre des couleurs mélancoliques, vert, ocre et gris, des espaces vides qui, peu à peu, s'étaient réduits comme si, avec le temps, le peintre avait fini par avoir peur du frisson de l'absurde et du néant que lui-même évoquait. Et devant une toile de 1958

232

qui reproduisait le gant peint quarante-quatre ans plus tôt dans *L'Énigme de la fatalité* – bien qu'il faille se méfier des dates chez un artiste qui parfois falsifiait celles de ses propres œuvres –, Olvido, en contemplant rêveusement la peinture, avait chuchoté en italien ces mots, Tais-toi et sois en paix, ici s'éteint le chant. Celui de ta vie. Celui de l'antique plainte. Puis elle avait regardé Faulques avec des yeux extrêmement tristes, et dans cette lumière romaine, blanche et spectrale, qui éclairait l'appartement, elle avait raconté qu'autrefois ce n'était pas comme ça, qu'il y avait dans le salon d'autres meubles et d'autres tableaux : et en haut, dans l'atelier, une espèce d'automate ou d'énorme mannequin, sinistre, semblable à ceux que l'artiste peignait dans sa première époque, qui la terrorisait lorsqu'elle était petite. Elle avait dit cela en le ponctuant d'un hochement de tête et ajouté : Je suis sérieuse, Faulques. Quand mon père m'amenait dans cet appartement, la nuit suivante – nous descendions habituellement non loin d'ici, au Hassler –, je ne pouvais pas dormir. Chaque fois que je fermais les yeux, je voyais ces *manichini* comme on découvre un sourire cruel sur le visage d'un pantin de bois. C'est peut-être pour ça que je n'ai jamais aimé Pinocchio. Après cette confidence, Olvido s'était écartée du tableau pour regarder autour d'elle, plongée dans ses pensées. Il y a deux toiles de Chirico, avait-elle ajouté soudain. Particulières. Tu les connais probablement, ou tu devrais les connaître, car l'une d'elles ressemble à tes photos : elle est pleine de règles, d'équerres et d'instruments ; elle s'appelle *La Mélancolie du départ*. Tu vois de quel tableau je parle ? Bien sûr, tu vois. C'est celui de la Tate Modern de Londres. L'autre est *L'Énigme de l'arrivée*. Intéressant, non ? Elle avait dit cela avec beaucoup de sérieux, puis avait tendu une main pour caresser affectueusement le visage de Faulques sans rien dire de plus. Ensuite, elle avait parcouru seule les chambres, et il l'avait suivie à distance pour l'observer, guettant l'image d'une petite fille qui était venue dans cette maison en tenant la main de son père, pour voir un étrange vieillard assis immobile devant un téléviseur allumé sans le son.

La douleur partie, le calmant laissait comme toujours un fond d'agréable lucidité. Faulques se releva, sans quitter des yeux Hector et Andromaque. Il resta ainsi quelques instants, puis s'approcha de la table, prépara pinceaux et couleurs, et se mit au travail sur cette partie de la fresque. Il alla de l'obscur au clair : la lumière naturelle qui venait de la porte ouverte – le soleil pénétrait maintenant par celle-ci, éclairant l'intérieur de la tour d'un rectangle d'or intense qui rampait lentement sur le sol – se superposait à la lumière peinte, rougeoyante et lointaine, du volcan en éruption situé plus à gauche, de l'autre côté et au-dessus du champ de bataille où les chevaliers s'affrontaient avec leurs lances ou attendaient le moment d'entrer dans le combat. Entre ces deux lumières, au fond et en haut, là où les couleurs étaient refroidies par des couches de bleu et de gris, et par des glacis de blanc qui accentuaient l'effet de distance, se dressaient les tours de verre et d'acier de la ville moderne, la nouvelle Troie devant laquelle, au premier plan et représentés en grandeur réelle, le fils de Priam et son épouse se disaient adieu. Et toi, baignée de larmes – murmurait, dents serrées, le peintre de batailles –, tu deviendras la proie d'un Achéen revêtu de bronze. Pour cette scène, Faulques avait étudié jusqu'à l'obsession, d'abord directement dans l'église San Francesco d'Arezzo puis dans tous les livres qu'il avait pu trouver, les figures des deux jeunes gens situées sur un côté de *La Mort d'Adam* de Piero della

Francesca, dans la partie supérieure gauche de la chapelle principale. Comme les tableaux de Paolo Uccello, ces fresques du XVe siècle jouaient un grand rôle dans son travail de la tour : spécialement *Le Rêve de Constantin* – les armes d'Hector s'inspiraient vaguement de celles d'une des sentinelles –, *La Bataille d'Héraclée* et *La Victoire de Constantin sur Maxence*. Faulques avait emprunté à la jeune femme peinte par Piero della Francesca l'aspect de son Andromaque – une épaule et un sein nus, les vêtements dans un désordre géométrique comme si elle venait juste de sortir du lit, l'enfant dans les bras – et surtout le regard triste, perdu loin derrière l'épaule du guerrier. Ce regard semblait parcourir l'étendue circulaire du champ de bataille jusqu'au torrent de fugitifs qui abandonnaient la ville en flammes, comme si la femme pouvait déjà se reconnaître dans ces autres femmes, butin du vainqueur. Et devant elle, terrible avec son fusil et toute une panoplie d'armes anciennes et modernes, casque d'acier, anguleuse armure grise mi-médiévale mi-futuriste – Faulques avait fait feu de tout bois : ici, c'étaient de nouveau Orozco et Diego Rivera qu'il avait pillés sans pitié –, Hector tendait son gantelet de métal vers l'enfant qui, apeuré, se blottissait dans les bras de sa mère. Et au sol, la réunion des trois ombres imparfaites formait une seule ombre, noire comme un présage.

Faulques recula de quelques pas, le pinceau entre les dents, pour juger du résultat. Ça se tenait, se dit-il avec satisfaction. Et la lumière de l'après-midi faisait le reste. Il nettoya le pinceau, le mit à sécher, en choisit un autre plus large et, en opérant le mélange directement sur le mur, il repassa sur le visage d'Hector : blanc et bleu sur terre de Sienne, pour accentuer l'effet de perspective dans la partie inférieure en obscurcissant l'ombre du casque sur le cou et la nuque. L'air de dureté stoïque du guerrier en était ainsi renforcé, ses tons froids faisant face aux tons chauds harmonieusement gradués du corps et du visage de la femme, et son maintien résigné, rigide, à la limite de la caricature militaire, était celui de l'homme qui se soumet aux règles. Car je dis qu'aucun homme digne de ce nom, murmura de nouveau le peintre de batailles, ne s'est jamais dérobé à son destin. Faulques lui-même le savait mieux que quiconque. Une de ses premières images de guerre était d'ailleurs liée à celle-là : pour lui, le fils de Priam et son épouse n'étaient pas seulement enfermés dans les traductions scolaires du grec ancien ; ils avaient des visages, des voix, des larmes authentiques, et, avec une exacte symétrie – il existait des hasards impossibles –, ils parlaient, eux aussi, la langue d'Homère. La première fois que Faulques avait entendu la plainte réelle d'Andromaque, il avait vingt-trois ans, et c'était à Nicosie. Ce jour-là, le premier d'une guerre, sous un ciel rempli de parachutistes turcs qui descendaient sur la ville, tandis que la radio appelait à se présenter dans les casernes, Faulques avait photographié des centaines d'hommes en train de faire leurs adieux à leurs femmes avant de courir aux centres de recrutement. Une de ces photos avait fait la une dans la moitié du monde : avec des tons violemment contrastés sous la lumière horizontale du matin, un Grec au visage crispé, pas rasé, la chemise enfilée en hâte et dépassant du pantalon, embrassait sa femme et ses enfants pendant qu'un autre qui lui ressemblait, peut-être son frère, le tirait par le bras en l'adjurant de se dépêcher. Au second plan, il y avait une voiture avec les portières ouvertes, au loin une colonne de fumée et un vieillard à grosse moustache blanche qui pointait vers le ciel un fusil de chasse en le déchargeant inutilement sur les chasseurs-bombardiers turcs.

Carmen Elsken se manifesta à cinq heures et quart. Faulques l'entendit arriver. Il se lava les mains, passa une chemise et sortit à sa rencontre. Elle était en train d'admirer le paysage, plantée sur le bord de la falaise pour apercevoir la crique où elle passait tous les jours avec son contingent de touristes. Elle avait libéré ses cheveux et portait une robe d'Ibiza à bretelles qui lui tombait sur les talons, avec les mêmes sandales que le matin. Un bel endroit, dit-elle. Calme et très beau. Ensuite, elle sourit. Je crois que je vous envie, ajouta-t-elle. Au moins un peu. Vivre ici est si singulier. Le peintre de batailles pesa la portée de ce mot. Oui, répondit-il enfin. Il est possible que ça le soit. Il regarda la mer, puis de nouveau la femme, et constata qu'elle l'étudiait avec la même curiosité qu'à la terrasse du café. Il observa aussi qu'elle s'était discrètement maquillé les yeux et les lèvres. Il dirigea son regard vers le bois de pins, songeur, en se demandant où était Ivo Markovic. Après quoi, il conduisit Carmen Elsken à l'intérieur de la tour, devant la grande fresque ; là, encore sous le coup de la clarté solaire, elle resta d'abord immobile. Stupéfaite.

– Je ne m'attendais pas à ça.

Faulques ne lui demanda pas à quoi elle s'attendait. Il se borna à patienter. La femme avait croisé ses bras nus et les frictionnait légèrement comme si le lieu, ou la peinture, lui donnait froid. Je ne comprends pas trop, dit-elle au bout d'un moment. Mais je trouve ça extraordinaire. Je suis impressionnée, je vous jure. Vraiment. Est-ce qu'il y a un titre ?

– Non.

Le peintre de batailles ne fit pas d'autre commentaire. Elle retomba dans son silence et, finalement, suivit le mur circulaire en observant chaque détail. Elle stationna longtemps devant la femme aux cuisses ensanglantées et devant les hommes à terre qui se poignardaient. La ville en flammes, aussi, retint son attention, car elle la contempla longuement avant de se tourner vers Faulques. Elle semblait déconcertée.

– C'est ainsi que vous voyez les choses ?

– De quoi parlez-vous ?

– Je ne sais pas. De tout… De ce que vous peignez.

– Ce n'est qu'une peinture murale. Des histoires qui décorent une vieille bâtisse.

– Ce n'est pas seulement une scène historique, il me semble. C'est ancien et moderne à la fois. C'est…

Elle s'interrompit, essayant de trouver le mot juste. Faulques attendit, les yeux fixés sur le généreux décolleté de la femme. Des seins fermes, bronzés. Libres. Les bretelles sur les épaules nues semblaient une bien mince attache pour retenir cette robe.

– Terrible, conclut-elle enfin.

Faulques sourit avec douceur.

– Ce n'est pas terrible, dit-il. C'est la vie, rien de plus. Une partie de la vie.

Les iris bleus paraissaient maintenant très attentifs. Carmen Elsken étudiait ses yeux et sa bouche, y cherchant une explication des images peintes sur le mur.

– Vous avez dû avoir, dit-elle soudain, une vie hors du commun.

Le peintre de bataille sourit de nouveau, cette fois pour lui-même. Et voilà : la vision des Ivo Markovic et des Faulques, les rétines impressionnées de longue date, n'avaient aucune valeur pour un regard extérieur. C'était ainsi que ceux qui n'avaient jamais été dans cette fresque la verraient. Ou plutôt – rectifia-t-il en regardant les tours de béton et de verre à moitié peintes sur le mur –, ceux qui croyaient, à tort, ne pas être dedans

238

– Pas plus hors du commun que la vôtre ou celle de n'importe qui d'autre.

Elle médita cette réponse, surprise, et hocha la tête. Elle semblait refuser une proposition intolérable.

– Je n'ai jamais vu ça.

– Que vous ne l'ayez pas vu ne veut pas dire que ça n'existe pas.

La femme gardait la bouche entrouverte, les yeux encore rieurs et un peu désorientés. La robe ample en coton, remarqua Faulques, mettait en valeur ses hanches légèrement trop larges.

– Vous avez toujours été peintre ?

– Pas toujours.

– Et que faisiez-vous avant ?

– Des photographies.

Carmen Elsken demanda quel genre de photographies, et il indiqua *The Eye of War* qui était toujours sur la table, parmi les ustensiles de peinture. Elle tourna quelques pages et leva les yeux, étonnée.

– Elles sont de vous ?

– Oui.

La femme continua d'observer les pages. Puis elle ferma lentement le livre et resta tête baissée, concentrée. Maintenant je comprends, dit-elle. Enfin elle fit un geste qui embrassait toute la fresque et posa sur Faulques un regard interrogateur.

– Je peins, dit celui-ci, la photo que je n'ai pas pu faire.

Elle s'était rapprochée du mur. Elle se tenait devant la femme qui, au premier plan de la file de fugitifs, ouvrait la bouche pour crier, le visage décomposé, sous le regard glacé du soldat.

– Je vais être franche... Il y a quelque chose chez vous qui ne me plaît pas.

Faulques sourit, prudent.

– Je crois savoir de quoi vous voulez parler.

– C'est justement ça qui ne me plaît pas. Que vous sachiez de quoi je veux parler.

Elle l'observait fixement, sans sourciller, et ses yeux n'avaient plus rien de rieur. Puis elle se tourna de nouveau vers la peinture.

– Il y a quelque chose de mauvais, ici.

Elle observait la scène de l'enfant qui pleurait près de sa mère violée. Une Pietà inversée, pensa soudain Faulques. Il ne s'en était jamais rendu compte avant, même pas en la peignant. Peut-être fallait-il la présence de cette femme – réelle, de chair et de sang – pour que l'image prenne tout son sens. Comme cette fois où, près de lui, au musée du Prado, un visiteur avait eu une crise cardiaque devant *La Descente de croix* de Van der Weyden ; et entre le public qui se pressait, le médecin, les infirmiers accourus pour enlever le cadavre, tableau et salle avaient pris tout d'un coup un sens différent, comme s'il s'agissait d'un *happening* de Wolf Vostell.

– Comprenez-moi bien, ce n'est pas que vous me déplaisiez, était en train de dire Carmen Elsken. Au contraire. Vous êtes un homme intéressant. Un bel homme, en plus, si vous me permettez de vous dire ça… Quel âge avez-vous ?… Cinquante ans ?

Faulques ne répondit pas. Les images peintes sur le mur monopolisaient son attention. Des symétries dont il avait eu l'intuition et qui, soudain, acquéraient de la consistance. Un canevas précis sur lequel reposaient chaque touche du pinceau, chaque moment de sa mémoire, chaque angle de l'existence. Quelque chose, dans les traits de l'enfant, annonçait ceux du soldat-bourreau qui surveillait les fugitifs. La mère qui gisait était répétée à l'infini dans la file. Maudit soit le fruit de tes entrailles. Et Carmen Elsken avait raison. Le paysage du Mal. L'appeler l'Horreur avec une majuscule – trop littéraire, en l'occurrence –, c'était seulement intellectualiser la simplicité de l'évidence.

– Pourquoi m'avez-vous abordée, au port ?

Faulques refit surface avec difficulté. La femme se tenait devant lui. Ses épaules nues sous les minces bretelles de la robe. Elle avait une odeur particulière, découvrit-il soudain. Une odeur familière, presque oubliée. De femme forte et saine.

– Je vous l'ai dit : j'entends votre voix tous les jours à la même heure. Et vous êtes belle... Si vous me permettez de vous dire ça.

Il y eut un silence, et elle détourna les yeux. Elle regardait de nouveau la fresque, mais cette fois ses pensées semblaient ailleurs. Puis elle observa les mains du peintre de batailles d'un air indécis, comme si elle attendait un mot ou un geste ; mais Faulques resta muet et immobile. La femme s'agita un peu. Elle paraissait mal à l'aise.

– Je vous remercie de m'avoir montré votre travail.

– C'est moi qui vous remercie de votre visite.

– Est-ce que je pourrai revenir ?

– Bien sûr.

Carmen Elsken marcha vers la porte, s'arrêta sur le seuil et regarda autour d'elle. Tout est si étrange, dit-elle. Et vous aussi. Elle lui fit face, se découpant dans la lumière du jour, les yeux, couleur bleu de Prusse éclairci d'une pointe de blanc, rivés sur les siens. Et Faulques sut qu'il lui suffirait d'avancer d'un pas, de tendre la main et de faire glisser ces bretelles sur les épaules bronzées pour que la robe tombe à ses pieds, sans résistance, et que la clarté du dehors couvre d'or le corps nu. Il eut un léger frisson. Fugace. Il y a un temps pour chaque chose, se dit-il. Et ce n'était pas le moment. Ça ne pouvait pas l'être. Il détourna les yeux, regarda le sol et haussa un peu les épaules. Réellement, pensa-t-il avec un peu d'étonnement, cela ne lui coûtait aucun effort de laisser les choses telles qu'elles étaient. Plus maintenant. De sorte qu'il passa à côté de la femme – il devina son trouble quand il la frôla –, sortit de la tour et attendit qu'elle le rejoigne. Elle le fit lentement, en l'étudiant d'un air songeur et, arrivée près de lui, elle sourit, entrouvrant les lèvres pour prononcer des mots qui ne vinrent pas. Alors Faulques l'accompagna jusqu'au départ du chemin, serra la main qu'elle lui tendait et la regarda s'éloigner. Avant de disparaître en bas de la côte, Carmen Elsken se retourna deux fois.

Lorsque Faulques revint à la tour, le soleil terminait sa lente plongée au-dessus de Cabo Malo, et la lumière qui entrait par la porte donnait des tonalités jaunes à l'apprêt blanc du mur opposé, où, dessinés au fusain sous la fenêtre est, des personnages mi-Brueghel mi-Goya – les limites de l'atrocité vues avec des yeux modernes – s'échelonnaient au pied du volcan en flammes : l'homme qui achevait le blessé à coups de crosse d'arquebuse, celui qui dépouillait les morts, le chien qui dévorait des cadavres, les exécutions, la roue du supplice, l'arbre portant des corps comme des grappes. Le Mal échappant au contrôle de la raison, véritable instinct naturel de l'homme. Le peintre de batailles resta immobile devant la scène, en l'observant. Il y a quelque chose de mauvais, ici, avait dit Carmen Elsken avec une lucidité ou une intuition étonnantes. Le mot était exactement celui-là, et il se coulait maintenant dans chacune des circonvolutions de la mémoire de Faulques, tandis qu'il prenait les pinceaux et se remettait à travailler à cette zone du mur, épiant du coin de l'œil le Mal incarné dans le regard du soldat, dans celui de l'enfant assis par terre près de sa mère. Ce visage enfantin et inquiétant n'était pas le fruit de son imagination. Il avait une localisation exacte dans l'espace et dans le temps, en plus d'être pérennisé graphiquement : page 42 de l'album posé sur la table. C'était l'une des photographies les plus simples et les plus terribles de Faulques. Un enfant souriant, un stade de football vide. Mais jamais il n'y avait eu de désastre de la guerre aussi sinistre que celui-là.

Cela s'était passé sur la ligne de démarcation incertaine entre Serbes et Croates, peu avant Vukovar. Le bourg s'appelait Dragovac : une église orthodoxe, une autre catholique, une mairie, un centre sportif. Un coin de campagne paisible. Le conflit des Balkans était passé par là sans faire apparemment de bruit : l'unique trace visible était un terrain vague là où s'élevait auparavant l'église catholique. Pour le reste, pas de maisons incendiées, en ruine, ni portant les marques de combats et de tirs. Les habitants vaquaient à leurs occupations et l'on ne voyait pratiquement pas de soldats. Tout aurait donc été presque bucolique, s'il n'y avait eu ce détail : les Croates de Dragovac, au nombre d'une centaine, avaient tous disparu en une nuit. Ne restaient que des Serbes. La rumeur courait d'un nouveau massacre ; c'est pourquoi Faulques et Olvido, dûment nantis des autorisations nécessaires de l'armée nationale yougoslave, s'y étaient rendus par la route qui longeait le Vrbas. Ils étaient arrivés à Dragovac le matin, à l'heure où presque tous les habitants travaillaient aux champs. Ils avaient garé leur voiture devant la mairie et marché dans les rues sans que personne les importune. Ni hostilité, ni coopération : à toutes les questions, les gens faisaient des réponses évasives ou gardaient le silence. Personne n'avait entendu parler de Croates, personne n'avait vu de Croates. Personne ne se souvenait d'eux. L'unique incident avait eu lieu sur l'emplacement dénudé de l'église catholique : deux miliciens portant l'aigle serbe sur leur casquette leur avaient demandé leurs papiers. *No photo*, avaient-ils seulement dit. *Verboten*. Au début, Faulques s'était inquiété, parce qu'ils avaient prononcé *verbluten*, ce qui signifie mourir égorgé – plus tard, il considéra que la différence n'était en fin de compte pas si grande, et même que c'était peut-être ce qu'ils avaient voulu réellement dire. Un sourire bien placé d'Olvido, des cigarettes et un brin de conversation avaient détendu l'ambiance. Les miliciens ne savaient rien non plus des Croates. Point final, avait conclu Faulques. On s'en va. Ils avaient regagné la voiture, et ils sortaient déjà du bourg quand ils étaient passés devant le centre sportif. On n'y voyait pas âme qui vive. Faulques avait eu tout d'un coup une sensation étrange, et il avait stoppé. Ils étaient restés assis dans la voiture, lui les mains sur le volant, elle le sac des appareils sur les genoux, en se regardant. Puis, sans prononcer un mot, ils étaient descendus et avaient marché. Il n'y avait personne, sauf un enfant qui les observait de loin, près d'un arbre mort. Quelque chose de sinistre flottait dans l'atmosphère, dans cette absence de tout bruit venant du bâtiment de ciment gris, si sombre et si désert que même les oiseaux évitaient de le survoler. Et lorsqu'ils avaient franchi le portail d'entrée pour arriver sur le terrain de football dépourvu d'herbe, dont la terre fraîchement remuée répandait une odeur étrange, Olvido s'était arrêtée, prise de frissons. Ils sont là, avait-elle dit à voix basse. Tous. C'est alors que l'enfant les avait rejoints. Il les avait suivis, puis s'était assis sur un gradin du stade, tout près. Il devait avoir huit ou dix ans, il était maigre, blond, avec des yeux très clairs. Un petit Serbe. Il portait un pistolet de bois grossièrement taillé passé dans la ceinture de sa culotte courte. Et soudain, sans que ni l'un ni l'autre aient prononcé une parole, l'enfant avait souri. Vous cherchez les Croates ? avait-il demandé dans un anglais scolaire. Puis, sans attendre la réponse, il avait accentué son sourire. Au village, vous n'en trouverez aucun, avait-il dit comme s'il leur racontait une bonne plaisanterie. *Nema nichta.* Ici, il n'y a pas de Croates, il n'y en a jamais eu. Olvido avait de nouveau frissonné, comme si un vent glacé venu d'on ne sait où s'abattait sur eux. Il connaît la vérité aussi bien que toi et moi, avait-elle murmuré. Mais Faulques avait fait non de la tête. Il la connaît mieux que nous, avait-il dit. Et elle lui plaît. Après quoi, il avait levé son appareil pour prendre le visage de l'enfant : les yeux glacials comme du givre, et ce sourire impitoyable et sournois.

# 17.

– J'espère que vous n'êtes pas trop fâché, dit Ivo Markovic.

Il était assis sur les marches de l'escalier, mains jointes sur le ventre, dans la lumière orange qui entrait par la fenêtre ouest. Son attitude était paisible et courtoise, comme d'habitude. Prévenante, même.

– J'ai pensé qu'entre vous et moi le fusil était de trop. Il déséquilibrait la situation... Je ne sais si vous me comprenez.

Faulques haussa les épaules sans répondre. En fait, et il en était le premier étonné, ce que lui racontait Markovic le laissait indifférent. Il finit de nettoyer les pinceaux, en suça la pointe et les mit à sécher. Après quoi, il vérifia que tous les flacons de peinture étaient fermés et regarda le Croate.

– J'avais cru que vous joueriez franc jeu, dit-il.

– Dans la mesure du possible, oui. – Markovic battit des paupières derrière les verres de ses lunettes, comme s'il était embarrassé. – Je veux seulement m'assurer que ce sera la même chose des deux côtés.

– Je ne m'imagine pas vous étranglant à mains nues. Je suis trop vieux pour ça.

– Vous dramatisez, monsieur Faulques.

Le peintre de batailles ne put éviter un rictus. Ou peut-être était-ce l'esquisse d'un sourire. Il hocha la tête, fit quelques pas en achevant de mettre de l'ordre dans son matériel et s'arrêta de nouveau devant Markovic. Le Croate était arrivé un quart d'heure plus tôt, rasé de frais, portant une chemise blanche bien repassée. Il avait frappé à la porte, demandé la permission d'entrer et, une fois dans les lieux, s'était livré à un long examen de la fresque et à un autre, non moins long, de Faulques. Vous avez avancé, depuis la dernière fois, avait-il dit. Les personnages près de la porte, les pendus et le reste. Vraiment, vous avez beaucoup travaillé. Mais savez-vous que ce curieux couple – il désignait Hector et Andromaque – me fait penser à moi faisant mes adieux à ma femme ? Amusant, n'est-ce pas… La vie a de ces paradoxes. Elle pleurait parce qu'elle avait peur que je me fasse tuer, et c'est elle qui est morte. Avec l'enfant. Et moi, je suis ici. Songeur, Markovic répéta Je suis ici et laissa son regard errer sur les trois mégots que Faulques venait de poser sur la table. Il demeura ainsi un moment, perdu dans ses pensées, puis il se toucha le nez. C'est vrai, dit-il. J'ai pris la liberté de venir ce matin, pendant que vous étiez au village. J'avais envie de jeter un coup d'œil. J'ai passé un bout de temps à admirer votre travail. J'avais besoin de réfléchir à certaines choses, seul, devant cette peinture. Et laissez-moi vous dire : je ne sais pas si elle est bonne, mais elle fait réfléchir. Elle en dit beaucoup sur vous. Et sur moi. Ensuite, j'ai été indiscret et j'ai fouillé dans vos affaires. En haut, j'ai trouvé le fusil et les cartouches. J'ai tout jeté du haut de la falaise avant de m'en aller.

Faulques avait fini de mettre de l'ordre dans son matériel. Il se tenait devant Markovic, toujours assis dans l'escalier Calmement, délibérément, il sortit un couteau du tiroir de la table et le posa parmi les instruments de peinture : un solide couteau de plongée, menaçant, la lame un peu rouillée. Le Croate suivait ses mouvements.

– L'ennui, avec les souvenirs, dit enfin celui-ci, c'est qu'ils peuvent vous transformer en prophète. Vous ne croyez pas ?... Y compris de soi-même.

Son ton était énigmatique. Il semblait attendre un assentiment, un signe de complicité. Il sortit un paquet de cigarettes et en glissa une entre ses lèvres.

– Avez-vous parfois imaginé une taupe folle, monsieur Faulques ?

Il pencha la tête pour allumer la cigarette, puis contempla le briquet en le faisant tourner entre ses doigts. Après quoi, il le remit dans sa poche.

– Lorsque j'ai été libéré du camp de concentration et que j'ai su que ma femme et mon fils étaient morts, je me suis senti comme ça. Comme une taupe sous terre et folle qui creuserait dans n'importe quelle direction, sans but. Jusqu'au moment où j'ai pensé à vous. Ça m'a rendu mon bon sens. La lumière.

Il contemplait Faulques d'un air amical. Reconnaissant. Celui-ci hocha la tête.

– Votre bon sens est discutable.

– Ne dites pas ça. Je suis tellement sensé que je m'étonne moi-même. Grâce à ce que vous avez fait de ma vie, j'ai pu me rendre compte du rôle que nous jouons tous dans cette peinture. En réalité, je dois vous dire merci. Merci beaucoup.

Il tira plusieurs bouffées de sa cigarette, songeur, puis se leva et s'approcha de la fresque. Je n'ai pas seulement appris ça, dit-il. J'ai aussi appris, par exemple, que quand une chose a été faite, elle ne peut plus être changée, ni modifiée. Il ne reste plus qu'à en payer le prix. La pénitence. J'ai l'espoir que, vous aussi, vous avez compris ça.

– Et dites-moi... Pourquoi avez-vous peint cette femme avec la tête tondue ? Le viol ne suffit pas ? Ce sang sur les cuisses et l'enfant qui la regarde ?

Cela paraissait le préoccuper. L'inquiéter vraiment. Faulques le rejoignit sans hâte. Ils étaient l'un à côté de l'autre, regardant la peinture. Déformation professionnelle, dit le peintre de batailles. Je suppose. Réflexes de photographe. Femmes tondues, femmes violées.

– Vous connaissez, poursuivit-il, ces vieilles photos de la libération de la France ?... Sur une photographie, le viol n'est presque jamais visible. Il faut l'expliquer, et l'image ne tient pas la route. Le peindre est plus ou moins pareil. Une femme tondue, cela fait plus dramatique. Cela permet de mieux imaginer.

Markovic réfléchit et parut d'accord. Vous avez raison, dit-il. Dramatique. La fumée lui faisait plisser les yeux, penché comme il l'était pour étudier de près l'image peinte sur le mur.

– Il y a quelque chose d'inquiétant chez cette femme, commenta-t-il. C'est peut-être son... Je ne sais pas comment appeler ça. Son animalité ?... Elle semble à peine humaine, si vous me permettez l'expression. Ces cuisses dénudées, le ventre. Il y a plus d'animal que d'humain chez elle. – Il regarda son interlocuteur avec un respect renouvelé. – Ce n'est pas un hasard, n'est-ce pas ?... Ce n'est pas dû à une maladresse de votre part.

Faulques eut un geste vague.

– Je ne suis pas un peintre adroit. Mais ce que vous dites est probablement vrai. La violence, n'importe quelle violence, transforme ceux qui y sont soumis en chose, en quartier de viande animale... Je pense que vous serez du même avis.

– Je le suis. J'en ai fait l'expérience.

Markovic se déplaça le long du mur circulaire, dont la lumière du couchant obscurcissait certaines parties et en rougissait d'autres. Il s'arrêta devant l'homme qui frappait un agonisant. Le corps au sol, à peine esquissé, n'était que quelques traits gris et ocre. Un visage informe.

– Certains disent, commenta Markovic, que celui qui frappe, qui torture, qui tue, se transforme lui aussi en animal privé de raison... Qu'en pensez-vous ? Croyez-vous que personne ne peut penser et tuer en même temps ?

Faulques médita quelques instants. Ou parut méditer.

– C'est compatible, dit-il. Tuer et penser.

– Comme votre sniper ?... L'artiste du fusil à lunette ?

– Par exemple.

– J'ai lu quelque part qu'il n'y a rien d'intelligent dans l'acte de tuer.

– Ceux qui affirment ça sont mal informés.

Markovic acquiesça. C'est aussi mon opinion, semblait-il dire.

– Et alors ? Avez-vous réfléchi à ce que je vous ai raconté ces derniers jours ?... Je veux dire : Vous sentez-vous complice ou personnage actif de votre peinture ?... Croyez-vous que quelqu'un peut penser et photographier en même temps ?

– Ce que je crois, c'est que vous parlez trop. Je commence à regretter mon fusil.

– Vous avez le couteau.

– Ce n'est pas la même chose.

Maintenant, Markovic riait pour de bon, avec complaisance. Un rire franc, sincère. Il termina sa cigarette, l'éteignit dans le verre à moutarde et rit encore. Puis il resta encore un moment à regarder la fresque, après quoi il désigna *The Eye of War*, toujours sur la table. Il y a deux photos de vous très connues, dit-il. Elles sont dans ce livre. Prises en Afrique. Un homme que plusieurs autres frappent puis tuent à coups de machette devant votre objectif. Vous voyez desquelles je parle ?

– Bien sûr. Freetown, en Sierra Leone. L'homme exécuté. Un cliché avant, un cliché après.

Markovic acquiesça de nouveau, satisfait. C'était intéressant, dit-il, de comparer ces deux photos avec les images d'un reportage sur les photographes de guerre qu'il avait vu à la télévision. Il ignorait si Faulques était au courant, mais il figurait dans ce reportage : une séquence filmée précisément lors de ces faits. En ce qui concernait les photos, sur la première on voyait la victime frappée à coups de machette, et sur la seconde elle était déjà à terre, morte, saignant de toutes ses entailles. Mais dans la séquence de la télévision qui montrait la scène dans sa totalité, on voyait d'abord Faulques en train de prendre la première photo, et ensuite à genoux, demandant qu'on ne tue pas cet homme. Dans la posture de quelqu'un qui prie, ou qui implore.

Le peintre de batailles eut un sourire amer.

– Je n'ai pas été convaincant.

Cette scène-là non plus ne figurait pas parmi ses meilleurs souvenirs. Si toute guerre signifiait une marche vers l'enfer, l'Afrique était sûrement le chemin le plus court. Chac ! Chac ! Ce bruit des machettes taillant dans la chair et les os, c'était, là aussi, quelque chose d'impossible à photographier, ou à peindre. Certains sons ne posent pas de problèmes, ils sont parfaits et ont leur couleur : vert tendre pour les accords brefs ou longs du violon, bleu sombre pour le vent nocturne, gris pour la pluie tambourinant sur les vitres. Mais ce bruit-là était impossible à composer sur la palette. Ses contours se perdaient comme les touches dans la couleur de Cézanne.

– Vous ne les avez pas convaincus, en effet. – Markovic le regardait avec attention. – Mais je dois avouer que j'ai été surpris de vous voir faire ça. Je vous croyais un témoin indifférent.

– Eh bien, vous avez la réponse : photographier et penser sont parfois compatibles.

– Quoi qu'il en soit, vous avez continué à travailler. Vous avez pris la seconde photo, l'homme mort à vos pieds… Vous êtes-vous dit, dans l'intervalle des deux, que c'était peut-être parce que vous étiez là qu'ils le tuaient ?… Pour que vous preniez la photo ?

Le peintre de batailles ne répondit pas. Naturellement, il se l'était dit. Il soupçonnait même que c'était exactement ce qui s'était passé. Maintenant, il savait qu'aucune photographie n'était inerte, ou passive. Elles exerçaient toutes une action sur ce qui les entourait, sur les gens qui y figuraient. Sur chacun des innombrables Markovic dont l'objectif s'appropriait les vies. C'était pour cela qu'Olvido ne photographiait que des lieux et des objets, jamais des individus ; elle avait elle-même trop longtemps posé devant les objectifs pour en ignorer les dangers. Les responsabilités. La période où ils avaient voyagé ensemble, c'était elle qui avait réussi à se maintenir en marge, et pas lui.

– Croyez-vous que, de vous être agenouillé durant dix secondes, cela vous absout ? insista Markovic.

Faulques revint lentement au présent : la tour, l'homme qui était près de lui et regardait la fresque. Ces photographies dont parlait le Croate. Après avoir réfléchi un moment, il haussa les épaules.

– En d'autres occasions, mon appareil a évité certaines scènes.

Markovic émit un claquement de langue dubitatif. Puis, à son tour, il parut réfléchir et sembla revenir sur sa première réaction. Peut-être, conclut-il finalement, Faulques n'était-il pas fier de cela. De ne rien éviter. Ou, au contraire, peut-être ne le regrettait-il pas. Le Croate pensait, par exemple, à ces garçons qu'il avait photographiés au Liban, quand ils attaquaient un char.

Le peintre de batailles le regarda avec surprise. Cet individu avait vraiment bien fait ses devoirs.

– Je vous l'ai dit, vous êtes mon rasoir ébréché. – Markovic portait un doigt à son front. – J'ai eu beaucoup de temps... Vous vous souvenez de cette photo ?

Faulques se souvenait. Dans les faubourgs de Beyrouth, quatre très jeunes Palestiniens étaient sortis à découvert pour qu'il les photographie en train d'attaquer au lance-grenades RPG un char israélien Merkava. Le char avait fait pivoter sa tourelle comme un monstre paresseux, tiré un obus et tué trois garçons. Première page des journaux du monde entier : David contre Goliath, etc. Un garçon debout dans un nuage de poussière devant le char, lance-grenades à l'épaule, et regardant, désorienté, ses trois camarades morts. Faulques savait que s'il n'avait pas été là avec ses appareils, cela ne serait jamais arrivé. Ou en tout cas pas de cette façon. Apparemment, son visiteur en était arrivé à la même conclusion. Le peintre de batailles se demanda combien de temps le Croate avait consacré à étudier chacune de ses photos.

– Savez-vous ce que je pense aujourd'hui ? s'exclama Markovic. Que photographier les gens, c'est aussi les violer. Les frapper. Ça les arrache à leur normalité, ou peut-être ça les renvoie à celle-ci, là-dessus je ne suis pas très au clair... Ça les oblige aussi à affronter des choses qui n'entraient pas dans leurs projets. À se voir eux-mêmes, à se connaître comme jamais ils ne se seraient connus autrement. Et parfois ça peut les obliger à mourir.

– Là, c'est vous qui dramatisez. Tout est plus simple.

Les yeux gris rétrécirent derrière les verres des lunettes.

– Vous croyez ça ?

– Mais oui. L'incidence de l'objectif est minime. La vie et ses règles sont là. Si ce n'avait pas été ces garçons, si ce n'avait pas été vous, ç'aurait pu être n'importe qui d'autre... C'est l'histoire d'une fourmi qui se donne beaucoup trop d'importance. Que l'homme écrase telle fourmi plutôt que telle autre, qu'est-ce que ça change ? Vu d'en bas, ça apparaîtra toujours comme le soulier de Dieu, mais en réalité ce qui les tue, c'est la géométrie. Les pas du Hasard sur un échiquier rigoureux.

– Maintenant, oui, je comprends ce que vous voulez dire. – Markovic lui adressa un regard hostile. – Ça vous rassure, c'est ça ?

– Naturellement. Il n'y a pas de raisons de réclamer des comptes à quelqu'un. Impossible de chercher un visage particulier pour le détruire... Et puis, rappelez-vous comment j'ai pris cette photo : sans téléobjectif, avec un 35 mm, et en tenant l'appareil à la hauteur de ma tête. Cela signifie que je me trouvais tout près de ces garçons quand le char a tiré. Et que j'étais debout.

Ils gardèrent tous deux le silence. Markovic étudiait à présent les navires échoués sur la plage et ceux qui s'éloignaient sous la pluie. Les innombrables personnages minuscules qui se dirigeaient vers eux, sortant de la ville en flammes. Feu et pluie, tension des contraires donnant vigueur à la nature et réalité à la vie, couleurs chaudes amorties par des formes polyédriques, acérées, froides. Et cet axe de vainqueurs, navires et guerriers,

différent de celui des vaincus, question d'angles et de
perspective, le sommet dans la ville, une diagonale menant
à la femme violée et à l'enfant, une autre ordonnant la
file des fugitifs. Le tout si serein, pourtant. Le regard de
l'observateur allait d'abord à Hector et Andromaque,
glissait naturellement vers le champ de bataille à travers
les chevaliers qui se battaient sous le volcan indifférent
et, après avoir parcouru les destructions de la guerre,
arrivait enfin sur l'enfant mort et l'enfant vivant, ce dernier à la fois victime et futur bourreau de lui-même
– seuls les enfants morts n'étaient pas les bourreaux de
demain. Malgré leur âpreté, les désastres de la guerre
restaient au second plan, pris dans les couleurs et la
forme qui les entourait ; et le regard s'arrêtait sur les
yeux des guerriers en attente de combattre, sur le soldat
de fer, sur la femme qui marchait en tête des fugitifs, sur
les cuisses de l'autre femme à terre. Et, pour finir, sur ce
qui formait un triangle, le volcan à égale distance de la
ville en flammes à gauche et de l'autre ville qui s'éveillait
dans la brume à droite, ignorant qu'elle vivait son dernier jour.

C'était une bonne composition, décida Faulques. Ou
en tout cas raisonnablement bonne. Comme la musique
pour l'oreille, elle obligeait l'œil à regarder ce qui devait
l'être sans se hâter. Conduisant le spectateur par la main
du plus évident vers le plus caché, ce canevas de lignes et
de formes sur lequel le figuratif – personnages, énigmes
distillées en manifestations physiques – s'articulait avec
une sobre intensité, maintenait tout dans des limites
naturelles. Il interdisait la démesure, le cri. L'excès. Il
démentait le chaos apparent. Sur la palette mentale de
Faulques, cette peinture avait le poids d'un cercle bleu,
le pathétique d'un triangle jaune, la force inexorable

d'une ligne noire. Car – Olvido l'avait dit un jour, mais elle l'avait sûrement volé à un autre – une pomme pouvait être plus terrible qu'un Laocoon. Ou des chaussures, avait-elle ajouté plus tard, alors qu'ils observaient un homme qui, ses béquilles posées contre le mur, astiquait son unique soulier dans une rue de Maputo, au Mozambique. Souviens-toi, avait-elle dit, de ces photos inquiétantes d'Atget à Paris : de vieilles chaussures alignées sur leurs étagères, attendant d'improbables propriétaires. Ou celles des centaines de chaussures entassées dans les camps d'extermination nazis.

– Comme c'est étrange, commenta Markovic. J'avais toujours pensé que les peintres embellissaient le monde. Qu'ils atténuaient la laideur.

Faulques ne répondit pas. Tout dépendait, était-il en train de penser, de ce que l'observateur avait dans la tête en regardant, ou de ce que l'artiste mettait dans la tête de celui qui observait. Chaussures ou pommes, même les représentations les plus innocentes pouvaient suggérer un labyrinthe avec son fil d'Ariane lové à l'intérieur comme un ver.

– Vous savez ce que je crois, monsieur Faulques ? Que vous ne vous rendez pas justice. Après tout, il se pourrait que vous soyez un très bon peintre.

Maintenant Markovic bougeait, tournant sur lui-même, attentif aux fenêtres, à la porte, à l'étage. Il semblait lever mentalement un plan des lieux. Une ultime révision.

– Je suis sûr que toute personne qui entrerait dans cette tour, même en ne sachant pas ce que vous et moi savons, éprouverait un certain trouble… – Il fixa soudain Faulques avec un intérêt poli. – Comment a réagi la femme qui est venue ?

Les deux hommes se regardèrent dans les yeux pendant un moment. Puis le peintre de batailles sourit.

– Je suppose qu'elle a été troublée. Jusqu'à un certain point. Elle a dit qu'il y avait là quelque chose de mauvais, et de terrible.

– Vous voyez ? C'est bien ce que je voulais dire. Donc vous n'êtes pas si maladroit que vous le prétendez. Malgré tous ces angles, toutes ces lignes droites et toutes ces ombres interminables...

Il tendait les bras, englobant la totalité de la fresque. Puis il laissa retomber ses mains le long de son corps.

– Circulaire comme un piège. – Il fronçait les sourcils. – Un piège pour taupes folles.

Là-dessus, il regarda Faulques avec affection. Une affection que, derrière les verres de ses lunettes, les yeux gris clair rendaient ironique, ou glacée. Le peintre de batailles se répéta les mots « glacée », « affection », en essayant de les concilier comme sur une palette. Il renonça, mais le regard qui pesait toujours sur lui reflétait exactement cela. D'une certaine manière, murmura alors le Croate, je suis fier de vous.

– Pardon ?

– Je dis que je suis fier de vous.

Il y eut un silence. Markovic continuait de le regarder de la même façon.

– Et j'espère, monsieur Faulques, que, vous aussi, vous êtes fier de moi.

Le peintre de batailles se passa une main sur la nuque. Perplexe ? Non, ce n'était pas exactement cela. En réalité, il comprenait parfaitement ce que l'autre voulait dire. Ce qui l'étonnait, c'étaient ses propres sentiments.

– Vous avez fait un long chemin, admit-il.

– Aussi long que le vôtre.

Markovic observait maintenant la fresque. Je crois, ajouta-t-il, qu'il n'y a plus grand-chose à dire. Sauf si vous acceptiez de me parler de cette dernière photo.

– Quelle dernière photo ?

– Celle que vous avez faite de la femme morte, sur la route de Borovo Naselje.

Faulques le regarda, impassible.

– Nous en avons assez dit là-dessus, répondit-il. Il est temps que vous partiez.

L'autre pencha un peu la tête de côté, comme pour s'assurer qu'il avait bien entendu et que tout était en règle. Que tout était comme ce devait être. Après, il acquiesça lentement, ôta ses lunettes pour nettoyer les verres avec le pan de sa chemise, et les remit.

– Vous avez raison. Ça suffit.

Il y avait dans ce dernier échange comme une nostalgie anticipée, pensa le peintre de batailles. Deux hommes qui s'étaient habitués l'un à l'autre, sur le point de se séparer. À sa grande surprise, il se sentait étrangement calme. Les choses arrivaient quand elles le devaient. En leur temps et à leur rythme. Pendant un moment, il se demanda ce que ferait Markovic ensuite, sans lui. Sans le rasoir ébréché planté dans son cerveau. Mais, après tout, ce ne serait plus son affaire.

Le Croate se dirigea lentement vers la porte. Il le fit presque à regret. Sur le seuil, il s'arrêta et alluma une autre cigarette avec le briquet de Faulques. Puis il désigna la fresque.

– Prenez votre temps, monsieur le peintre. Vous pouvez peut-être encore... Je ne sais pas. Il y a des parties inachevées... – Il se tourna pour regarder le bois de pins au bord de la falaise. – Je resterai dehors, j'attendrai. Vous disposez de toute la nuit. Ça vous va ?... Jusqu'à l'aube.

– Ça me va.

La lumière du couchant arrivait très bas de derrière les pins, nimbant Markovic d'un rougeoiement qui semblait se mélanger à la lumière peinte des scènes représentées sur le mur. Faulques le vit esquisser un sourire mélancolique, la cigarette à la bouche, tandis qu'il lançait un long regard à la fresque en guise d'adieu.

– C'est dommage que vous ne puissiez pas la terminer. Quoique, si j'ai bien compris, ce soit finalement peut-être de ça qu'il s'agit.

# 18.

Toutes les couleurs d'une ombre pouvaient être transmuées en la couleur de cette ombre, et celle-là était rouge : du jaune, du carmin et encore un peu de jaune, en ajoutant une pointe de bleu pour s'approcher de la couleur du sang, de la boue qui collait sous les bottes, des briques pulvérisées, des débris de verre qui jonchaient le sol en reflétant les incendies proches, des horizons avec des puits de pétrole en flammes, des villes qui explosaient, se détachant en noir sur un fond de scènes impossibles qui s'avéraient pourtant d'un extrême réalisme. C'était, en résumé, l'ombre du volcan, ou plutôt celle des objets éclairés par lui ; la projection de ses versants opposés, découpés, bordés par la fulguration du cratère qui dominait de son sommet olympien et mortel la partie supérieure du triangle en teintant symétriquement de rouge les alentours.

À l'intérieur de la tour, on n'entendait pas d'autres sons que le ronronnement du générateur qui fonctionnait dehors et le frottement des pinceaux contre le mur. À la lumière des lampes halogènes, le peintre de batailles travaillait fébrilement. Il s'arrêta un instant, mélangea du carmin de garance, de l'ombre brûlée et un peu de bleu de Prusse pour obtenir un noir chaud, et il l'appliqua

immédiatement pour faire ressortir le contour des blessures zigzagantes, pareilles à des éclairs rouges et ocre,
ouvertes sur les flancs du volcan. Puis il recula de quelques pas – en se passant la main sur la figure, il laissa des
taches de peinture sur son menton pas rasé –, observa le
résultat et regarda avec inquiétude la partie de la fresque
qui était dans l'ombre. Les corps pendus aux arbres, une
des deux armées qui se battaient dans la plaine, plusieurs
des navires situés à droite de la porte et une fraction de
la ville moderne étaient toujours à l'état d'esquisses au
fusain sur l'apprêt du mur. En essayant de ne pas y penser – une seule nuit ne représentait pas grand-chose –,
Faulques se remit à la tâche. Le volcan était terminé, ou
presque. Les trois quarts de la surface prévue étaient
ainsi remplis.

Il choisit un pinceau rond, moyen, et, sur un coin
propre de la plaque, il mélangea rapidement du blanc, du
jaune, un peu de carmin et un soupçon de bleu. Ensuite,
s'approchant de nouveau du mur, il prolongea avec la
couleur ainsi obtenue l'une des failles du flanc du volcan
en lui donnant la forme d'un chemin, d'un sentier, qu'il
fit ressortir en mêlant des gris et des bleus directement
sur le mur. Le trait épais, puisqu'il n'avait pas le temps
d'entrer dans les détails, donnait au chemin un aspect
singulier. En fait, il ne menait nulle part : il sortait de la
faille du volcan et mourait sur l'apprêt blanc. Il ne faisait
pas partie des plans de Faulques et ne figurait donc pas
dans les ébauches. L'effet, cependant, était bon. Il intro-
duisait un axe nouveau, une variante inattendue, un lien
singulier qui rattachait ce volcan à l'autre, celui qui était
accroché à la cimaise du Musée national d'Art de Mexico,
et aux yeux verts dont le regard avait croisé celui de
Faulques alors qu'il regardait ce tableau pour la première

261

fois. À lui-même, là-bas, immobile, assistant à l'entrée dans sa vie d'Olvido Ferrara. Un chemin qui filait tout droit, menaçant comme la trajectoire tendue d'un coup de feu, à travers le paysage peint sur le mur, jusqu'en un lieu précis des Balkans.

Nom de Dieu! Surpris, le peintre de batailles s'arrêta et but un peu du café froid qui restait dans la tasse posée sur la table, au-dessus de *The Eye of War*. En réfléchissant aux volcans et aux chemins. Il n'avait pas le temps de rien entreprendre d'autre, se dit-il. Chaque zone de la fresque avait été minutieusement planifiée avant d'être réalisée sur le mur, et cette variante insolite n'était pas prévue; mais force était de reconnaître qu'elle s'insérait parfaitement, comme si cet espace lui avait été réservé dès le début. Le peintre de batailles finit le café, en constatant que dans sa tête, dans les yeux qui contemplaient la fresque, dans ses mains tachées de peinture et dans le pinceau humide surgissaient des possibilités imprévues. Des nuances cachées qui avaient peut-être toujours été là. Paradoxalement, ces nouveaux traits pénétrant dans la partie pas encore peinte – ou celle-ci à elle seule – semblaient matérialiser et confirmer ce qui avait été peint sur le reste, de la même manière qu'une poignée de sable qui fuirait entre les doigts jusqu'à disparaître représenterait, peut-être, un concept plastique pertinent du mot « sable ».

La douleur se manifesta de nouveau, montant de son ventre. Le peintre de batailles resta immobile quelques secondes, aux aguets, puis, sentant qu'elle se confirmait, sourit un peu, pour lui-même, avec le plaisir pervers de savoir des choses que la douleur ignorait. De toute manière, cette nuit, Faulques n'était pas disposé à lui laisser le champ libre; il n'en avait pas le temps. Il la jugula

donc tout de suite, presque précipitamment : deux comprimés, avalés avec un verre de cognac. Il posa la bouteille
sur la table, entre les flacons et les pinceaux, puis, après
avoir hésité, il la reprit et but encore, directement au goulot. Après quoi, il alla sur le pas de la porte pour s'adosser
au mur et profiter de la fraîcheur de la brise nocturne,
dans l'attente que le médicament agisse. Il regarda les
étoiles et l'éclat lointain du phare dessinant la falaise. À un
certain moment, parmi les points lumineux des lucioles
qui voletaient sous la masse noire des pins, il crut voir
rougeoyer la braise d'une cigarette.

Lorsque les derniers élancements se furent apaisés,
Faulques rentra dans la tour, gagné par l'agréable lucidité
chimique du calmant dissout dans son estomac. Prêt à
reprendre le travail, il inspecta de nouveau la partie non
peinte. Il vit alors quelque chose qu'il n'avait pas remarqué auparavant. Il découvrit avec stupéfaction que s'était
insinuée là une œuvre différente, plus hétérodoxe et plus
audacieuse. Un espace en blanc où l'incomplet, l'absence,
était la confirmation de la présence même. Mû par cette
intuition, il posa le pinceau – tel quel, sans le rincer ni le
sécher – et tenta d'obtenir l'effet recherché en trempant le
pouce de la main droite dans le mélange préparé sur
la palette. Puis il frotta ce pouce tout le long du chemin
fraîchement peint, en donnant à celui-ci l'aspect d'une
succession inexorable de sillons prolongés, de lignes et
de crêtes minuscules difficiles à appréhender à première
vue. Il continua de travailler avec les mains, sans pinceaux.
Il appliquait maintenant la peinture avec les doigts, blanc,
bleu, jaune et blanc, obtenant des verts singuliers pareils
à la lumière matinale sur un pré, des gris semblables
à l'asphalte d'une route défoncée par les obus, des bleus
sales de ciel embrumé par la fumée des maisons en

flammes. Et un vert aquatique comme les yeux de la femme dont ce paysage évoquait le souvenir, jean moulant les longues jambes, saharienne, cheveux blonds rassemblés en deux tresses tenues par des élastiques, sac des appareils à l'épaule et l'un d'eux sur la poitrine. Olvido Ferrara marchant sur la route de Borovo Naselje.

Elle avait dit quelque chose ce matin-là. C'était pendant qu'ils révisaient leur matériel après avoir passé la nuit blottis sous le porche d'une cour, donnant sur la rue principale de Vukovar, qui semblait à l'abri des mortiers serbes. Ceux-ci avaient bombardé les alentours ; plusieurs fois, les explosions avaient éclairé les toits effondrés des immeubles voisins, mais ensuite étaient venues trois heures de silence. Les deux photographes s'étaient relevés à l'aube, dans la première lumière qui répandait sur tout un voile de grisaille uniforme, et c'est alors qu'Olvido avait regardé autour d'elle, les façades des maisons désertes, les débris de briques et de vitres épars sur le sol, et qu'elle avait parlé sans s'adresser particulièrement à Faulques, comme si elle exprimait à voix haute une réflexion dans laquelle elle était plongée. C'est plus une question d'imagination que d'optique, avait-elle dit. Puis elle était restée silencieuse en contemplant ce lieu sombre, le boîtier de l'appareil ouvert dans ses mains et la pellicule à demi introduite dedans. Elle avait refermé l'appareil avec un claquement, fait résonner le moteur et adressé à Faulques un sourire distrait, comme si tout ce qui occupait son esprit en ce moment était loin. Ces types, avait-elle ajouté soudain, Géricault et Rodin, avaient raison : Seul l'artiste est véridique. C'est la photographie qui ment.

Plus tard, ce matin-là, les chaussures de sport blanches d'Olvido faisaient crisser les gravats jonchant le sol – la route était criblée d'impacts d'artillerie –, et Faulques entendait ce bruit en marchant de l'autre côté, les mains sur ses deux appareils prêts, attentif au terrain et au carrefour qu'ils avaient devant eux, une zone découverte qu'ils devaient traverser pour gagner Borovo Naselje. Un groupe de soldats croates les précédait et un autre venait derrière. On entendait au loin des tirs d'armes automatiques : un crépitement étouffé qui se confondait avec celui des poutres du toit incendié d'une maison voisine. Il y avait aussi un militaire serbe mort au milieu de la chaussée jalonnée d'impacts en forme d'étoile. Atteint la veille par un de ces mortiers, le Serbe gisait sur le dos, l'uniforme lacéré par les éclats, couvert de poussière grise qui remplissait aussi ses yeux grands ouverts et sa bouche béante, les poches retournées et sans chaussures. Près de lui étaient éparpillées celles de ses affaires que les pillards avaient dédaignées : un casque d'acier vert avec une étoile rouge, un portefeuille ouvert, des papiers d'identité répandus par terre, un trousseau de clefs, un stylo à bille, un mouchoir froissé. En s'approchant du cadavre, Faulques avait considéré l'éventualité d'une photo, avec pour fond la maison incendiée. Il avait donc calculé la lumière – 125ᵉ de seconde, ouverture 5.6 –, préparé le Nikon F3 et, arrivé à la hauteur du soldat, s'agenouillant un instant, il avait pris dans le champ de son viseur le corps, les jambes ouvertes en V, les pieds déchaussés avec un orteil dépassant de la chaussette trouée, les bras en croix et les objets épars, la maison incendiée à gauche formant un angle avec la route. Ce qu'il ne pouvait photographier, c'était le vrombissement des mouches – c'étaient elles qui gagnaient toutes les batailles –, l'odeur, qui évoquaient tant d'autres odeurs et d'autres vrombissements, mouches et puanteur autour des corps tailladés de Sabra et Chatila, mains attachées avec du fil de fer sur les décharges de San Salvador, camions déchargeant des cadavres poussés par des pelles mécaniques à Kolwezi : *bzzzbzzzbzzz*. Un photographe habile, avait affirmé quelqu'un, peut photographier n'importe quoi. Mais Faulques savait que celui qui avait dit cela n'avait jamais été dans une guerre. Ce n'était pas possible de photographier le danger, ou la faute. Le bruit d'une balle qui fait exploser un crâne. Le rire d'un homme qui vient de gagner sept cigarettes en pariant sur le sexe du fœtus de la femme qu'il a éventrée avec sa baïonnette. S'agissant du cadavre du Serbe sans souliers, un écrivain, peut-être, aurait pu trouver les mots qu'il fallait. Pour les mouches, par exemple. *Bzzzbzzzbzzzbzzzbzzzbzzz*. L'odeur, c'était autre chose. Ou la solitude nue du corps couvert de poussière : personne ne balayait la poussière qui couvrait un cadavre. Seul l'artiste est véridique, s'était souvenu Faulques. Et il s'était dit que c'était peut-être vrai, que la photographie avait pu être véridique quand elle était naïve et imparfaite, à ses débuts, quand l'appareil ne pouvait capter que des objets statiques, et que sur les vieilles plaques les villes apparaissaient comme des scènes désertes où les êtres humains et les animaux n'étaient que des formes fugaces, visages imprécis et fantomatiques à l'égal de ceux d'une photo bien postérieure, faite à Hiroshima le 6 août 1945 : la trace sur un mur d'une silhouette humaine et d'un escalier désintégrés imprimée par la déflagration de la bombe.

En baissant l'appareil, Faulques avait vu qu'Olvido s'était arrêtée de l'autre côté de la route pour ne pas être dans le champ et qu'elle le regardait. Alors il s'était relevé, il avait traversé pour la rejoindre, et, ce faisant, il avait constaté qu'elle ne le quittait pas des yeux, comme si elle étudiait chacun de ses mouvements, chacune de ses expressions, son aspect. Les jours précédents, il l'avait plusieurs fois surprise en train de l'observer de la sorte, en catimini d'abord, puis franchement, et il avait eu l'impression qu'elle voulait graver tout de lui dans sa mémoire, toutes les images de cette étape d'un étrange et long voyage sur le point de s'achever. Un voyage dont elle avait le billet de retour en poche. Faulques marchait avec une sensation de tristesse et de froid infinie. Pour les dissimuler, il avait regardé les alentours : les soldats qui s'éloignaient vers le carrefour, la maison incendiée. Sur tout cela régnaient un ciel limpide, sans nuages, et un soleil qui n'était pas encore assez haut pour rendre les photos plus difficiles et qui projetait l'ombre déformée d'Olvido sur les cailloux de la route défoncée. Un instant, Faulques eut envie de prendre une photo de cette ombre aux contours imprécis ; mais il n'en fit rien. C'est alors qu'elle avait aperçu par terre un cahier déchiré et décoloré. Un cahier scolaire, à couverture bleue, avec des pages arrachées, ouvert sur l'herbe. Elle avait empoigné son appareil, fait deux pas en avant, cherchant le bon cadrage, fait encore un pas sur la gauche, et marché sur la mine.

Faulques regarda ses mains tachées de peinture rouge, puis observa la fresque qui le cernait. Les formes changeaient au contact de la couleur. Les espaces en blanc, les esquisses au fusain sur l'apprêt du mur, avaient cessé d'apparaître comme des zones vides. Sous l'intense lumière des lampes halogènes, tout semblait fusionner dans son cerveau à la manière des peintures impressionnistes : couleurs, espaces, volumes qui n'acquéraient leur intégration correcte que dans la rétine du spectateur. Les personnages et les paysages à peine esquissés, les formes annoncées sur le mur, les touches minutieuses et les traits épais, la peinture encore fraîche appliquée avec les doigts sur des figures déjà peintes ou sur des espaces blancs, étaient aussi réels, aussi véridiques – seul l'artiste est véridique, se souvint-il encore une fois – que ceux qui étaient achevés. Un long chemin. Il y avait un canevas sous-jacent, une perspective fabuleuse et interminable comme une boucle, qui parcourait le cercle de la fresque sans jamais s'arrêter, intégrant chaque élément, reliant entre eux les navires qui appareillaient sous la pluie, la ville en flammes sur la colline, les fugitifs, les soldats, la femme violée et l'enfant bourreau, l'homme sur le point de mourir, les arbres portant des pendus comme des fruits, la bataille dans la plaine, les hommes se battant au premier plan, les cavaliers s'apprêtant à entrer dans la bataille, la ville endormie et confiante avec ses tours d'acier, de béton et de verre. L'univers visible et tout ce qu'on pouvait concevoir de l'immensité de la nature. Rien ne manquait de ce qu'il avait voulu peindre : Brueghel, Goya, Uccello, le docteur Atl et les autres, tous ceux dont le regard et les mains de Faulques s'étaient servis pour exprimer l'ensemble de ce qui, au long de sa vie, était passé par le viseur de l'appareil pour atteindre la caverne de Platon de sa rétine – la pellicule du négatif et le papier du tirage positif ne jouant dans tout cela que des rôles secondaires – s'expliquaient enfin, combinés dans la formulation géométrique dont l'origine et le résultat final convergeaient dans le triangle qui dominait tout, le volcan noir, brun, gris, rouge. Le symbole du cryptogramme, privé de sentiments et implacable dans ses symétries, étendant ses coulées de lave comme une toile d'araignée qui engloberait le chiffre de l'Univers, les fissures dans le mur de la vieille tour servant de support à l'ensemble, l'aube du jour qui pénétrerait bientôt par les fenêtres, l'homme qui attendait dehors que le peintre de batailles achève son travail.

Il restait juste une chose à faire. Cela lui sembla soudain

si évident qu'un sourire apparut sur ses lèvres. Olvido Ferrara, si elle avait été là, en aurait ri aux éclats : il l'imagina renversant la tête en arrière, sa chevelure couleur de blé mûr, et le regardant ironiquement de ses yeux liquides et verts. Question d'imagination plus que d'optique, Faulques. La photographie ment, et seul l'artiste, etc.

Il alla à la table et prit la couverture de la revue avec la photo d'Ivo Markovic : un jeune homme blond, le visage perlé de gouttes de sueur, les yeux vides et l'air exténué, bien différent de l'homme qui attendait près de la falaise. Papillons de Lorenz et rasoirs ébréchés s'étaient donné rendez-vous dans cette image qui, lorsqu'elle avait été fixée sur le négatif, ignorait tout d'elle-même et de ses conséquences, prolongées jusqu'au moment présent : Faulques contemplant cette photo dans la vieille tour au-dessus de la mer. La vérité est dans les choses, pas en nous, se souvint-il. Mais elle a besoin de nous pour se manifester. Olvido aurait continué de rire, pensa-t-il, si elle l'avait vu en cet instant, la couverture de la revue à la main, cherchant parmi son matériel de peinture, les tubes et les flacons pleins et vides, les pinceaux, les livres qui couvraient la table. Il se la rappelait à plat ventre sur un tapis, découpant pendant des heures ces photos, où le seul signe de vie était la trace imprécise d'êtres humains aussitôt disparus comme des fantômes fugaces. Collages et *objets trouvés*. Naturellement. Il finit par mettre la main sur une grosse boîte de médium acrylique brillant, presque pleine. Avec un pinceau épais et propre, il en imprégna soigneusement le dos de la page, puis se tourna vers le mur en quête de l'emplacement adéquat. Il choisit un espace encore vierge situé entre le volcan et la ville moderne et confiante, et il la colla là, en faisant bien attention d'éviter les plis malgré la surface légèrement irrégulière du mur. Après quoi, il recula pour observer l'effet et, sans cesser de regarder, il chercha à tâtons la bouteille de cognac. Il la prit dans ses doigts rendus maladroits par la peinture qui commençait à sécher sur ses mains, porta le goulot à sa bouche et but si longtemps que les larmes lui vinrent aux yeux. Maintenant, oui, se dit-il. Maintenant, tout est là où ça doit être. Ensuite, tenant plusieurs tubes de couleur pure dans la main gauche, il s'approcha de nouveau du mur et appliqua la peinture en traits épais, d'abord courbes puis droits et libres, humide sur humide, se servant de ses doigts comme de spatules jusqu'à ce que la photo d'Ivo Markovic se trouve intégrée dans l'ensemble, unie au mur et au reste de la fresque par un enchevêtrement polyédrique d'ocre, de jaunes et de rouges, qu'il assortit d'un trait noir, allongé et spectral comme une ombre, destiné à rester là quand la détérioration de la fresque ferait disparaître la page collée.

Le peintre de batailles laissa les tubes de peinture par terre et se lava les mains dans la cuvette. Il se sentait étrangement serein. Vide comme une coque de noix, pensa-t-il soudain. Il finit de s'essuyer sans hâte, en réfléchissant. Ce devrait être étrange, songea-t-il, pour le voyageur, de finir par se retrouver lui-même dans la fresque. Puis il posa le chiffon sur la table, chercha la boîte de comprimés, s'en fourra deux dans la bouche et les avala avec une autre gorgée de cognac. Il éviterait ainsi que la douleur ne se présente au mauvais moment. Après, il prit le couteau et le glissa dans sa ceinture, parderrière. S'équiper pour le combat, pensa-t-il, et il sourit un peu en restant un instant immobile. Olvido aimait ça : marquer une pause juste au moment du départ, dans la tension de l'attente, pendant qu'ils passaient silencieusement leur matériel en revue dans la chambre d'un hôtel

anonyme avant de se diriger vers un lieu difficile. Vérifier les appareils et la pellicule, remplir ses poches du
nécessaire, mettre dans le sac la trousse d'urgence, les
cartes, l'eau, le carnet de notes, les feutres, l'aspirine. En
ne prenant que ce qu'on pouvait porter et qui n'empêchait
pas de marcher, courir, survivre, avant de refermer la
porte sur le superflu. J'ai l'air d'une enfant qui se déguise,
avait-elle dit un jour. Qui se prépare à être une autre. Tu
ne trouves pas, Faulques ? Ou à n'être personne. En tout
cas, je laisse chaque jour derrière moi une ancienne peau,
comme les serpents fatigués.

Avant d'éteindre les projecteurs et de sortir dans la nuit,
le peintre de batailles contempla son œuvre pour la dernière fois. On la verrait mieux, pensa-t-il, quand la lumière
réelle pénétrerait par la fenêtre au levant et viendrait donner comme chaque jour aux effets de la lumière peinte sur
le mur leur tonalité dorée. Alors, à mesure que les rayons
du soleil parcourraient le mur, le feu de la ville devien-
drait plus rouge, le volcan plus sombre et la pluie plus
grise. Certes, ce n'était pas un chef-d'œuvre, se dit-il, objectif. Il hochait lentement la tête, en réfléchissant. Non, pas
du tout. Ivo Markovic et Carmen Elsken l'avaient qualifiée
d'étrange. Tous ces angles, etc. Avec un sourire songeur,
Faulques se demanda ce qu'en aurait dit Olvido Ferrara.
Ce qu'en penseraient ceux qui, dans l'avenir et tant que la
tour resterait debout, contempleraient cette fresque.

Non, ce n'était pas une bonne peinture, conclut-il. Mais
elle était parfaite.

# 19.

Il ferma la porte à clef et marcha à pas comptés vers les silhouettes noires des pins que les éclats lointains du phare dessinaient par intervalles sous un ciel encore étoilé. Le calme était absolu ; même la légère brise de terre était tombée. Faulques entendait seulement ses pas, la stridulation des grillons dans le maquis et le bruit du ressac qui montait de la plage de galets comme une plainte prolongée et sourde, presque humaine. Lorsqu'il fut près du petit bois, il s'arrêta et attendit, immobile, dans les minuscules arabesques lumineuses des lucioles. Il se sentait calme, l'esprit clair. La mémoire et les intentions sereines. Sans appréhension ni douleur. Sous les effets du calmant, les battements de son cœur étaient réguliers. Précis. Et ils ne se modifièrent pas quand une ombre se dessina sous les arbres, tout près, et que dans la lumière du phare se détacha un instant la chemise d'Ivo Markovic.

— Vous avez fait vite, dit le Croate. Le jour ne se lève que dans une heure.

— Je n'avais pas besoin de plus de temps. Vous aviez raison.

— Je ne comprends pas.

— Mon travail était presque achevé, et je ne le savais pas.

Ils restèrent silencieux. Au bout d'un moment, la silhouette obscure de Markovic se déplaça un peu. Au passage suivant, le faisceau du phare la découpa assise sur un rocher. Le peintre de batailles s'accroupit non loin.

– Êtes-vous armé, monsieur Faulques ?

– Plus ou moins.

– Dans ce cas, ne vous approchez pas trop.

Il y eut encore une longue pause. On eût dit que le Croate riait doucement, sans desserrer les dents, mais ce n'était peut-être que le bruissement de la mer au pied de la falaise.

– Dois-je comprendre que vous êtes satisfait de votre peinture ?

Faulques haussa les épaules dans l'obscurité.

– Je crois que oui. – Il hocha la tête. – Non. J'en suis sûr. Elle est comme elle devait être.

Markovic ne dit rien. Les points minuscules des lucioles voltigeaient entre les deux ombres immobiles.

– Sans vous, je n'aurais pas été capable de le voir, poursuivit le peintre de batailles. J'aurais continué de travailler pendant des jours et des semaines jusqu'à ce que le mur soit entièrement couvert. En m'éloignant du moment... du point exact.

– Je suis heureux de vous avoir été utile.

– Vous avez été plus que cela. Vous m'avez fait voir des choses que je ne voyais pas.

Une nouvelle pause. Markovic réfléchissait probablement à ce qu'il venait d'entendre. Faulques se déplaça pour aller s'asseoir contre le tronc d'un pin. Il contempla le faisceau du phare, le réseau de lumières des villas qui couvraient le flanc de la montagne au-delà de Puerto Umbría, et la voûte noire criblée d'étoiles jusqu'à l'horizon.

– Est-ce que je suis vraiment dans le tableau ? s'enquit soudain le Croate.

Son intérêt semblait réel. Sincère. Faulques sourit intérieurement.

– Je vous l'ai déjà dit. Vous, moi… Nous sommes tous dedans.

L'autre tarda à reprendre la parole.

– Les symétries, non ?

– C'est ça.

– Toutes ces lignes et tous ces angles peints.

– Oui.

Markovic alluma une cigarette. À la lueur du briquet qui se reflétait dans les verres de ses lunettes, Faulques vit son profil penché, les yeux mi-clos pour éviter l'éblouissement de la flamme. Un bon moment, pensa-t-il. Cinq secondes de cécité suffiraient pour me servir du couteau et en finir une fois pour toutes. Son instinct entraîné calcula les angles, les volumes et la distance. Il considérait, froidement, le mouvement d'approche le plus approprié, le geste qui remettrait les choses à leur place. Arrivé à ce point de son histoire, Faulques savait parfaitement qu'entre l'action de prendre une photo – ce ballet mécanique sur l'échiquier qui rapprochait le chasseur du gibier, ou le gibier du chasseur – et celle de tuer un être humain, il n'y avait que des différences techniques minimes. Mais il laissa cette pensée s'effacer. Il restait nonchalamment appuyé contre l'arbre, le dos poisseux de résine. L'idée absurde lui vint qu'il était en train de gâcher sa dernière chemise.

– Est-ce qu'il y a une conclusion, monsieur Faulques ?… Dans les films, il y a toujours quelqu'un qui résume les choses avant le dénouement.

Le peintre de batailles regarda la braise immobile de la cigarette. Les lucioles allaient et venaient autour, fugitives et dorées. Il se rappela que leurs larves se nourrissaient des viscères des escargots vivants. Cruauté

274

objective : lucioles, orques. Êtres humains. En des millions de siècles, peu de choses avaient changé.

– La conclusion est là. – Il désignait la masse obscure de la tour, conscient que l'autre ne pouvait voir son geste. – Peinte sur le mur.

– Et aussi vos regrets pour ce que vous m'avez fait ?

La question irrita Faulques.

– Je ne vous ai rien fait, répondit-il âprement. Je n'ai aucun regret à exprimer. Je croyais que vous l'aviez compris.

– Je le comprends. Les ailes du papillon ne sont pas coupables, n'est-ce pas ?... Personne ne l'est.

– Au contraire. Nous le sommes. Vous et moi. Votre femme et votre fils. Nous faisons tous partie du monstre qui nous dispose sur l'échiquier.

De nouveau un silence. Puis il fut rompu par le rire étouffé de Markovic. Cette fois, ce n'était sûrement pas le bruit de la mer sur les galets, en bas.

– Des taupes folles, lança le Croate.

– C'est ça. – Faulques aussi souriait, amer. – Vous l'avez fort bien exprimé l'autre jour... Plus tout est évident, moins ça semble avoir de sens.

– Alors il n'y a pas d'issue ?

– Il y a des consolations. La course du prisonnier qui, pendant qu'on lui tire dessus, se croit libre... Vous comprenez ce que je veux dire.

– Je crois que oui.

– Parfois, ça suffit. Le simple effort pour comprendre les choses. Entrevoir l'étrange cryptogramme... Il arrive qu'une tragédie rassure davantage qu'une farce, non ?... Il y a aussi des analgésiques temporaires. Avec un peu de chance, ils permettent de gagner du temps. Et, bien administrés, ils peuvent servir jusqu'à la fin.

– Par exemple ?

– La lucidité, l'orgueil, la culture... Le rire... Je ne sais pas. Des trucs comme ça.

– Les rasoirs ébréchés ?

– Aussi.

La braise de la cigarette s'aviva.

– Et l'amour ?

– Y compris l'amour.

– Même s'il finit ou se perd, comme le reste ?

– Oui.

La braise de la cigarette s'aviva encore trois fois avant que Markovic parle de nouveau.

– Je crois que maintenant je vous comprends bien, monsieur Faulques.

Vers l'est, là où la crête de l'île des Pendus se découpait en avançant dans la mer, la ligne de l'aube commençait à se dessiner en tons plus clairs, intensifiant le contraste entre l'eau et le ciel encore noirs. Le peintre de batailles eut froid. Machinalement, il toucha le manche du couteau qu'il portait dans son dos, passé dans sa ceinture.

– Nous devrions en finir, dit-il à voix basse.

Markovic ne sembla pas l'avoir entendu. Il avait éteint sa cigarette et en allumait une autre. La flamme du briquet donnait au Croate un visage émacié. Elle creusait ses joues et accentuait l'ombre des orbites, derrière les lunettes.

– Pourquoi avez-vous photographié la femme morte ?

La première réaction de Faulques fut de passer de l'irritation à la colère. Une colère retenue qui parcourut ses veines comme un battement de cœur supplémentaire. C'était la seconde fois que Markovic posait cette question.

– Ce n'est pas votre affaire.

L'autre paraissait peser le bien-fondé de cette réponse.

276

– D'une certaine manière, ça l'est, conclut-il. Réfléchissez, et vous serez peut-être d'accord avec moi.

Faulques suivit le conseil. Il a peut-être raison, se dit-il finalement.

– Parce que je dois vous dire, poursuivait Markovic, que j'en suis resté stupéfait... Je marchais sur la route avec mes camarades, nous avons entendu l'explosion et plusieurs ont voulu aller voir. Mais nous étions en terrain découvert, et notre officier nous a ordonné de continuer. Une femme morte, a dit quelqu'un. Et c'est là que je vous ai reconnus tous les deux. Vous m'aviez photographié trois jours plus tôt, quand nous fuyions de Petrovci... Je n'ai pas bien pu voir la femme, mais j'ai su que c'était la même. Et, au moment où je passais à côté, je vous ai vu lever votre appareil et faire une photo.

Il y eut un silence, et la braise de la cigarette s'aviva. Faulques regardait ce point rouge, semblable aux innombrables points rouges plus sombres et liquides qui criblaient le corps d'Olvido, immobile, étrangement pâle – la peau blanchit très vite, comme une photo surexposée –, gisant sur le ventre sur le bas-côté, la main droite tenant l'appareil photo à la hauteur de l'estomac, le bras gauche plié laissant voir la montre au poignet, la paume tournée vers le haut du visage, la petite boule d'or au lobe de l'oreille d'où sortait un filet rouge qui imprégnait une tresse, coulait sur la joue jusqu'au cou et la bouche, et contournait les yeux entrouverts fixant l'herbe et les mottes de terre retournée où s'élargissait une flaque de sang. Agenouillé près d'elle, les appareils pendant à son cou, rendu sourd par l'explosion de la mine, presque assommé, tandis que la saharienne et le pantalon de la femme s'imprégnaient de rouge sombre dans la partie du corps en contact avec le sol, Faulques avait tendu les mains, d'abord à la recherche d'un endroit où arrêter l'hémorragie, puis pour palper le corps inerte à la recherche de battements déjà impossibles.

– Vous l'aimiez ? demanda Markovic.

Faulques regarda du côté du levant. Il n'y avait pas un souffle de brise, et la ligne de clarté se précisait : elle prenait des tons bleus et gris tandis qu'au-dessus s'estompait le scintillement des étoiles.

– C'est peut-être pour ça que vous avez fait la photo… Non ? Pour rendre les choses à leur état naturel.

Le peintre de batailles resta muet. Devant ses yeux, dans la cuve du laboratoire, apparaissaient, à la façon de cette mince ligne d'horizon qui s'affirmait au loin, les contours et les ombres de l'image photographique. Obscure est maintenant la maison où tu demeures, se souvenait-il. Il avait regardé Olvido morte à travers l'appareil, d'abord brouillée puis de plus en plus nette à mesure qu'il faisait passer l'anneau de la distance focale de l'infini à 1 m 60. L'image dans le viseur était en couleur ; mais le souvenir principal superposé à tous les autres, celui que le temps ou la mémoire de Faulques conservaient – il avait détruit l'unique tirage sur papier, et le négatif reposait enseveli sous des kilomètres de pellicule archivée –, était la gamme des gris se précisant progressivement sur le film, la lente révélation chimique sous la lumière rouge du laboratoire. La petite boule du pendant d'oreille en or avait été la dernière à apparaître dans le liquide de la cuve. Charon devait être satisfait.

– J'avais vu la mine, dit-il.

Il continuait de regarder la ligne bleu-gris de l'horizon. Quand, enfin, il se tourna vers Markovic, le faisceau du phare découpa un instant la silhouette de ce dernier.

– Vous voulez dire, s'étonna le Croate, que vous avez vu la mine avant qu'elle marche dessus.

– Oui. Ou plutôt, je l'ai devinée.

– Et vous n'avez rien dit ?

– J'ai hésité trois secondes. Juste trois. Elle s'en allait, vous comprenez ?... Elle était en train de me quitter. Tout d'un coup, j'ai voulu savoir jusqu'à quel point... Je ne sais pas. Qu'elle parte de cette manière-là ou d'une autre ne dépendait pas de moi. Peut-être la géométrie avait-elle quelque chose à dire là-dessus.

Markovic écoutait très tranquillement. Sans la braise de sa cigarette et les éclats réguliers du phare, Faulques aurait pu croire qu'il n'était pas là.

– Elle a fait deux pas en avant, poursuivit-il. Exactement deux. Elle voulait photographier quelque chose par terre, un cahier d'écolier... J'ai remarqué que, sur le bas-côté, l'herbe était restée droite. Haute et intacte. Personne n'avait marché dessus.

Là, Markovic émit un claquement de langue. Il s'y connaissait, en matière d'herbe piétinée ou pas piétinée.

– Je comprends, murmura-t-il. Il faut toujours se méfier de ça.

– J'ai pensé... Bon. Elle pouvait s'arrêter là où elle était. Vous comprenez ?

L'autre semblait comprendre parfaitement.

– Mais elle a bougé, dit-il.

Elle avait bougé, confirma Faulques. Comme une pièce sur un échiquier. Elle avait fait un pas de plus, cette fois sur la gauche. Un seul.

– Et vous, vous regardiez toutes ces lignes qui se recoupaient... Immobile et fasciné.

C'était le mot exact, admit le peintre de batailles. Fasciné. Avant d'achever son dernier mouvement, elle levait l'appareil pour faire la photo. Seulement trois secondes : un instant presque imperceptible. On pouvait considérer que le chaos et ses règles avaient eu leur chance. Et donc il avait pensé que c'était suffisant comme ça, et il avait ouvert la bouche pour lui crier de s'arrêter. Juste à ce moment, il y avait eu un éclair, et Olvido était tombée droit devant elle.

– Vous vous rappelez ses derniers mots ?... Elle ne vous a pas regardé avant ? Elle n'a rien dit ?

– Non. Elle marchait, elle a voulu faire une photo et elle a posé le pied sur la mine. C'est tout. Elle est morte sans savoir que j'étais là, sans savoir que je la regardais. Sans se rendre compte qu'elle mourait.

La braise de la cigarette de Markovic s'éteignit. Les lucioles, elles aussi, avaient disparu, et la masse compacte de la tour se précisait lentement là où le ciel virait du noir au bleu sombre.

– Elle s'en allait, insista Faulques.

Il entendit le Croate. Un frôlement sur le sol, une agitation dans les broussailles. Le peintre de batailles toucha le manche du couteau, mais il resta ainsi, le caressant des doigts sans l'empoigner. Tout d'un coup, il était tellement fatigué qu'il aurait pu s'endormir sur place. En fin de compte, pensait-il, ce qui allait se produire n'était pas différent de ce qui se passait depuis quatre cent cinquante millions d'années. Quelque chose d'aussi commun que la vie et l'Univers lui-même. Pour tous, le temps venait où il était trop tard. Surtout pour lui.

La voix de Markovic s'éleva, calme, réfléchie. Il semblait moins discuter qu'exprimer une pensée à voix haute. Le phare découpa de nouveau sa silhouette. Il s'était un peu redressé.

– Lorsque je suis parti à votre recherche, monsieur Faulques, je croyais que j'allais tuer un homme vivant.

Le peintre de batailles appuya sa tête contre l'arbre et

attendit tranquillement, les yeux ouverts sur l'obscurité. Il se souvenait d'autres aubes, quand il préparait le matériel avec des gestes précis, s'arrêtait sur le seuil avant de refermer la porte et lançait un dernier coup d'œil pour vérifier que tout ce qu'il laissait derrière lui était bien rangé et propre. Puis quand il filait dans un taxi vers l'aéroport en traversant les rues désertes d'une ville endormie, ignorant s'il reviendrait jamais.

– Eh bien, dit-il à voix basse, il faudra que vous vous contentiez de ce qui reste.

Il garda la tête appuyée contre le tronc et demeura ainsi, sans bouger, tandis que la clarté grise, puis dorée et orange s'affirmait sur l'horizon, que la silhouette noire de la tour se découpait dans la première lumière de la matinée et que tout, aux alentours, les arbres, le maquis et les rochers, prenait lentement forme. L'éclat lointain du phare s'éteignit juste au moment où une douce brise de terre recommençait à souffler en direction de la falaise ; la mer était calme et le bruit des galets roulés par le ressac avait cessé. Alors, enfin, Faulques regarda vers l'endroit où devait se tenir Ivo Markovic, et il ne vit qu'une demi-douzaine de mégots écrasés par terre.

Le peintre de batailles resta encore un long moment assis, sans changer de position, jusqu'à ce que le disque rouge du soleil s'élève au-dessus de la ligne de la mer près de l'île des Pendus et que ses premiers rayons horizontaux viennent réchauffer sa peau et l'obligent à fermer à demi les yeux. Il se leva en secouant les aiguilles de pin de son pantalon et adressa un lent regard circulaire au paysage. Les mouettes criaient au-dessus de la tour, dont les pierres prenaient des tons dorés sous cette lumière rouge du soleil levant. À l'horizon opposé, les accidents de la côte se profilaient dans la légère brume du matin, pointes et caps s'échelonnant avec différents tons de gris, du plus sombre pour les plus proches au plus estompé pour les plus éloignés. Comme dans les vieux tableaux.

C'était, décida-t-il, apaisé, une belle journée.

Il descendit par le sentier de galets étroit et escarpé, et, arrivé sur la plage qui se trouvait encore dans l'ombre, il observa la mer, tranquille et étale comme une flaque de mercure géante que la lumière croissante commençait à bleuir au loin. Il ôta ses espadrilles et sa chemise, et avança un peu dans l'eau, entre les rochers qui bordaient le rivage. Elle était froide, comme tous les matins avant qu'il fasse ses cent cinquante brasses habituelles vers le large et ses cent cinquante autres vers la plage. La fraîcheur redonna du tonus à ses muscles et lui rendit toute sa lucidité. Il revint en arrière pour poser sur le tronc décoloré de l'arbre mort, à côté des espadrilles et de la chemise, les clefs de la tour, le peu d'argent qu'il avait dans ses poches et le couteau qu'il gardait encore passé dans la ceinture. Puis il leva les yeux et sourit, ébloui : le soleil apparaissait à la limite de la falaise, entre les branches des pins, et ses rayons éclairaient obliquement la petite plage. À ce moment, il sentit un pincement au côté ; un avertissement de la douleur à venir qui s'insinuait de nouveau, exigeant ses droits. Sûr de lui, il hocha la tête, concentré. Cette fois, se dit-il, l'avertissement est inutile.

Avant de retourner dans l'eau, il prit une des pièces de monnaie qu'il avait laissées sur le tronc mort et la glissa dans sa bouche, sous la langue. Ensuite, immergé jusqu'à la taille, il regarda les empreintes de ses pieds disparaître des rochers du rivage, semblables aux coups de pinceau sur la fresque enfin achevée séchant sous le soleil du matin.

Lorsque le nouvel élancement arriva, le peintre de batailles s'en aperçut à peine. Il nageait, appliqué, vigoureux, avançant vers le large à un bon rythme et avec une précision géométrique, sur une ligne droite qui coupait exactement par la moitié le demi-cercle de la crique. Il sentait dans sa bouche, avec le goût du sel, celui du cuivre de la pièce de monnaie destinée à Charon. Il se demanda ce qu'il trouverait au-delà des trois cents brasses.

*La Navata, décembre 2005.*

RÉALISATION : PAO ÉDITIONS DU SEUL
IMPRESSION : S.N. FIRMIN-DIDOT AU MESNIL-SUR-L'ESTRÉE
DÉPÔT LÉGAL : JANVIER 2007. N° 88807 (82143)
IMPRIMÉ EN FRANCE